L'intelligence du stress

D1637845

Groupe Eyrolles
61, bd Saint-Germain
75240 Paris cedex 05

www.editions-eyrolles.com

© Groupe Eyrolles, 2008
ISBN : 978-2-212-54098-7

Jacques Fradin

Avec la collaboration de
Maarten Aalberse
Lorand Gaspar
Camille Lefrançois
Frédéric Le Moullec

L'intelligence du stress

Sixième tirage 2010

EYROLLES

« Le danger ne vient pas de ce que nous ignorons
mais de ce que nous tenons pour vrai et qui ne l'est pas. »

Mark Twain

Remerciements

Nous tenons tout particulièrement à remercier Fanny Fradin pour sa contribution de longue date à la création même de la matière, de l'expérience clinique qui la sous-tend en thérapie comme en art-thérapie NCC ; Aleth Ferret pour sa participation active à la relecture et à la conception du plan ; Pierre Moorkens, Anne-Marie Moorkens, Marie Fradin et Agnès Avignon pour leur participation à la mise en forme finale, Chadi Moghaizel pour les illustrations et, avec Aline Fèvre, les contributions à la bibliographie, ainsi que tous les autres relecteurs du manuscrit, ou encore les étudiants, professionnels, patients, qui ont participé, par leurs observations et remarques, à faire évoluer, depuis 1990, les connaissances, expérimentations et pratiques cliniques sur le sujet de la Gestion des Modes Mentaux développé dans ce livre.

Sommaire

Chapitre 4

Un nouvel art de vivre : la *prefrontal attitude* 127

Introduction

Le stress est controversé et... surprenant. Négatif pour les uns, positif pour les autres. Les études scientifiques montrent pourtant qu'il altère systématiquement notre capacité de réflexion et d'action et qu'il joue un rôle important dans presque toutes les souffrances émotionnelles et physiques.

Nous donne-t-il au moins le sentiment utile d'un danger qui menace ? Oui, mais le plus souvent, celui-ci est... en nous ! Qui le dit ? un mystérieux signal interne, révélateur de nos incohérences les plus intimes, de nos erreurs stratégiques les plus subtiles.

Mais qui est ce Sherlock Holmes neuronal ? Rien moins que le cortex préfrontal, sommet de notre cérébralité humaine, mais dont on découvre qu'il est avant tout... inconscient !

Eh oui, encore une déception, non seulement l'homme n'est pas au centre de l'univers, mais notre conscience elle-même n'est pas au cœur de notre intelligence ! Celle-ci n'en recueille que des miettes, que les génies savent mieux que d'autres capter.

À nous alors de mieux comprendre et appliquer le mode d'emploi de ce « super préfrontal » qui, à défaut d'être nous, est tout de même en nous.

Ce livre tente de résumer l'état actuel de certaines recherches cruciales sur le « cerveau qui pense », notamment à travers l'imagerie cérébrale fonctionnelle. Certes, les connaissances actuelles dans ce domaine sont encore très partielles et imparfaites, mais nous les croyons toutefois plus satisfaisantes que la grande ignorance où nous nous trouvons sans elles[1], pour peu que nous les prenions avec la relativité qui s'impose. Car ces découvertes, de par l'importance de leurs implications, ne concernent pas que les chercheurs mais, à l'évidence, comme nous souhaitons vous le faire découvrir par vous-même, chacun d'entre nous dans tous les domaines de sa vie.

Les développements récents recoupent bien entendu diverses observations traditionnelles, culturelles et psychologiques, mais ils en contredisent d'autres. L'avancée des connaissances et des pratiques, pour relative qu'elle soit, apporte un éclairage nouveau qu'il paraît bon de faire dès à présent partager.

Car le nouveau modèle précédemment évoqué peut, vous l'aurez compris, pour le moins, surprendre : le stress ne provient pas pour l'essentiel d'un danger vital, ni de la frustration de nos pulsions ou du refoulement de nos émotions par notre intelligence consciente, comme presque tous les modèles le laissent encore à penser. Au contraire, le stress humain semble avant tout provenir d'un obstacle à la production préfrontale ! Nous verrons ainsi pourquoi ce véritable supraconscient intelligent utilise la seule possibilité souvent à sa disposition : sonner l'alerte... par le signal du stress.

La question clé, très concrète, s'exprime alors ainsi : **comment faciliter l'accès du préfrontal à notre conscience, pour que le conflit à l'origine du stress se résolve en idées et actes plus adaptés et créateurs ?**

---

1. Roy Walford, spécialiste du vieillissement, a largement développé les avantages d'une politique probabiliste de la connaissance, en démontrant que la somme des connaissances acquises et probables de la science dans les domaines complexes de la nutrition et de la toxicologie alimentaire donnait des résultats nettement supérieurs à ceux... de l'ignorance, de l'empirisme ou de la tradition (Roy Walford, *Un régime de longue vie*, Robert Laffont, 1987).

Pour répondre à cette question, ce livre a pris le parti de se focaliser sur l'une des fonctionnalités les plus remarquables de notre cerveau, celle de la bascule entre un mode dit automatique, qui gère le connu, et l'autre dit intelligent ou adaptatif, qui gère le complexe et l'inconnu.

En application des nombreuses connaissances acquises sur le préfrontal, nous avons développé au cours des quinze dernières années une méthode dite de Gestion des Modes Mentaux (GMM). Elle décrit six clés universelles pour « ouvrir la conscience » à l'influence du préfrontal, et ainsi mieux bénéficier de son intelligence.

En quoi consiste cette pratique, au quotidien ? Quels en sont les bénéfices ? Nous allons vous faire expérimenter des exercices pour activer votre curiosité ou votre capacité à assumer des risques, vous faire comprendre comment garder son calme même en situation stressante, développer votre performance en expérimentant le droit à l'erreur, vivre la complexité avec une lucidité qui apaise. Et, plus généralement, vous faire « toucher du doigt » les attitudes qui mettent en état de réfléchir, s'adapter ou créer, toutes capacités, parmi d'autres, qui sont attribuables à l'intelligence préfrontale, là où le cœur et la raison se rencontrent[1].

Dans les derniers chapitres, nous verrons que les applications de la GMM sont aussi vastes… que notre vie car celle-ci implique toute notre façon d'être et d'agir au quotidien ! Pour l'illustrer, nous avons choisi quelques thèmes représentatifs : intimité et sentiments, relations sociales, activité professionnelle, performance sportive… Enfin sont abordés quelques sujets encore tabous comme la souffrance et la mort, pour finir en toute légèreté avec la créativité.

---

1. Antonio Damasio, *L'erreur de Descartes*, Odile Jacob, 1997.

Un nouveau modèle du stress

Avertissement au lecteur : ce chapitre s'égare par moments au cœur des neurosciences. Si vous décrochez, faites un tour par les chapitres 2 et 3 et revenez ensuite, selon votre appétit de compréhension, consommer le reste.

Si certains se plaignent du stress, il est dans le même temps assez répandu, dans les milieux professionnels, artistiques comme sportifs, d'affirmer que le stress est nécessaire à la motivation. Il est même de bon ton d'avoir un certain trac (« ça prouve l'engagement »), par exemple, avant une présentation orale ou une réunion importante, avec un gros enjeu à la clé. Or, le trac n'est qu'un stress d'un genre particulier, l'anxiété, sous-tendu par un état neurophysiologique dit de « fuite instinctive »[1], issu lui-même de structures cérébrales très anciennes.

Bien sûr, le fait de réussir une prestation malgré le trac est courant, mais est-ce que cela prouve que le trac est nécessaire à la motivation ou à l'adaptation ?

---

1. Henri Laborit, *Éloge de la fuite*, Gallimard, 1981.

Pourtant, dans le monde professionnel ou sportif, celui qui n'a pas le trac est souvent suspecté d'être trop détendu, ce qui dénoterait un certain détachement ou un manque évident de motivation... À moins que – car les avis divergent – il ne s'agisse de l'expression d'un réel charisme, d'un certain talent, d'un véritable don, d'une aisance naturelle ! Alors, comment s'y retrouver ?

Il est un fait aisément observable que de grands orateurs affichent une grande décontraction. Mais sont-ils décontractés parce qu'ils sont « grands orateurs » ou sont-ils « grands orateurs » parce qu'ils sont décontractés ? Et décontraction signifie-t-elle pour autant déconcentration ?

En tout cas, ce qui pousse certains d'entre nous à devoir s'appuyer sur le stress réside en ce qu'ils ressentent parfois, ou sur certains sujets, en l'absence de stress, une sorte de vide intérieur. Cela est particulièrement vrai lorsque nous ne disposons pas d'une vocation suffisante, d'une prédisposition naturelle, que nous avons nommée, dans un écrit précédent, la personnalité primaire, ou tempérament[1]. Le stress serait alors (parfois) rassurant puisqu'il nous permettrait de nous sentir plus vivant, plus concerné, de sentir qu'il se passe quelque chose en nous. Et de le prouver aux autres, pour obtenir de la reconnaissance. Cela peut avoir pour effet de nous motiver quelque peu, car l'attrait du succès, de la reconnaissance, ou la peur de l'échec, de la sanction, peuvent avoir un effet de motivation. Mais cet effet est ordinairement de courte durée.

Que se passe-t-il en fait, plus biologiquement, lorsque nous sommes stressés ? Il est utile de mieux le comprendre afin d'envisager de mieux le gérer.

Mais d'abord...

---

1. Jacques Fradin, Frédéric Le Moullec, *Manager selon les personnalités*, Éditions d'Organisation, 2006.

Entrez dans le jeu : c'est quoi le stress, pour vous ?

Quelle est votre opinion sur le stress ? Que pensez-vous intuitivement du stress ? Comment le vivez-vous ? Prenez quelques minutes pour entrer dans le jeu des six questions qui vont suivre. Cela vous permettra de faire le point de vos idées sur le sujet… Mais aussi de vous mettre dans un état mental propice à l'acquisition des connaissances qui vont suivre. Une façon comme une autre d'expérimenter d'abord ce que vous allez comprendre ensuite !

Prenez le temps de répondre à ces quelques questions avant de passer à la page suivante. Notez vos réponses sur l'espace prévu à cet effet.

Selon vous, spontanément, qu'est-ce que le stress ? Quelle est sa fonction ?

. . . .

. . . .

. . . .

Quand vous êtes stressé, que ressentez-vous ?

. . . .

. . . .

. . . .

Et quand vous êtes calme ?

. . . .

. . . .

. . . .

Dans une situation donnée, si vous êtes stressé et si votre interlocuteur/partenaire, qui est co-impliqué, au même titre que vous, est calme, que pensez-vous de lui ?

. . . .

. . . .

. . . .

Et si c'est vous qui êtes calme et lui stressé, toujours en cas de co-implication, que pensez-vous de lui ?

. . . .

. . . .

. . . .

Votre conclusion :

. . . .

. . . .

. . . .

Prenez le temps de répondre à nouveau aux questions suivantes :
Qu'est-ce que le stress ?

. . . .

. . . .

. . . .

À quoi sert-il ?

. . . .

. . . .

. . . .

Quand survient-il ?

. . . .

. . . .

. . . .

Comment faut-il faire pour passer de l'état de stress à l'état de calme ?

. . . .

. . . .

. . . .

Voici **notre synthèse basée sur plus de dix ans de pratique.** Elle donne un aperçu du stress et du calme vus par les autres, notamment dans le cadre de formation en entreprise.

Comparez vos réponses aux « standards » qui suivent :

• **Une définition spontanée du stress.** Le stress est une réponse normale de défense à une agression. Le stressé est victime d'une agression externe (surmenage, maladie, insécurité, précarité, agressivité, voire perversion…). Le stresseur est un « bourreau » (situation, personne, société…). Les causes sont objectives (incompréhension, situation sans issue, frustration, injustice, conséquences matérielles potentiellement préjudiciables, etc.). Le stress est donc une réaction bénéfique de défense, qui permet souvent de faire face à la situation.

• **Le stress vu de l'intérieur.** Le stress est désagréable, peu contrôlable (épidermique), nous nous sentons d'abord victime, agressé avant d'être agressif, nous attendons de l'autre une écoute, du respect ou même de la compassion, parfois des excuses.

• **Le calme vu de l'intérieur (en situation difficile).** Le calme en situation difficile (sang-froid) est agréable, donne un sentiment de maîtrise de soi, permet de se sentir acteur et observateur, intelligent, lucide, mature, adulte, capable de gérer au mieux une situation difficile, en nuançant la gravité, hiérarchisant l'urgent et l'important, l'essentiel et l'accessoire, le nouveau et le dérangeant.

• **Le calme vu de l'extérieur (en situation difficile).** Le calme d'un autre, lorsque nous sommes co-impliqué dans une situation difficile et nous-même stressé, sera perçu, selon les cas et les personnes, comme :

- rassurant, distancé, optimiste, ouvert et solide,
- je-m'en-foutiste, égoïste, désimpliqué et froid.

Un vrai cafouillage émotionnel basé sur le doute qui nous anime quant à l'implication réelle de l'autre. Nous voyons là à quel point le fait d'être ou d'avoir l'air stressé en situation difficile peut être un code social important pour rassurer les autres, quand ce n'est pas pour se rassurer soi-même. Même lorsque nous gardons notre calme, comme on l'a vu dans la rubrique précédente, nous ne sommes pas à l'abri d'être mal jugé par les autres, ce qui ne va pas sans poser de problèmes concrets en situation collective. Il importe donc d'en être conscient, pour rassurer préalablement les autres sur notre implication réelle, notamment au travers de ce l'on appelle la « métacommunication »[1]. Puisqu'elle se voit moins, il faut parfois la commenter !

• **Le stress vu de l'extérieur.** Lorsque, calme soi-même, nous sommes co-impliqué dans une situation difficile avec un autre qui est stressé, nous percevons alors son stress comme une dramatisation, un affolement, une perte de contrôle, de recul, du sens des priorités, un déficit de maturité, de lucidité. Parallèlement, il suscite chez nous de la compassion, de l'empathie, de la solidarité plus qu'un jugement. Dans tous les cas, nous ressentons pourtant l'autre comme amoindri, parfois inquiétant, voire dangereux : mauvaises décisions, brutalité ou approximation des gestes, agressivité, voire violence...

Un adversaire, alors... ? Il y a une autre façon de comprendre le stress. Mais d'abord un peu d'histoire...

---

1. La méta-communication est la communication sur la communication. Par exemple : « Comme je vois que tout le monde s'agite sur le sujet, je ne voudrais pas que tu penses que je m'en fous. Je fais ceci et cela et te tiens au courant... »

Au commencement était le stress externe ou défensif…

Dans le monde sauvage et animal, le stress est un mécanisme de défense et de survie, certes primitif, mais tout à fait adapté au contexte « originel ». C'est tout d'abord un signal d'alarme qui déclenche un certain nombre de processus physiologiques qui permettent de faire face au danger.

Le stress et l'évolution de l'espèce

Nous l'avons déjà évoqué, c'est Henri Laborit[1] qui a en France développé ou vulgarisé ces concepts, nous montrant par exemple que si notre cœur se met soudain à battre la chamade et notre respiration à s'emballer, c'est pour préparer notre corps à courir pour échapper au pire. Car dans ce monde-là (sauvage et animal), celui dans lequel ces mécanismes primitifs de survie ont été sélectionnés selon les lois de l'évolution des espèces, il suffit ordinairement d'une fois, d'une seule erreur, pour mourir ! Si la vieille partie du cerveau chargée de nous protéger (l'hypothalamus, notamment, situé dans les territoires dits reptiliens[2], juste au-dessus du tronc cérébral et de la moelle épinière, à la « racine » du cerveau en quelque sorte) détecte une situation de danger ou l'interprète comme telle, elle enclenche tout un processus instinctif, c'est-à-dire génétiquement programmé, de survie : le stress.

Le stress animal défensif provient d'un niveau cérébral qui fonctionne de manière essentiellement inconsciente et instinctive, ne nécessitant aucun apprentissage (et n'en permettant aucun, ce qui explique le caractère peu contrôlable, du moins directement, des vécus et impulsions qui en proviennent).

---

1. Henri Laborit, « L'inhibition de l'action. Biologie comportementale et physio-pathologie », *op. cit.*
2. Voir p. 30 « Les neurosciences : des anciens aux modernes », pour une explication plus complète.

**Système nerveux central
(vue médiale ou sagittale moyenne du cerveau)**

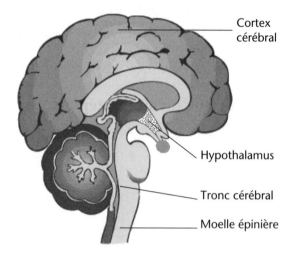

Cortex
cérébral

Hypothalamus

Tronc cérébral

Moelle épinière

Au fil de l'évolution des espèces, le développement des structures cérébrales a permis un meilleur contrôle du territoire de pâture ou de chasse, le développement de la vie en troupeaux et, plus globalement, des capacités adaptatives, ce qui a réduit, ou du moins modulé, la forme et le rôle de ces mécanismes primitifs du stress.

Pourtant, l'observation quotidienne de nous-mêmes, comme celle de nos concitoyens, montre que nous passons une large partie de notre temps civilisé à nous stresser, alors que l'animal sauvage ne vit le stress, pour l'essentiel, qu'en contexte de danger immédiat. Apparemment, le stress humain se manifeste de la même manière que celui de l'animal, dès que l'individu se sent l'objet d'une menace quelconque, même si, objectivement, sa vie n'est pas ou plus en danger.

Tout semble se passer comme si nous n'étions, nous humains, pas ou plus capables de faire spontanément la distinction entre un danger de mort imminente et un simple désagrément subjectif dû à une contrariété, parfois tout à fait bénigne, un échec scolaire, un conflit quotidien, un jugement négatif porté sur nous-mêmes par notre entourage… Quelle qu'en soit la raison, réelle ou perçue comme telle, reptilienne ou modulée dans des territoires cérébraux plus récents en termes d'origine phylogénétique[1], nous semblons vivre, pour certains d'entre nous, constamment en état d'alerte biologique. Ainsi en est-il, face à son jury d'examen, de ce pauvre candidat dont la tête, sous l'effet du stress, se vide, plutôt que de chercher les réponses attendues !

Trois réponses pour une même stratégie de survie à court terme

En fait, le stress n'est pas un, mais développe trois programmes, qui se succèdent en fonction des événements, et notamment du succès ou de l'échec du précédent pour éloigner le danger perçu. Ce sont les états dits de Fuite, Lutte et Inhibition. Chez l'animal dit naïf, c'est-à-dire qui n'a pas encore vécu de stress, l'enchaînement se fait toujours dans l'ordre énoncé.

Nous, humains, vivons des états d'anxiété, d'agressivité défensive ou de découragement que nous pouvons identifier à ces trois états, instinctifs[2]. Ces trois états de stress, ou États d'Urgence de l'Instinct (EUI), sont fonctionnellement synonymes, en ce sens qu'ils se déclenchent ou alternent indifféremment pour une même sorte de raisons premières. Devant un danger, tout animal ou humain peut : chercher à s'échapper ou se cacher (état de Fuite) ; sinon se retourner contre l'agresseur, chercher à l'intimider par des rituels de combat et, en dernier recours, tenter de se battre (état de Lutte) ; enfin, lorsqu'il y a échec des deux précédentes stratégies, il va tenter, selon les cas, de faire le mort, se faire oublier, pardonner… ou se laisser manger (état d'Inhibition). L'ordre de succession peut être changé lorsque notre instinct évalue (se basant sur le ratio taille/poids ou la distance qui nous sépare de l'agresseur) que nous ne sommes pas capables de fuir

---

1. C'est-à-dire issus d'un héritage plus récent à l'échelle de l'évolution des espèces.
2. Jacques Fradin et Fanny Fradin, *La thérapie neurocognitive et comportementale (ex-Psychophysio-Analyse), une nouvelle vision du psychisme issue des sciences du système nerveux et du comportement*, Publibook, 2004 (précédentes éditions : 1990, 1992).

ou lutter. Si, dans notre vie moderne, l'Inhibition participe à la constitution des états dépressifs, on comprend néanmoins qu'elle n'est pas pour autant, à la base, une « pulsion de mort », mais bien un instinct de vie : c'est parfois notre dernière carte à jouer pour sauver notre vie en milieu primitif ou sauvage. Ne rien désirer, déprimer intensément pendant un instant, c'est une façon très animale mais efficace de s'immobiliser !

Ces trois versants d'un même processus biologique, dont la continuité est claire en contexte de course ou de combat physique pour la survie immédiate, nous apparaissent pourtant subjectivement bien dissemblables, voire opposés dans notre vie d'humain moderne. Ainsi, l'état de Lutte qui sous-tend nos états de tension psychologique ou relationnelle, d'agacement ou de colère, permet parfois de mieux faire valoir sa place ou d'agir en situation de conflit familial ou professionnel. Sa signification profonde reste pourtant la même : une perception instinctive de danger, une posture inconsciente de faiblesse que l'instinct du stress cherche à cacher sous un processus offensif. Cependant, la bascule de cet état vers un autre, fréquente et rapide, est là pour nous rappeler leur étroite parenté. Ainsi, le trac de l'orateur peut se muter en agressivité ou en découragement, face à une intervention frontale et déstabilisante d'un auditoire, par exemple. Le stress est toujours là, il change simplement de stratégie face à l'obstacle. Et il le fait avec ses propres moyens et ses critères de décision, essentiellement primitifs et stéréotypés, donc peu adaptés (sauf par hasard) et peu contrôlables, laissant peu de possibilité d'apprentissage direct et précis. La modulation que permettent les étages supérieurs de notre cerveau parvient parfois à limiter l'intensité du stress et/ou à mieux choisir notre mode réactionnel, en nous permettant de mieux gérer la « bascule » entre Fuite, Lutte ou Inhibition, afin de choisir le plus adapté ou le moins inadapté à la situation. Dans les deux situations, toutefois, on ne résout pas la ou les causes.

Les États d'Urgence de l'Instinct (EUI)

La Fuite

Le premier étage de la fusée du stress à s'allumer est donc celui de la Fuite[1]. On comprend pourquoi, dès que le danger est détecté, les vieilles structures qui impulsent cet état de Fuite commencent à préparer l'organisme à détaler : accélération préventive du cœur et de la respiration pour favoriser l'oxygénation des tissus, dilatation périphérique des petits vaisseaux ou capillaires (vasodilatation), qui permet au sang de mieux irriguer les organes périphériques comme les muscles, augmentation du tonus dans les jambes pour mieux courir, attention dispersée et regard fuyant pour cerner les dangers et les issues possibles. Subjectivement, la fuite insuffle un vécu de peur, un sentiment d'insécurité et d'oppression, là aussi destiné à donner une envie confuse mais efficace que l'on « ferait mieux d'être ailleurs et dans les plus brefs délais ». Dans nos structures cérébrales supérieures, cela sème parfois du trouble, car cela peut faire rater notre prestation (professionnelle, littéraire ou amoureuse, etc.). Mais sous l'emprise de l'état de Fuite, il est non seulement inutile mais aussi injuste de se culpabiliser d'être mal là où l'on est. L'effet expérimenté est celui de son programme génétique, universel.

La Lutte

Le programme de Fuite échoue lorsque l'on ne court pas assez vite, si le chemin est barré… ou lorsque l'on est en situation sociale moderne où il est interdit, voire simplement dévalorisé, de fuir. Le système primitif hypothalamique tente alors la deuxième partition préprogrammée dont il dispose pour faire face au danger : la Lutte. On va se retourner contre l'agresseur, tenter de le repousser, le dissuader. La Lutte instinctive, telle que décrite par Gray[2], n'est pas une attitude offensive comme le sont les attitudes de prédation ou de dominance, sous-tendues par d'autres structures cérébrales[3]. L'hypothalamus évalue la situation comme précaire, mais cela ne signifie pas que l'on en ait conscience : le sujet en état de colère se sent plutôt « gonflé ». Ce genre d'inversion des sensations

•••

---

1. Henri Laborit, *Éloge de la Fuite* (*op. cit.*).
2. Jeffray A. Gray, *The Psychology of Fear and Stress*, Weidenfield and Nicolson, 1971.

•••

est fréquent dans les vieilles structures cérébrales qui incitent à agir plus qu'elles ne « renseignent » objectivement sur la situation. Ce management coercitif a cependant sa cohérence : si l'on se sent « culotté », on peut mieux se battre et garder du courage que si l'on pense que la situation est perdue.

C'est donc une erreur de se culpabiliser si ses propos en lutte sont outranciers, parce que l'on est orgueilleux, susceptible. Cela fait partie du stéréotype génétiquement programmé, destiné à compenser le sentiment primitif de faiblesse devant un ennemi initialement évalué comme plus fort. Cette autosatisfaction réactionnelle de la Lutte est sous-tendue par toute une orchestration biologique adéquate : la focalisation du regard, qui fixe dans les yeux pour connaître l'intention de son adversaire, un certain ralentissement du cœur et de la respiration par rapport à la Fuite, car il s'agit moins d'un effort maximum que d'une détente ciblée. La tension se déplace des jambes vers le cou et les mâchoires, pour mordre, et dans les bras et les mains, pour griffer ou taper. La sécrétion d'adrénaline complète le tableau de la colère, qui tombe aussi vite qu'elle est montée, en fonction de la perception du danger et de l'issue du combat.

L'Inhibition

Par contre, si l'on perd le combat, ou si le rapport initial de force semble trop dissuasif pour fuir ou lutter, on bascule vers l'Inhibition, synonyme d'intense vécu de découragement, d'abattement, de sentiment d'infériorité. Là encore, il est peu utile de chercher une explication psychologique, propre aux territoires supérieurs du cerveau : ce « manque de confiance en soi » de l'inhibé reptilien est génétiquement programmé.

Quand l'animal n'est pas encore repéré, l'Inhibition lui permet de se rendre (presque) imperceptible : respiration étouffée pour être totalement silencieux (d'où la sensation d'oppression respiratoire), constriction des capillaires sanguins pour économiser la chaleur et l'énergie (d'où la sensation de froid profond), puisqu'il faut désormais « durer »,

•••

---

3. La prédation est sous-tendue par le faisceau moyen du cerveau antérieur, associé au calme et au plaisir. La dominance, qui consiste en la recherche de position hiérarchiquement élevée dans un groupe animal par un processus d'affrontement offensif, semble quant à elle associée au fonctionnement de l'amygdale limbique.

•••
pendant « l'attente en tension », jusqu'à ce que le prédateur parte. Pour économiser l'énergie, le cœur se ralentit, les extrémités se refroidissent, le teint devient blême et des spasmes peuvent apparaître, car la digestion se bloque. L'inhibition sert aussi, sur un plan social primitif, à se soumettre devant un dominant. Ce rituel d'Inhibition soulage ce dernier de son besoin de dominance ou simplement lui laisse la priorité pour la consommation de ce qu'il veut : aliments, relations sexuelles, pouvoir, etc. Cet état sert ainsi à abandonner une attitude dangereuse ou à bloquer notre action en situation prolongée de non-contrôle.

Comme pour les précédents états, comprendre que l'Inhibition n'est ni volontaire ni aisément contrôlable est déculpabilisant pour celui qui ressent cet état avec intensité ou fréquemment. Interpréter correctement sa fonction primitive permet de mieux l'accepter, étape nécessaire pour mieux gérer l'état.

Les États d'Urgence de l'Instinct (EUI)

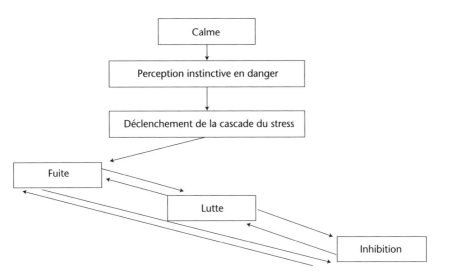

Une origine interne au stress humain

Néanmoins, ce stress, universel dans sa symptomatologie et ses réponses, semble cacher des différences majeures dans sa causalité, au fil de l'évolution des espèces. Il peut paraître surprenant que les réponses spontanées que vous avez probablement apportées, ou du moins celles qui sont statistiquement apportées aux premières questions que nous avons posées, soient : le stress est un état défensif et très comportemental contre un agresseur externe. Mais, en fait, nous gardons dans nos réflexes la trace de la programmation primitive, instinctive : le stress sert à se défendre d'un danger ou d'un ennemi externe. Contre l'évidence de notre expérience quotidienne.

Il nous faut ordinairement une réflexion guidée par des questions précises, celles qui nous ont fait « sortir du cadre », tourner autour du sujet, pour que nous puissions découvrir enfin une réalité, empirique, quotidienne, statistique aussi, des causes réelles de notre stress d'humain : il est d'origine interne, subjective, cognitive. Nous ne stressons pas tous pour les mêmes raisons, dans les mêmes conditions. Nous n'apprécions pas tous les événements de la même façon, ni dans leur signification, ni même dans leur gravité. Ce qui vexe l'un n'est qu'une maladresse touchante pour l'autre, ou même passe totalement inaperçu. Ce qui est insupportable ou inquiétant pour l'un est un havre de paix pour l'autre.

Comme vous l'avez vous-même constaté au terme des questions que nous vous avons posées au début de ce chapitre, le stress humain n'a donc plus, le plus souvent, cette fonction défensive. En fait, il apparaît de plus en plus qu'il peut être interprété comme une information[1] nous indiquant que nous commettons une erreur de raisonnement, au niveau de l'intention, de l'attitude ou du comportement, que nous

---

1. K. Ochsner & J. Gross, "The Cognitive Control of Emotion", *Trends in Cognitive Sciences*, vol. 9, n° 5, 2005, p. 242-249 ; R. Davidson, D. Jackson & N. Kalin, "Emotion, Plasticity, Context, and Regulation : Perspectives from Affective Neuroscience", *Psychological Bulletin*, 2000, 126 (n° 6), p. 890-909.

faisons fausse route, qu'il y a sans doute d'autres manières d'appréhender la situation, la réalité, et de la gérer.

Objectivement, de très nombreuses études montrent qu'on ne peut pas identifier de causes externes réelles dans près de 90 % des cas de stress humain, en situation sociale moderne et en temps de paix. **Ce sont en fait nos pensées, nos cognitions, en l'occurrence incohérentes, contradictoires, qui déclenchent le stress. Et leur remise en ordre l'apaise.** Cette observation et sa validation scientifique sont à mettre au crédit des thérapeutes de la lignée cognitiviste[1].

Tandis que le stress « animal et défensif » est d'origine externe, contextuelle, environnementale, **ce stress « humain et cognitif » est donc d'origine interne.** Cependant, le stress humain reste toujours une manifestation reptilienne, qui est devenue toutefois une coquille vide de sens… qui ne semble plus être que le symptôme visible et « suspendu en l'air » d'un conflit, en fait, interne.

L'approche neuroscientifique est en train d'expliquer aujourd'hui le pourquoi et comment de ce conflit interne. Elle élargit le champ des observations et des applications pratiques. Nos propres travaux ont montré que ce n'est pas seulement l'incohérence cognitive qui se cache derrière le stress, mais l'obstruction des activités de la partie la plus intelligente du cerveau : le néocortex préfrontal[2]. Nous avons décrit six paramètres de son fonctionnement : curiosité, adaptation, nuance, relativité, rationalité et opinion personnelle. Nous y reviendrons largement, car ils résument tout ce qui est aujourd'hui connu sur l'activité de ce territoire si précieux de notre encéphale. La rationalité, levier principal de la thérapie cognitive, n'est donc que l'un d'entre eux.

---

1. Aaron T. Beck, *Cognitive Therapy and The Emotional Disorders*, Penguin Books, 1989.
2. Jacques Fradin et Fanny Fradin, *La thérapie neurocognitive et comportementale…*, *op. cit.*

Ce modèle d'obstruction éclaire l'observation déjà plusieurs fois évoquée des cognitivistes, à savoir que, simultanément :

* Le stress cognitif, au cœur du stress humain, est engendré par un déficit de logique qui, selon nous, est un symptôme du refoulement de l'information préfrontale.

* Le développement de réponses logiques le résout, car la réflexion logique est une façon (parmi six, selon notre modèle) de dé-refouler les productions préfrontales.

Étrange tout de même, car Freud avait dit le contraire. Et la raison semblait être de son côté puisque le stress provient de structures reptiliennes, qui ne sont assurément pas le temple de la rationalité et de l'intelligence supérieure ! Freud voyait dans le stress la résultante de la frustration de nos besoins primitifs par la raison et la culture.

Le modèle comportemental et cognitif est beaucoup plus simple (simpliste, disent ses détracteurs) dans sa représentation : **pensée, comportement et émotion sont immédiatement reliés et constituent les trois faces d'un même processus. Il suffit donc d'agir sur l'un des pôles pour modifier les autres.** Il est aussi plus à même d'expliquer pourquoi le psychopathe est fortement stressé, alors même que ses pulsions s'expriment presque librement, cependant que le sage tibétain, qui les refoule au contraire massivement et mène une vie ascétique, est serein.

Pour autant, le modèle de thérapie cognitive n'explique pas comment notre cerveau fait pour générer ce « veto » rationnel, notamment lorsque le sujet ne sait pas consciemment qu'il se trompe, lorsqu'il ignore les risques qu'il prend, les maladresses qu'il commet !

Quelle structure, dans notre cerveau, peut ainsi détenir à la fois :

* la capacité à prédire et dire, à travers le stress (« la conscience qui me côtoie se trompe, elle est incohérente, il y a danger ») ;

* la capacité à lever ce veto lorsque la cohérence revient ?

Le stress : signal de détresse d'une intelligence préfrontale inconsciente

Nous avons, depuis 1992, émis l'hypothèse[1] que seul le néocortex préfrontal semble capable de détecter cette incohérence décrite précédemment. Nous avons également rapproché cette proposition de la mise en évidence par les neurologues du caractère essentiellement inconscient des aires quaternaires, notamment préfrontales (puisque leur destruction n'altère en rien les mécanismes de la conscience).

Selon notre modèle, le préfrontal émettrait un message d'alerte inconscient. Cela vient d'être repris par une étude récente en imagerie cérébrale qui montre qu'une partie du cortex préfrontal s'active face à l'incohérence et déclencherait le stress[2].

Vue externe du cerveau (hémisphère gauche)

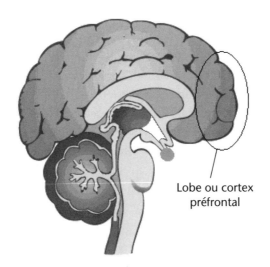

Lobe ou cortex
préfrontal

---

1. Jacques Fradin et Fanny Fradin, *La thérapie neurocognitive et comportementale…*, *op. cit.*

En pratique, soit notre conscience « entend et accepte » ce message du préfrontal et nous comprenons alors plus ou moins clairement pourquoi nous stressons, ce qui suffit parfois à résoudre ce stress. Soit, le plus souvent, notre conscient ne décode pas ou décode insuffisamment le message et son importance, ou même le refoule parce que cela le dérange (nous verrons ultérieurement que la conscience et le préfrontal s'opposent dans la nature même de leurs modes de pensée, de leur choix de vie).

Dans ce deuxième cas, c'est le cerveau reptilien qui, sans le savoir, joue le rôle de porte-parole du préfrontal. Non dans le contenu du message, car ces vieilles structures ne peuvent comprendre ni apprendre de quoi il s'agit, elles ne peuvent que « réciter leur refrain » : fuir/lutter ou s'inhiber, mais dans sa présence même, car le stress traduit presque toujours un dysfonctionnement interne, consistant plus précisément en un refoulement des messages de notre intelligence supérieure par des structures conscientes.

L'archaïque reptilien ne détecte pas non plus les subtiles erreurs commises par des structures cérébrales bien plus évoluées que lui : fautes de logique, d'évaluation des risques et du point de vue des autres, d'anticipation à long terme, etc. Il n'est que l'amplificateur d'un message d'alerte émis par le préfrontal lui-même. C'est le préfrontal qui traduit son message en « langage reptilien », pas l'inverse ! D'où le miracle observable : le stress donne du fil à retordre à notre conscience, il pointe ses moindres erreurs, si tant est que l'on en ait compris la mission, la fonction cachée. Car le fait d'être reptiliennement programmé à chercher dehors nos agresseurs induit en erreur. Les réponses comportementales du stress continuent malheureusement à s'exprimer au travers de réponses primitives, rigides et « décalées » en contexte social humain.

---

2. R. Davidson, K. Putnam & C. Larson, "Dysfunction in the Neural Circuitry of Emotion Regulation. A Possible Prelude to Violence", *Science,* 2000, vol. 289, p. 591-594.

Dans notre modèle, tout « est en ordre », si l'on peut dire : le reptilien est et reste primitif, dans toutes ses fonctions. Ainsi, il ne fait qu'« entendre » et amplifier un message de détresse interne émis par le préfrontal. Et il l'exprime de façon sommaire.

Le préfrontal

La préfrontalité naît de la rencontre des informations d'origine néocorticale, qui aboutissent au niveau du préfrontal dorso-latéral, et des informations d'origine reptilienne et limbique, qui aboutissent au niveau ventro-médian. La rencontre de ces deux lignées d'intégration se fait au niveau fronto-orbitaire. En fait, c'est la rencontre des informations d'origine externe et celles d'origine interne :

• Les premières (informations d'origine externe) nous informent sur la situation de l'environnement et ses potentialités ;

Vue externe du cerveau

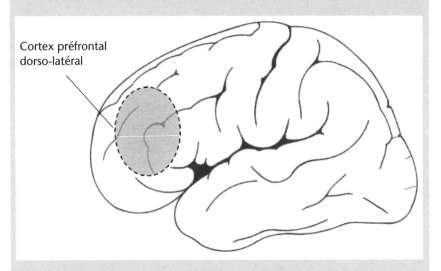

Cortex préfrontal dorso-latéral

• Les secondes (informations d'origine interne) sur notre état biologique et nos besoins immédiats.

•••

Vue médiale (sagittale moyenne) du cerveau

Gyrus cingulaire

Cortex préfrontal ventro-médian

Cortex fronto-orbitaire

Thalamus

Il existe d'autres grands niveaux d'interférences entre ces deux lignées dans le système nerveux central, notamment au niveau du thalamus et du gyrus cingulaire.

Antonio Damasio[1] a longuement développé ces observations dans son écrit, *Le sentiment même de soi,* et il attribue à cette convergence un rôle essentiel dans l'émergence de la conscience.

Cela, tandis que presque tout le monde a cru jusqu'à présent, ou croit encore, que la conscience siège dans le préfrontal, la partie la plus intelligente de notre encéphale, parce que la conscience humaine serait au sommet de notre fonctionnement mental. Damasio[2], par contre, a souligné que le préfrontal est le seul territoire présentant plus que tout autre cette caractéristique d'être à la fois :

• au confluent des informations externes et internes,

• peu ou pas conscient.

•••

---

1. Antonio Damasio, *Le sentiment même de soi. Corps, émotion, conscience,* Odile Jacob, 1999.
2. *Idem.*

•••

Il a vulgarisé le fait, bien connu par les neurologues, que les aires néo-corticales les plus intelligentes, et tout particulièrement préfrontales, sont peu ou pas impliquées dans les mécanismes de la conscience, et que l'accès de leur production à la conscience est relativement laborieux. Cela explique largement le caractère imprévisible et simultanément culturel de la créativité, et la rationalité, reliées dans ce qu'il a nommé « *la rencontre du cœur et de la raison* », l'intelligence préfrontale.

Toute créativité est d'origine préfrontale, puisqu'elle disparaît entièrement par la lobotomie, sa destruction étant irréversible. Cela montre l'extraordinaire puissance et l'étendue des capacités préfrontales, superposables à la culture humaine.

Grâce aux neurosciences, la préfrontalité se livre doucement à nos connaissances. Ainsi elle devient plus largement accessible, individuellement et collectivement, avec le développement des nouvelles pratiques méta-culturelles et pédagogiques.

Quelques premières applications

Pour nous, humains, désireux de mieux nous connaître, afin de vivre plus harmonieusement notre vie personnelle et relationnelle, trois messages sont à retenir :

• **Notre stress peut être un stimulus** pour, tout d'abord, **chercher notre erreur de l'instant**, notamment depuis le moment précis où il survient : à quelle réflexion, décision, attitude, action est-il associé ? Nous verrons plus tard que l'erreur n'est pas seulement dans une pensée ou croyance irrationnelle spécifique, comme l'on croyait dans les thérapies cognitives[1], mais plutôt et surtout dans une *façon* de penser, un *mode mental* pas adapté.

• Cela, pour ensuite **la corriger** en activant le mode adapté, ce qui devrait nous apaiser. Cet apaisement constitue le seul signal crédible de la pertinence de la correction apportée.

---

1. Aaron T. Beck, *op. cit.*

- En troisième lieu, si rechercher les causes du stress est pertinent, il nous paraît par contre **trompeur « d'écouter le stress »**, au sens de ses symptômes, par exemple au sens de vouloir se débarrasser de ses émotions ou impulsions.

L'intelligence émotionnelle n'est pas de céder à sa colère ou à sa peur, de punir ce qui nous irrite par exemple. Il n'y a pas (ou si peu) de juste colère ou d'anxiété lucide, n'en déplaise à Corneille ou Camus ! Il ne s'agit pas, non plus, d'essayer de maîtriser, voire refouler, les manifestations de ses émotions qui ne sont que des signes qu'il faudrait changer de mode. Est-ce intelligent de tuer le porteur d'une mauvaise nouvelle ?

Cela peut se traduire dans la psychologie quotidienne : « Ce qu'il dit est intolérable » deviendrait : « Tiens, je me sens irrité, donc... qu'est-ce que je pense et/ou tends à faire à cet instant à son sujet et que ma propre intelligence censure ? » Et/ou : « Mais je suis intolérant, je ne suis donc pas sur le bon mode mental... Suis-je prêt à regarder cela de plus près pour changer de mode ? » On reviendra en détail sur cette deuxième question, surtout au chapitre 2 de ce livre.

En fait, le début de la solution est plus simple qu'il n'y paraît : **chacun est avant tout propriétaire (ou locataire !) de son propre stress.**

Freud et les neurosciences

Du point de vue de la théorie et, partant, de la totale rigidité des programmations reptiliennes, le stress cognitif est un stress comme un autre, au sens où sa survenue traduit un danger. Mais ce danger est interne. Notre propre intelligence supérieure nous prévient que nous sommes en danger et nous ne le comprenons pas. Ou, parfois, nous faisons mine de ne pas comprendre et nous le refusons. Pour illustrer cela, nous nous plaisons souvent à dire que notre cerveau ressemble à une agora et se comporte comme une population de neurones bien plus que comme un cerveau véritablement homogène, au sens où le préfrontal semble l'être.

Cela s'explique par l'empilement de structures issues d'époques et de contextes évolutifs très différents, de capacités résultantes très hétérogènes. De plus, ces divers niveaux fonctionnels gèrent aussi des contraintes très contrastées, voire contradictoires ; par exemple, manger ou dormir n'est pas toujours compatible avec la préservation de sa sécurité en contexte sauvage. Il en résulte donc des tensions et autres conflits. Le stress est un indicateur majeur de conflit interne. Plus de neuf fois sur dix, en situation humaine, nous l'avons vu, le conflit qui nous stresse est interne plus qu'externe. Et c'est le préfrontal qui mène la fronde.

Freud avait anticipé les conflits de générations entre structures cérébrales (entre le ça, le surmoi et le moi). Mais cette confrontation prenait une forme assez équilibrée et conforme à l'intuition commune entre :

• des pulsions primitives, qui transcrivent au quotidien nos besoins biologiques ;

• notre intelligence qui doit intégrer le « principe de réalité » et qui négocie des compromis « plus ou moins mal taillés » (allant de la sublimation freudienne à la résilience promue par Boris Cyrulnik[1]).

On pourrait considérer ce modèle comme une sorte de transcription biologique des oppositions culturelles entre les anciens et les modernes, la tradition et l'innovation, la sécurité et le risque.

Dans notre propre vision, le débat est plus déséquilibré :

• **D'un côté**, il y a, si l'on force le trait, **un « axe surdoué » préfronto-reptilien** (les anciens et les modernes coalisés) qui relie en direct les besoins biologiques internes et l'adaptation externe à l'environnement, par le canal notamment de l'intelligence sous sa forme la plus aboutie, rationnelle, globale, synthétique, créative, ouverte et évolutive en temps réel. Cet axe est ouvert sur le présent

---

1. Boris Cyrulnik, *Les nourritures affectives,* Odile Jacob, 1993.

et le futur, il intègre « en temps réel » nos besoins biologiques et les met en contexte dans une perspective dynamique reliant le passé au futur.

* **De l'autre, un « axe myope et craintif »**, qui ne voit clairement ni l'interne, ni l'externe. Il est l'expression du « monde du milieu », celui du néocortex sensorimoteur qui tâtonne, qui comme Thomas a besoin de voir, toucher et faire, et celui du cortex limbique qui déforme souvent par le prisme des émotions, projections contingentes, issues du passé et décalées dans un monde qui bouge… Cet axe fonctionne « au niveau des apparences », au premier degré et à court terme. Au fil de l'âge et des mésaventures de chacun, il tend à s'enfermer dans son passé, ses préjugés, ses appréhensions, à devenir psychorigide et évitant.

Le choix semblerait vite fait si… cela ne semblait pas être un choix « contre nos intérêts », si nous n'étions pas le second ! Car, encore une fois, le premier est essentiellement inconscient, le second est au cœur de notre conscience. Nous sommes en fait dans le mauvais wagon. Tout le « beau monde » est dans l'autre. Seulement, ce n'est pas cet « autre » qui a le pouvoir, c'est-à-dire la conscience, véritable organe décisionnel.

Il y a donc, d'une part, un « robot » plénipotentiaire, c'est-à-dire nous, notre conscience « de base » ; de l'autre, le trésor de la technologie évolutionniste et biologique qui émerge en « prison », sans moyen direct de communiquer, sinon par l'intuition créatrice – au mieux –, le stress – au pire ! Ce « nous » caché, virtuel, attend depuis la nuit des temps son heure de gloire qui n'est pas encore vraiment arrivée… à moins que les choses ne se précipitent. Il serait temps.

Le concept d'intuition

Le concept d'intuition peut recouvrir des réalités très diverses. Ainsi, l'intelligence préfrontale peut-elle utiliser la forme de l'« illumination » ou *insight*, illustrée par le célèbre *Eurêka*. Cette forme répond bien entendu aux critères du préfrontal, tels que nous allons les définir ultérieurement. À l'inverse, l'intuition peut également trouver sa source dans l'émotion, l'association d'idées ou de ressentis, voire des émotions d'origine instinctive, comme l'évaluation de la dangerosité d'un individu ou d'une situation (impliquant, par exemple, l'amygdale limbique).

Deux modes de vie

On comprend mieux pourquoi le préfrontal semble parfois être suspendu au signal d'alarme. Or, le plus « grand », en l'occurrence le préfrontal inconscient, reste le témoin à la fois passif et lucide de toutes les bêtises et autres approximations court-termistes du « petit ».

Imaginez-vous attaché/bâillonné sur le siège du passager avant d'une voiture puissante dont le conducteur est myope, un peu amnésique, excessif, voire un peu attardé. Pour toute ressource, vous pouvez tenter de parler au conducteur à travers le bâillon. Il ne comprend pas, ou de travers ce que vous voulez, et surtout refuse de le faire, car ce que vous êtes, pensez, désirez ne lui plaît pas. Accessoirement, il vous reste la possibilité de tirer sur le signal d'alarme. À moins d'ailleurs que votre malaise ne déclenche automatiquement l'alarme. Alors, il est plus facile de comprendre pourquoi il n'est pas si aisé « d'être grand », au sens de « laisser faire » sans rien dire.

En fait, ce sont deux styles de vie qui s'opposent. En dehors des vacances, où il n'y a pas de grands enjeux (encore que !), ces deux grands blocs sont bien souvent en désaccord sur tout, ou presque. Mais, ne peut-il y en avoir un qui serait « plus grand que l'autre », pour que les chamailleries s'arrêtent et que la paix revienne dans notre tête ?

Hélas, non ! Les choses se compliquent encore, car, comme nous allons le voir, **ce conflit est d'abord structurel**[1]. Il est en quelque sorte ancré « dans le dur », gravé dans le marbre de notre constitution (ADN). Les caractéristiques fonctionnelles de ces deux « modes mentaux », que nous décrirons en détail dans chapitres 3 et 4 sous les noms de « Mode Mental Automatique[2] » et « Mode Mental Préfrontal » sont opposées terme à terme.

La complexification et l'amélioration globale de la performance de notre cerveau, au fil de millions d'années et de milliers d'espèces, ont donc leur rançon en termes de dysfonctionnement interne. Le bricolage de l'évolution est certes génial. Il n'est parfois que bricolage. À nous de rassembler certains morceaux pour faire que cela marche mieux « à l'endroit ». C'est là que les neurosciences commencent à nous apporter des réponses très concrètes et que l'on pouvait difficilement anticiper sans « ouvrir le capot ».

Les neurosciences : des anciens aux modernes

Reptilien, limbique et néo-cortical : un cerveau tri-unique

Datant des années 1970, le modèle du cerveau tri-unique de Paul D. MacLean[3], neurochirurgien, est fondateur. Pour l'essentiel, ce qu'il a dit reste vrai, à savoir que l'on retrouve dans le cerveau humain les structures héritées de l'évolution des espèces et que leur coexistence, quoiqu'ayant fait l'objet d'une intégration et d'un remaniement poussés, semble pourtant à l'origine d'un certain nombre de dysfonctions,

---

1. Cf. p. 50 et suivantes, « Pour aller plus loin » 1.
2. Le mode automatique est le mode « économique » pour gérer le basique, le connu et le quotidien ; il fixe les apprentissages. Il est sous-tendu par le néo-cortex sensori-moteur et le cerveau limbique (voir images p. 32 et 34).
3. Paul D. MacLean, Roland Guillot, *Les trois cerveaux de l'homme*, Robert Laffont, 1990.

à l'image de celle que nous avons précédemment décrite. Selon lui, le cerveau n'est pas seulement une affaire d'hémisphères droit et gauche. Avant tout, il pense que le cerveau reproduit au cours de son développement, et inscrit dans son anatomie et sa physiologie (ontogenèse), le processus d'évolution des espèces (phylogenèse). **En ce sens, l'homme, comme nos ancêtres animaux, est un être « géologique », ou plutôt « géo-biologique ».**

MacLean a ainsi décrit trois grandes étapes évolutives de l'histoire des espèces et, en parallèle, trois principales strates de développement anatomique et fonctionnel qui constituent notre cerveau :

• **La strate reptilienne** (qui rappelle le « cerveau » des reptiles), la plus basse et la plus intérieure : cerveau inconscient, il gère la vie et la survie purement individuelle : boire, manger, dormir, se reproduire et, plus largement, préserver l'intégrité corporelle. Il est également et logiquement le point de départ des circuits verticaux du stress.

• **La strate limbique** (qui évoque le niveau de développement du « cerveau » du mammifère primitif), en position intermédiaire chez nous, au centre de notre crâne : lieu de la conscience immédiate du soi (« *conscience noyau* » selon Antonio Damasio), siège des émotions et motivations, de la personnalité. À l'échelon individuel, c'est le cœur du mode mental automatique qui permet de fixer les apprentissages. Il gère le connu, le déjà vu. À l'échelon collectif, il est aussi le cerveau qui pose les premières bases d'une vie en société, de l'instinct grégaire. Il est contemporain de l'apparition des troupeaux.

• **La strate néo-corticale** (« cerveau » des mammifères supérieurs), et en particulier la partie préfrontale (dont le développement spectaculairement rapide caractérise le cerveau humain), la plus haute et la plus superficielle, qui se situe juste derrière le front. Il permet de gérer le nouveau, l'inconnu, de prendre en compte la complexité de notre environnement et d'introduire de nouveaux apprentissages. En cela, il est adaptatif. MacLean, comme presque tous les cliniciens, psychologues et neuroscientifiques, depuis Freud jusqu'à ce jour, y a vu le sommet de la conscience humaine, lui-même au sommet de l'évolution. Selon les neurologues, par contre, ce dernier serait à la fois basiquement inconscient et peut-être le lieu (tout à fait relatif) d'une certaine « conscience étendue », que nous pouvons développer par la culture logique ou la pensée globale (Damasio[1], Houdé[2], Fradin[3]).

Le cerveau tri-unique selon Paul D. Maclean

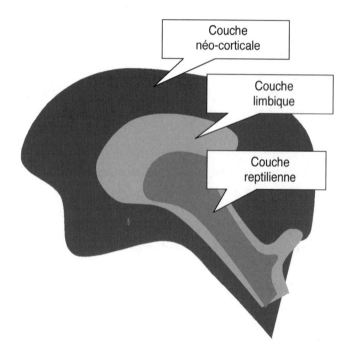

---

1. Antonio Damasio, *Le sentiment même de soi, corps, émotion, conscience, op. cit.*
2. O. Houdé, L. Zago, E. Mellet, S. Moutier, A. Pineau, B. Mazoyer, N. Tzourio-Mazoyer, "Shifting from The Perceptual Brain to The Logical Brain : The Neural Impact of Cognitive Inhibition Training", *Journal of Cognitive Neurosciences, 2000,* 12, p. 721-728.
3. J. Fradin, « Gestion du stress et suivi nutritionnel », *Médecine et Nutrition*, 2003, 39, 1, p. 29-33.

Un nouveau modèle : les quatre cerveaux, centres décisionnels

Le néocortex préfrontal et les territoires reptiliens

Le néocortex préfrontal (1) et les territoires reptiliens (4) ont leurs fonctions propres que nous venons de décrire. Nous avons vu qu'ils peuvent également former un curieux tandem (le niveau plus primitif « recruté » par le plus intelligent) pour faire sentir, *via* le stress, le désaccord du préfrontal inconscient avec des idées ou activités non adaptatives, générées par les territoires automatiques.

Le cortex automatique

Regroupant le vieux cortex néo-limbique situé dans la fente entre les hémisphères cérébraux (au-dessus du corps calleux) et le néocortex sensori-moteur, qui constitue les parties médianes et postérieures de la convexité du cortex, le cortex automatique (2) a un accès privilégié à la conscience. Sa fonction est de gérer le basique, le connu et le quotidien. C'est lui qui décide de passer la main au préfrontal dans les situations nouvelles et/ou complexes. Ce qu'il ne fait que trop rarement, sauf par « méta-culture préfrontalisante ». Car les valeurs préfrontales sont à l'opposé des siennes. Ce conflit et sa gestion sont les thèmes principaux du reste de ce livre.

Les territoires paléo-limbiques

Les territoires paléo-limbiques (3) forment la partie la plus ancienne du « cerveau limbique », située juste au-dessous du corps calleux. Cette partie comprend notamment les amygdales limbiques, situées dans la profondeur du cerveau (à ne pas confondre avec les amygdales à angines situées dans la gorge), et gère les rapports de force, ce que nous nommons le positionnement grégaire.

Représentation schématique des quatre cerveaux/centres décisionnels (Fradin)

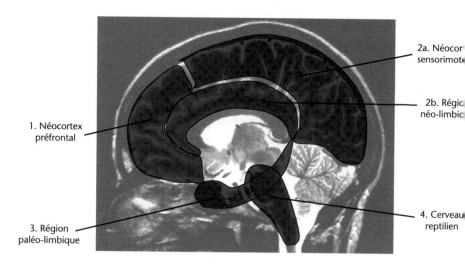

2a. Néocor sensorimote

2b. Régic néo-limbic

1. Néocortex préfrontal

4. Cerveau reptilien

3. Région paléo-limbique

Résumons-nous

Certaines de nos émotions, ou tout du moins leur intensité et la réaction qu'elles déclenchent, ne sont plus tout à fait adaptées à notre quotidien. Elles proviennent de besoins archaïques et il s'agira donc d'apprendre à faire avec et d'identifier qu'elles conditionnent nos réactions !

L'intelligence préfrontale est le sommet de l'intelligence humaine. Elle est située derrière notre front. Sa destruction se nomme lobotomie, elle entraîne une perte définitive de l'intelligence adaptative, créative et globale, c'est-à-dire de toutes les caractéristiques qui font l'humain. Car cette perte affecte aussi l'intelligence sociale, la capacité à percevoir finement un contexte relationnel, deviner l'intention d'un interlocuteur, faire preuve de tact ou de générosité.

Elle est plus ou moins refoulée par les territoires dits automatiques, qui incluent notamment les aires limbiques du gyrus cingulaire, siège au cœur de notre conscience, la « conscience noyau », selon Antonio Damasio.

Quand l'intelligence préfrontale n'est pas en accord avec une pensée ou action provenant des territoires automatiques, ce conflit intérieur semble détecté par le cerveau reptilien et traité comme un signal de danger. Comme, lui, le reptilien n'est pas refoulable, car il n'a pas de mémoire ; il constitue selon nous la partie émergée de ce conflit caché.

Tout se passe donc comme si la complexité du cerveau humain, notamment à cause de l'extraordinaire mais « récent » développement de ses lobes préfrontaux, mettait en conflit deux centres décisionnels supérieurs, que l'évolution des espèces n'a pas fini de départager. Tous deux détiennent d'importants leviers, mais aucun n'a l'ascendant sur l'autre. Le mode automatique détient la conscience[1], alors que le préfrontal est au cœur de tous les réseaux, en relation directe avec toutes les structures cérébrales, dont le reptilien.

Notre équipe a mis en évidence que la stressabilité[2] est étroitement corrélée au recrutement inapproprié du mode mental automatique en situation difficile, de non-contrôle, d'échec[3]. Autrement dit, le stress semble survenir lorsque (par phénomène dit de persévération, d'accrochage ?) le mode automatique ne laisse pas sa place au mode préfrontal adaptatif en situation nouvelle et/ou complexe, alors que ce dernier est structurellement mieux placé pour la gérer. Le stress est le révélateur de cette aberration fonctionnelle[4].

- *La stressabilité, c'est-à-dire la tendance à se stresser sur un sujet considéré en situation négative, réelle ou imaginaire, est donc liée à un dysfonctionnement cognitif dans notre capacité à recruter consciemment le « bon circuit cérébral », c'est-à-dire celui qui est adapté à la gestion du complexe et de l'inconnu.*

---

1. Là encore, quelle surprise, on dit souvent en sciences cognitives que le mode automatique est inconscient et que le mode contrôlé est conscient et intelligent. En fait, c'est parce qu'il existe deux grands inconscients : l'un inférieur, qui gère les micro-automatismes, et l'autre supérieur, préfrontal, plus intelligent que la conscience.
2. La stressabilité est la capacité à se stresser en situation négative, réelle ou simplement évoquée, sur un sujet donné : par exemple, je suis stressable sur l'infidélité dans le couple, même si le mien va bien, en ce sens que la simple évocation de ce sujet me stresse.
3. J. Fradin, C. Lefrançois, & F. El Massioui, « Des neurosciences à la gestion du stress devant l'assiette ! », *Médecine et Nutrition*, 2006, vol. 42, n° 2.
4. Nous avons développé ce thème dans divers textes ou articles depuis dix ans, notamment : *L'entreprise neuronale*, Jacques Fradin et Alan Fustec, Éditions d'Organisation, 2001 ; et, plus récemment, *Paradoxes de la violence contemporaine*, Frédéric Le Moullec et Jacques Fradin, IME, 2004 ; ou, plus scientifique : « Gestion du stress et suivi nutritionnel », *op. cit.*

Un cas de stressabilité

Pierre est un jeune commercial « battant, qui n'aime pas perdre ». Son manager lui fait une remarque concernant sa dernière action commerciale qu'il pense avoir été insuffisamment ciblée et préparée. Comment réagit Pierre à cette remarque ?

Pierre n'aime pas, depuis toujours, les situations de faiblesse et d'infériorité. Il perçoit donc la remarque de son supérieur de façon négative. Au fond de lui, il sait bien que ce n'est pas si grave, que la remarque de son manager peut lui permettre de s'améliorer, qu'après tout, c'est en faisant des erreurs que l'on progresse, qu'il a aussi manqué de temps sur cette opération (irruption fugitive dans sa conscience de pensées issues de son préfrontal)... Mais son malaise augmente, car, décidément, il n'aime pas être pris en défaut, même pour de justes raisons, lui, le « battant qui n'aime pas perdre ». L'émotion négative (agacement, exaspération, humiliation ?) qu'il ressentait tout à l'heure se transforme maintenant en quelque chose de plus fort, il ressent tout à coup de l'agressivité, de la colère monter en lui vis-à-vis de son manager, qu'il ne peut bien sûr pas extérioriser. Et sa susceptibilité commence à le déborder. Dans le même temps, il parvient à se redire qu'il aurait sans doute beaucoup à apprendre de la remarque de son manager. Mais non ! C'est plus fort que lui. Il n'aime pas perdre ! Et il est vraiment très énervé parce que, bien sûr, s'il avait eu plus de temps, et s'il n'avait eu que ça à faire, et si, et si... Il commence à avoir l'impression que le monde entier est dressé contre lui et qu'il est victime d'injustice, de non-reconnaissance. Il n'entend même plus ce que lui dit son manager qui continue pourtant de lui demander calmement des explications, de lui exposer sa manière de voir les choses... Mais plus son manager est calme, plus cela semble agacer Pierre.

Diagnostic

Pierre est stressé (stress de lutte), tiraillé parce qu'il est entre deux forces qui s'opposent : celle de son cerveau préfrontal (« c'est en faisant des erreurs que l'on progresse, que l'on apprend... voyons voir, mon manager semble disponible pour discuter de façon ouverte, et, même s'il n'a pas complètement raison, ou même tort, est-ce si grave... ? ») et celle de son refus irrationnel de faiblesse et d'infériorité (« pour qui me prend-il, je ne suis pas n'importe qui, il se croit meilleur que moi peut-être... ? »). Pour l'instant, c'est bien le refus irrationnel qui l'emporte. Tant qu'il y adhère, Pierre sera stressé.

Commence un deuxième conflit, car sa réaction de lutte lui est inacceptable aussi, ou, du moins, dangereuse : il faut la cacher pour son manager. Dans cette spirale, son manager « devient de plus en plus dangereux » : Pierre a par moments l'impression, induite par le stress, qu'il est menacé dans son inté-grité personnelle. Il croira donc peut-être que son manager était agressif. Il n'entendra rien de ce que son manager lui dira et il retombera probable-ment dans les mêmes erreurs à la prochaine occasion. Il est donc probable qu'il n'apprendra rien ou si peu de cette situation. Sauf si, à froid, son préfron-tal arrive à se frayer un chemin jusqu'à la conscience.

Application

Pour Pierre, la meilleure façon de se calmer et d'améliorer la situation serait, selon nous, de reconnaître que :

- il est impossible d'éviter l'échec ;

- son stress lui signale qu'il est temps de « passer le flambeau » à son préfron-tal adaptatif ;

- si ce recul ne suffit pas, il pourrait appliquer d'autres moyens pour faciliter cette bascule.

Par exemple en demandant une petite pause dans laquelle il pourrait faire une auto-évaluation préfrontalisante (voir chapitre 2, p. 69), une mini-méditation neurocognitive (voir chapitre 4, p. 141), un exercice sensoriel (voir « une GMM orientée créativité », p. 200). Ou en s'offrant, le moment venu, un trai-tement plus ciblé : par exemple en faisant l'exercice « pack valeur/antiva-leur », que nous décrivons dans le prochain chapitre (p. 96). Les valeurs, dans le cas de Pierre, sont : « rester battant, gagnant » ; ses antivaleurs : « devenir faible, perdant ».

Cette démarche permettrait à Pierre d'avoir un échange plus constructif avec son manager, au moins dans un deuxième temps, et d'intégrer une nouvelle façon de faire dont il serait le premier bénéficiaire. C'est bien de l'accord entre son cerveau préfrontal et ses pensées et actions conscientes, libérées de leur rigidité initiale, que naîtrait un nouvel apprentissage. Et la fin de ce stress.

Le stress nous rend, comme l'exemple ci-dessus l'illustre, un peu para-noïde ! Cela contribue à réduire encore plus la lucidité que notre mode automatique nous laissait en basique. Le stress augmente notre aveuglement ou, plus exactement, ajoute le sien à celui du mode auto-matique, qui ne « veut voir » que le connu. Sauf si… nous avons le savoir-faire et savoir-être pour décoder le stress et « ouvrir la porte » au préfrontal.

Le préfrontal, rat de labo !

La méditation, le préfrontal gauche et l'inhibition... du réflexe de sursaut !

Des études récentes sur le fonctionnement de lamas tibétains montrent que l'exercice de certaines méditations active tout particulièrement le cortex préfrontal, notamment gauche[1]. En effet, les lamas prônent non seulement la curiosité sensorielle et l'acceptation, mais aussi l'exercice de ce qu'ils appellent « la pensée discursive », ce qui est une tentative d'exercice de la raison, de la capacité à considérer les conséquences à long terme, à adopter des processus d'analyse au niveau conceptuel, et non seulement au niveau sensoriel. Or, il se trouve que ce type d'exercice relève particulièrement des fonctionnalités du cortex préfrontal[2]. Ainsi, le chercheur Ekman et son équipe[3] ont remarqué qu'un lama pratiquant ce type de méditation peut quasiment annihiler un réflexe de sursaut qui normalement échappe totalement au contrôle de la volonté et ne peut être réprimé. Or, le réflexe du sursaut correspond à l'activité du tronc cérébral, partie la plus primitive, reptilienne, du cerveau. Le stimulus utilisé pour les expériences d'Ekman a été un bruit équivalent à un coup de feu proche de l'oreille. Le réflexe de sursaut correspondant est si rapide qu'il ne peut être simulé et qu'il ne peut être réprimé, même chez des

---

1. A. Lutz, L. Greischar, N. Rawlings, M. Richard & R.J. Davidson, "Long-Term Meditators Self-Induce High-Amplitude Gamma Synchrony During Mental Practice", *The Proceedings of the National Academy of Sciences USA,* 2004, 101(46), p. 16369-16373.
2. J.-F. Richard, « L'intelligence comme plasticité à l'environnement », in Jacques Lautrey et Jean-François Richard, *L'intelligence*, Hermes-Lavoisier, 2005, p. 75-89 ; J. Duncan, R. J. Seitz, J. Kolodny, D. Bor, H. Herzog, A. Ahmed, F. N. Newell, H. Emslie "A Neural Basis of General Intelligence", *Science*, 2000, vol. 289, p. 457-460 ; M. Van der Linden, X. Seron, D. Le Gall, P. Andrès, *Neuropsychologie des lobes frontaux*, Solal, 1999 ; Antonio Damasio, *Le sentiment même de soi, op. cit.*
3. P. Ekman, W. V. Friesen, R. C. Simons, "Is The Startle Reaction an Emotion ?", in Paul Ekman & Erika L. Rosenberg (Eds), *What Face Reveals*, Oxford University Press, 1997, p. 21-35 ; P. Ekman, R. J. Davidson, M. Richard, B. A. Wallace, "Buddhist and Psychological Perspectives on Emotions and Well-Being. Current Directions", in *Psychological Science*, 2005, 14 (n° 2), p. 59-63.

tireurs d'élite confirmés. **Ces travaux laissent donc supposer que l'exercice de la méditation tendrait à développer et faciliter l'activité du cortex préfrontal et sa capacité de contrôle direct de structures primitives, et ainsi contrecarrer des mécanismes plus profonds et plus ancrés dans notre système cérébral.**

D'autres expériences suggèrent que le préfrontal peut également réguler le cerveau paléo-limbique, et ainsi les rapports de forces primitifs[1].

Préfrontalité et QI

Dans ses recherches sur le recrutement de l'intelligence préfrontale, Olivier Houdé[2] a récemment décrit l'effet d'une dysfonction des structures et circuits cérébraux, pendant un test de résolution de problèmes logiques, extraits du QI. Ainsi voit-on en imagerie cérébrale (IRMf ou imagerie par résonance magnétique fonctionnelle) que les 90 % des participants qui ne résolvent pas les tests choisis ne recrutent pas efficacement leurs territoires préfrontaux. Par contre, 90 % de ceux qui avaient échoué d'abord réussiront d'autres exercices de même difficulté (quoique différents) après une courte séance où ils ont dû trouver eux-mêmes, non pas l'erreur de résultat, mais celle de leur raisonnement. En l'occurrence, ils avaient effectué un classement par ressemblance, alors que la bonne façon de penser est de réfléchir, chercher des causes et des effets, se demander ce que signifie réellement la question et chercher à y répondre sans restitution/transposition de connaissances ou expériences antérieures. Et lorsqu'ils résolvent ces nouveaux problèmes, ils recrutent à 90 % (!) leurs lobes préfrontaux.

Cette étude montre bien que le QI n'est pas une caractéristique dépendant avant tout de la génétique individuelle, mais qu'il est essentiellement une compétence à raisonner logiquement, qui s'apprend[3]. Et… que l'on peut recruter son préfrontal, par exemple en quittant le

---

1. Cf. p. 50, « Pour aller plus loin » 2.
2. O. Houdé, L. Zago, E. Mellet, S. Moutier, A. Pineau, B. Mazoyer, N. Tzourio-Mazoyer, *op. cit.*

connu et en s'engageant dans une réflexion logique. On verra plus tard que, dans notre modèle, la réflexion logique est une des « portes » vers le préfrontal, que notre mode automatique tend à garder fermées. Mais on peut apprendre à les ouvrir, comme les études ci-dessus le montrent et comme les résultats de nos travaux le suggèrent.

Quelle meilleure façon de gérer et prévenir le stress que d'ouvrir ces portes, quand le « préfrontal frappe » par la fuite, la lutte ou l'inhibition ?

Le stress : pathogène mais précieux

Le stress est un précieux indicateur de refoulement du préfrontal, à prendre au sérieux, et non au tragique puisqu'il est évitable. Il est précieux… au sens où la douleur est le premier détecteur de maladie. Cette douleur est un auxiliaire crucial pour le médecin puisqu'elle est plus ou moins à l'origine de 80 % des consultations médicales. C'est pourquoi il ne faut pas abuser de l'automédication, qui peut cacher des symptômes utiles à interpréter. Pour autant, précieux ne signifie pas désirable. Nul ne souhaite souffrir plus que nécessaire pour trouver ce qu'il a à trouver et faire ce qu'il y a à faire.

Il en va de même du stress. Car le cerveau reptilien reste un système primitif. Sa réaction stéréotypée de défense se révèle incapable de s'adapter au changement de la donne : chez l'humain (ou, dans une moindre mesure, chez d'autres mammifères supérieurs comme le singe et le chien), l'ennemi est dedans bien plus que dehors. Enfin, redisons-le pour mieux en préciser les conséquences, son mode défensif est aussi désuet par la nature même de ses réactions : fuir, lutter ou se décourager ne constitue le plus souvent pas de bonnes réactions en situation humaine moderne.

---

3. L'augmentation régulière du QI (et celle plus globale de l'expression de l'intelligence tout au long de l'histoire humaine) montre également que la part culturelle du QI et de l'intelligence générale l'emporte nettement sur toute composante génétique individuelle. Nous avons peu ou prou tous le même cerveau, depuis des centaines de milliers d'années. C'est la culture qui fait la différence. La préfrontalisation n'est pas naturelle, elle s'apprend.

C'est un peu « un marteau pour écraser… pas la bonne mouche ! » Il se fâche bien pour de bonnes raisons mais pas de la bonne façon. Et sauf à devenir un Sherlock Homes du diagnostic neurocognitif (ce que nous espérons bien faire de vous avant la fin ce livre !), qui comprend le stress comme une douleur, le symptôme aveugle d'une impulsion intelligente, préfrontale, il faut bien intégrer que la lecture du stress au premier degré est plus qu'une peau de banane. Elle contribue aux guerres, aux conflits, à la dépression, à la dévalorisation de soi ou des autres, à la perte de confiance en soi ou en les autres. On comprend mieux pourquoi si peu de gens, de cultures, de méthodes ont clairement compris sa fonction avant que les neurosciences ne commencent à lever ce nœud de contresens…

Enfin, si le stress peut détraquer nos relations en nous faisant attaquer « tout ce qui passe », il est également pathogène sur un plan biologique et médical, et induit de sérieux dégâts. Même s'ils commencent à être mieux connus de tous, ils sont encore largement sous-estimés, notamment dans le monde du travail où il s'agit encore trop souvent d'un déni pur et simple.

Le stress, état d'urgence de l'instinct… et de l'instant, peut mettre en danger notre santé lorsqu'il fonctionne trop souvent et trop intensément. En effet, le stress animal est bref, et finalement assez rare. Par contre, le stress cognitif est volontiers chronique… puisque le problème est en nous. Difficile de nous fuir ! Il constitue donc pour l'organisme humain un poste de dépense – et non d'investissement énergétique, physique et mental – qui est loin d'être négligeable, qui se montre même épuisant ! C'est par exemple le cas dans le *burn-out* professionnel.

En aucune façon, il ne permet de gérer convenablement notre économie vitale et personnelle sur le long terme.

À l'échelon individuel, les manifestations pathologiques induites par le stress lui-même (et non par ses causes liées au conflit sous-jacent) sont nombreuses et parfois lourdes à supporter :

- perte de moyens : confusion, blanc mental, dispersion, perte de mémoire, de recul, d'initiative, de plaisir[1] ;
- source de conflits et d'incompréhension : perte de confiance en soi et/ou en les autres, victimisation (l'autre est, au mieux, un rébus, sinon un ennemi) ;
- perte du goût de vivre : anxiété, agitation, insatisfaction permanente, impatience, susceptibilité, agressivité, découragement, dépression ;
- source de pathologies : tensions corporelles, spasmes, asthme, allergies, infections, hypertension artérielle et maladies cardio-vasculaires, cancers, addictions, boulimies, troubles du sommeil, accidents… ;
- source de dysfonctionnements cérébraux[2].

À l'échelon des entreprises et même de l'ensemble de la société, les conséquences ne sont pas moins désastreuses. L'entreprise, comme la société tout entière, lorsqu'elle est stressée, devient vite anorexique, ce que nombre d'études ont déjà montré :

- limite du potentiel intellectuel et de l'innovation ;
- baisse de la rentabilité, de la productivité ;
- baisse globale de la motivation, jusqu'à la démotivation ;
- augmentation de l'absentéisme ;
- augmentation globale des conflits, de l'anxiété, de l'agressivité et des états individuels dépressifs, des troubles pathologiques divers ;
- baisse globale de la satisfaction des clients ;
- baisse du cours de l'action…

N'est-ce pas là le tableau, pour une large part, de notre cadre social actuel ?

---

1. Cf. p. 51, « Pour aller plus loin » 3.
2. Cf. p. 51, « Pour aller plus loin » 4 et 5.

Pourquoi donc s'accrocher au management par le stress ? Il n'est pas un outil de motivation ni de management sensé. Le coût individuel, social, économique en est considérable. Il motive 50 % des arrêts de travail ! Son coût économique direct serait de l'ordre de 3 % du PIB, mais son coût total serait sans doute de 10 %, voire davantage. Lisez par exemple à ce sujet l'excellent ouvrage de Philippe Askenazy[1]. Il montre que sa gestion préventive coûte moins cher que ce qu'elle économise, nombreux chiffres à l'appui sur des études macro-économiques.

Mais de quel genre de « gestion de stress » parle-t-on :

• **une approche qui s'adresse surtout aux symptômes**, comme les tensions physiques (ou manque de tonus, dans le cas de l'inhibition), les conflits émotionnels, etc. ; des symptômes qui sont à l'origine d'un certain nombre d'autres que nous venons de décrire ;

• **une approche qui cherche d'abord les causes ?**

Rien de surprenant ici (hélas !), nous privilégions la seconde approche. Même si la première a ses mérites aussi : elle peut au moins être une étape qui permet ce que nous considérons comme le traitement de fond, décrit dans ce livre.

Résumons-nous

Le néocortex préfrontal, qui explique notre beau front redressé, est à la fois :

• *la partie la plus intelligente de notre cerveau, le centre d'un réseau de « câblage direct et à très haut débit » (grosses fibres myélinisées) qui la relie en direct, donc sans filtrage possible, à toutes les parties du cerveau ; mieux que toute autre partie du cerveau, elle sait ce qui se passe en tous les points de l'encéphale ;*

• *handicapé par une grande difficulté structurelle à accéder à notre conscience.*

---

1. Philippe Askenazy, *Les désordres du travail. Enquête sur le nouveau productivisme,* Le Seuil, 2004.

Cette inconscience explique :

- *que la culture soit l'accoucheur obligé de notre richesse intelligente, alors que nous apprenons tous facilement ce qui est concret (autrement dit sensori-moteur) ;*

- *que son expression reste, dans le meilleur des cas, difficile et aléatoire, comme le disent en chœur artistes, philosophes, méditants et scientifiques : l'illumination, l'insight, l'Eurêka, la muse sont autant de synonymes de cette discontinuité mentale entre notre créativité et son expression. Tout se passe comme si la pensée naissait d'emblée mature à notre conscience, comme si le sentiment d'avoir « trouvé » précédait même la pensée (encore inconsciente) qui l'engendre.*

À partir de là, on peut comprendre le stress comme la double résultante d'un échec de l'insight et de la mise en place d'un « plan B » de fortune : le signal de détresse, le warning. Pour contourner notre « surdité consciente » et/ou l'interdit limbique, le préfrontal dispose en effet d'un réseau anatomique de connexions directes et rapides avec l'ensemble de l'encéphale, ce qui lui permet de se faire entendre « aux marges du pouvoir conscient », en toutes circonstances et sans délai. Son premier auditeur « attentif » est, en fait, bien souvent le niveau reptilien, qui n'est certes pas intelligent, mais ne dispose pas non plus de mémoire d'acquisition. Il ne peut donc être censurable, intimidable ni « manipulable ». Et c'est bien ce que la pratique confirme : le stress survient de façon fine et immédiate lorsque notre irrationalité consciente nous échappe, sauf à la vigilance de notre préfrontal !

Nous sommes ainsi équipés d'un prodigieux « mouchard » qui traque nos déficiences jour et… nuit (ou presque, car le préfrontal est une des parties du cerveau qui dort le plus pendant le sommeil, à l'instar des propos de Goya : « Le sommeil de la raison engendre des monstres »*).*

Cela peut changer rapidement notre vie, si tant est que nous acceptions toutes les conclusions de cet audit interne, à la fois amical sur le fond et intransigeant sur la forme : si l'on décode ce feed-back *à la lettre, il ne tient pas compte de notre amour-propre et de notre refus du changement. Mais, au moins, nous ne pourrons pas dire que nous ne savions pas.*

Le stress : déficit de la capacité d'adaptation personnelle

Ce n'est donc pas le changement qui stresse…

À en croire l'observation aussi bien que les statistiques, le changement est un grand pourvoyeur de stress et de démotivation. Constat banal, mais à reconsidérer dans notre réflexion. En effet, le changement est nécessaire à toute société, entreprise, comme à tout être humain, ne serait-ce que pour survivre, car le monde bouge, s'élargit, se complexifie, le niveau de vie augmente et nous pousse tous à être plus exigeants, ce qui fait de nous indirectement les bourreaux de… nous-mêmes ! Les marchés évoluent, la technologie progresse, les attentes des collaborateurs eux-mêmes, et des consommateurs qu'ils sont aussi, se font changeantes, sans compter la mondialisation, que nous refusons pour défendre les emplois mais pas pour consommer ! Tout cela paraît pourtant bien « normal » et ces incohérences grossières ne nous choquent pas, ou si peu.

En fait, nous sommes inducteurs de changement par nos désirs et nos exigences, par notre développement démographique. Le changement des sociétés humaines est induit par l'homme. Il est inhérent à la vie des sociétés humaines développées. Que serions-nous si nos ancêtres n'avaient pas évolué au cours des âges, s'ils n'avaient pas étendu, étiré leurs habitudes, bonnes ou mauvaises ?

En somme, nous pourrions dire que le changement n'est pas le contraire de l'habitude ! Car, pour préserver les (bonnes) habitudes d'une vie, d'un groupe ou d'une entreprise prospère, par exemple, qui œuvre à sa propre pérennité, qui crée des richesses culturelles ou économiques, où il fait bon vivre et/ou travailler, il est nécessaire de changer puisque, dans l'environnement, tout bouge et tout s'accélère ! C'est la rançon du progrès. La question n'est d'ailleurs pas de le discuter, car c'est incontrôlable. Le changement peut sans doute en partie s'orienter, il ne peut s'arrêter. Sommes-nous prêts à banaliser le changement ?

Qui plus est, l'habitude elle-même se nourrit du changement : tout ce que nous connaissons, qui fait le monde d'aujourd'hui, a été inventé, donc a été initialement nouveau ! Comme, à l'inverse, le changement se nourrit de l'habitude : il s'accélère dans les sociétés riches… de culture et de savoir, donc d'habitudes, de sédimentations, de traditions. Changer, c'est tenir compte à la fois de ses acquis, de ses forces comme de ses faiblesses, et appréhender ce qu'il y a de nouveau à conquérir. C'est rester le même tout en évoluant. Et ceci se vérifie au niveau collectif comme au niveau individuel. Si je veux préserver l'intérêt de mon travail au cours de ma carrière, il me faudra sans doute faire de nouveaux apprentissages, tenter de nouvelles expériences, intégrer de nouvelles compétences, donc changer quelque chose de mon système de fonctionnement, sans pour autant renier ce que je suis ou ce que je fais depuis toujours. Bien au contraire, c'est pour mieux-être ce que je suis, mieux faire ce que je fais depuis des années, y trouver mon plaisir, le développer, le faire évoluer.

À l'inverse, le changement, même utile et positif, confronte l'individu à l'inconnu et ce faisant, il vient contrarier ses certitudes, ses croyances, ses habitudes. Nous savons que c'est son mode mental limbique/automatique qui gère le connu, le déjà vu. Il y a bien des acquis liés à l'expérience sur lesquels il n'est pas nécessaire, fort heureusement, de revenir chaque matin. Le mode limbique en a fait des pensées, attitudes, comportements automatiques, à « bons prix », incorporés à un système de fonctionnement répétitif et basique, chargé en quelque sorte de gérer les affaires courantes, ce qui ne demande pas ou plus de recherche particulière.

Mais, en campant sur ses positions, le mode automatique nous expose tout entier au risque de l'inadaptation, en visant pourtant l'inverse, la sécurité… C'est en partie une question d'état d'esprit ; car si nous sommes vraiment « convaincus qu'il faut changer », alors nous passons la main à notre préfrontal, comme on peut le voir en imagerie cérébrale fonctionnelle (*cf.* Posner et Raichle[1]). Heureuse-

---

1. Posner et Raichle ont montré que c'est la conscience que l'on a du caractère connu et simple ou inconnu et complexe de la situation qui est à l'origine de la bascule des Modes Mentaux Automatique *versus* Préfrontal : Michael L. Posner, Marcus E. Raichle, *L'esprit en images*, de Boeck Université, 1998. Cf. p. 52, « Pour aller plus loin » 6.

ment, cet état d'esprit se cultive et nous pouvons apprendre non seulement à quel moment – lorsque nous stressons – mais aussi de quelle manière solliciter notre intelligence, induire volontairement la bascule du mode automatique vers le mode adaptatif ou préfrontal.

Et lorsque ce dernier est recruté, il est ensuite capable de réguler les émotions négatives, comme Fernandez-Duque et Posner[1], Pacquette[2] et de plus en plus d'autres auteurs le montrent.

… Pas plus que la compétition !

Un autre facteur communément considéré comme stressant est celui de la compétition. Pourtant, en nous confrontant à l'autre, celle-ci constitue aussi une source de progrès indéniable. En acceptant de nous mesurer à l'autre, en faisant face à la remise en cause ou l'adversité de l'échec, nous sommes bien souvent incités à être objectivement plus curieux, ouverts, attentifs aux détails, conscients de la multiplicité des chemins qui s'offrent à nous, réfléchis et individualisés, en un mot, plus intelligents… c'est-à-dire préfrontaux !

C'est parce que les individus, les cultures, les entreprises concurrentes innovent et créent du nouveau qu'un autre ou une autre seront incités à trouver de nouvelles idées et à créer eux-mêmes du nouveau à partir du nouveau. Combien de progrès devons-nous, dans tous les domaines, à la compétition, entre les entreprises, les cultures, les générations, les pays, les villes, les voisins, les fratries ? N'est-ce pas là l'histoire même de l'humanité ?

Mais, à l'instar du changement, la compétition nous fait basculer dans l'inconnu, le non-contrôle. L'autre, par définition, et *a fortiori* lorsqu'il avance masqué, ce qui est normalement le cas dans toute situation de compétition, appartient au domaine de l'inconnu, pour ne pas dire de l'hostilité. La compétition, comme le changement, est

---

1. Cf. p. 52, « Pour aller plus loin » 7.
2. Cf. p. 52, « Pour aller plus loin » 8.

porteuse de risques réels, relationnels, sociaux, économiques. Mais cela ne nous stresse pas que pour des raisons externes, comme vous pouvez maintenant vous en douter : 10 %, c'est peu. L'essentiel nous appartient. C'est d'abord nous qui ne saisissons pas les opportunités à temps, ne créons pas assez tôt, ne nous laissons pas porter par la curiosité de notre intelligence et choisissons, sans le savoir ou sans en mesurer toute la portée, de rester « en plan », à attendre que viennent les ennuis. La compétition, comme le changement dont elle est sœur jumelle, nous stresse en proportion de notre difficulté à appréhender naturellement, sur le « bon mode mental », les situations de changement. Le danger du changement découle ainsi bien davantage de notre impréparation à l'aborder, ou même l'initier, que du danger réel à le vivre. D'ailleurs, les sociétés qui l'induisent ou le suivent s'enrichissent dans tous les sens du terme.

Pour autant, la compétition ne véhicule pas que de l'inconnu et de l'enrichissement. Elle stimule aussi des caractéristiques particulières qui risquent d'augmenter la stressabilité, et d'amenuiser bien souvent à terme la motivation qu'elle devrait susciter, et ce, pour au moins trois raisons :

• **Premier aspect, le facteur de compétition renvoie immanquablement**, presque par définition, tout du moins dans notre référentiel culturel actuel, à la notion de résultat. Or notre cerveau est ainsi fait qu'il retient plus naturellement le négatif que le positif, un fonctionnement qui était vital dans une logique de survie. Percevoir le danger, le négatif avant toute chose, c'est, en milieu sauvage, se protéger, survivre, et donc vivre ; rappelons qu'à l'état de nature, il suffit d'une fois pour mourir, et ça se joue tous les jours ! Ainsi, la compétition nous confronte plus naturellement à la notion d'échec qu'à celle de réussite. Cela a donc tendance à nous stresser spontanément et..., parfois, systématiquement, car toute action comporte un risque d'échec.

Bien sûr, tout le monde n'est pas logé à la même enseigne. Nous avons vu dans *Manager selon les personnalités* qu'il existe notamment un type de personnalité spontanément motivé par la compétition. Il est d'ailleurs intéressant d'observer comment ce type de personnalité appréhende justement la notion de compétition comme un challenge en soi, et non comme un « simple » objectif de résultat. Plus généralement, toutes les personnalités dites primaires (ou tempéraments) possèdent une certaine capacité à traverser les échecs avec peu ou pas de stress. Cela précisément parce que leur désir n'est pas de produire des résultats, mais d'être dans le faire, de vivre l'action ou l'événement. Le résultat n'est alors que sous-produit. D'autres encore ont su tirer de leurs expériences matière à appréhender la compétition sous un angle plus positif. Ils ont su préfrontaliser leurs expériences pour mieux les dépasser et les recycler en un nouvel apprentissage.

- **Deuxième aspect, les notions de confrontation et de rivalité**, que la compétition induit nécessairement, **nous exposent au jugement, voire à la domination d'autrui, et nous renvoient ainsi aux notions d'image sociale et de rapport de force.** Ces deux aspects sont les deux constituants de ce que nous avons appelé la grégarité ou image sociale limbique, qui ne manquent pas de s'opposer à notre capacité à nous individualiser et former une opinion personnelle (cerveau préfrontal).

  Or, s'il y a bien une situation où il serait nécessaire d'être individualisé, c'est bien celle de compétition. Comment puis-je faire face à l'adversité si je n'ai pas conscience de ce que je vaux et de ce que les autres valent ? Comment pourrais-je affirmer mon point de vue, mon empreinte sur les événements et tirer un parti créatif, synthétique, de cette confrontation si je ne peux pas utiliser mon préfrontal ? Délicat problème, équilibre précaire et dérapage facile vers la pathologie que les individus, les cultures et les entreprises tentent aujourd'hui de contrôler…

- **Troisième aspect, l'une des dérives assez courantes de l'esprit de compétition est de focaliser l'attention sur le but et les résultats plus que sur les moyens.** En entreprise, il s'agit du célèbre « management par les objectifs », de plus en plus transposé dans toutes les sphères de la société. Avoir des objectifs élevés sans avoir une large base de moyens n'est pas très cohérent ; c'est donc une source de stress qui réduit notre compétitivité. Et le stress devient encore pire quand ces objectifs deviennent des exigences…

Par contre, identifier et augmenter les moyens que l'on peut mettre en place, ainsi que discerner et laisser tomber la dimension subjective des exigences, purement incantatoire ou dramaturgique, nous permet de devenir beaucoup plus calme et, en fait, réellement compétitif. Moins d'agitation, plus de réflexion et d'action coordonnées.

Dans le prochain chapitre nous introduirons des « outils préfrontalisants » pour mieux répondre aux problèmes mentionnés ci-dessus : des pratiques pour mieux équilibrer exigences et moyens, et pour réduire la peur de l'échec.

Pour aller plus loin

- Tassin (1998) indique que les neurones dopaminergiques, entre autres, agissent sur les états de conscience. Il indique que ces neurones créent « *une hiérarchie fonctionnelle entre les structures corticales et sous-corticales qu'ils innervent. Selon la nature des entrées sensorielles, ils peuvent favoriser le cortex préfrontal – et, par conséquent, maintenir l'information entrante activée assez longtemps pour qu'elle ait accès à la conscience – ou favoriser les structures sous-corticales et le traitement rapide de l'information* ». Tassin parle ainsi d'un rapport de force entre les structures sous-corticales (qui génèrent le mode automatique) et corticales (plus particulièrement, le préfrontal) : leur mode de fonctionnement et l'accès à la conscience des informations qu'elles produisent sont en « compétition ».

- Le cortex préfrontal est manifestement sensible aux pratiques amenant les lamas tibétains à inhiber un réflexe lié à l'activation de la zone primitive qu'est le reptilien. De la même façon, il semble qu'il puisse également museler les comportements inadaptés qui semblent être liés à la zone paléo-limbique de notre cerveau, c'est-à-dire les comportements sous-jacents au rapport de force et à la violence gratuite. En effet, la justice canadienne a expérimenté dans les années 1990, auprès d'une population de délinquants incarcérés, un programme de développement des aptitudes cognitives, accompagné d'un management ferme. Ce programme était plus particulièrement axé sur le développement de la résolution de problèmes, du raisonnement critique, abstrait et logique, de l'anticipation et de la pensée créative. Toutes ces tâches tendent à solliciter et stimuler le cortex préfrontal. Les résultats de cette formation ont été comparés à ceux d'un groupe de délinquants n'ayant pas suivi la formation : le groupe formation a présenté, de façon significative, une baisse de récidive au sortir de la prison, un meilleur respect des règles sociales et une meilleure réinsertion. Les individus du groupe de comparaison, au contraire, ont montré des problèmes de réinsertion patents, et lorsqu'ils sont parvenus à se réinsérer, ils ont pour la plupart malheureusement récidivé. Le développement du cortex préfrontal *via* de simples exercices de raisonnement logique semble ainsi développer la capacité à s'adapter à son environnement social, au sens large.

- Un nombre d'auteurs modélisent le fait que le niveau de stress montre une forte covariance avec la baisse de performances cognitives : nombre de travaux montrent que les sujets sous l'emprise du stress présentent des réactions prématurées et « fermées » à l'environnement, une utilisation restreinte des indices pertinents, une utilisation de catégories plus « brutes » (sans nuance ni détail), un nombre croissant d'erreurs aux tâches cognitives, une augmentation flagrante de l'utilisation de jugements stéréotypés et schématiques (Eysenck, 1982 ; Jamieson & Zanna, 1989 ; Svenson & Maule, 1993). Kruglanski et Freund (1983) constatent qu'en situation de stress ou de désintérêt pour la tâche en cours, les sujets montrent un biais de traitement de l'information (se traduisant par une tendance à « succomber » aux premières impressions, à avoir des jugements stéréotypés et ancrés dans les premières estimations).

- Radley et *al.* (2004, 2005) suggèrent que l'hippocampe et le cortex préfrontal médian ont un rôle dans le *feed-back* négatif de la régulation du système hypothalamo-adrénergique durant un accès de stress physiologique et comportemental. Les auteurs ont alors soumis des rats à des stresseurs intenses sur une longue durée : ils ont constaté que le stress répété provoquait de façon significative une atrophie dendritique et une diminution de l'excitabilité synaptique dans l'hippocampe et dans le cortex préfrontal médian (réduction de 20 % de la longueur totale et de 17 % du nombre de branches des dendrites apicaux). En revanche, ils ont observé une croissance significative des dendrites dans l'amygdale. Les auteurs concluent que lorsque le stress est suffisamment intense et long, il s'opère des changements anormaux dans la plasticité du cerveau : ce phénomène altère la capacité du cerveau à réguler la réaction stressante et à répondre au stresseur de façon appropriée. Plus précisément, les auteurs suggèrent que ces changements cellulaires perturbent la capacité du cortex préfrontal médian à inhiber la réponse de l'axe hypothalamo-adrénergique au stress. Ces résultats apportent une interprétation au caractère atrophié, dysfonctionnel, mais encore actif de la zone sous-calleuse préfrontale, constaté par Raichle et *al.* (1994) chez les patients dépressifs. Arnsten et *al.* (1998) ont également évoqué l'idée que le stress altère les fonctions du cortex préfrontal à travers un mécanisme hyper-dopaminergique. Selon ces auteurs, le stress perturbe la capacité du cortex préfrontal à réguler des réponses devenues habituelles et automatiques, et générées par des régions plus postérieures.

- Certains chercheurs ont montré l'importance des circuits dopaminergiques dans l'apparition du stress. Tassin, en 1998, a observé plus précisément la libération brutale de noradrénaline dans le préfrontal lors d'une situation anxiogène. La libération de cette hormone dans des conditions de stress favorise l'activation dopaminergique sous-corticale (régions basses du cerveau, c'est-à-dire les régions responsables du fonctionnement en mode automatique), tandis qu'elle bloque paradoxalement l'activation dopaminergique corticale (notamment dans le préfrontal), créant ainsi un « *nouvel équilibre fonctionnel en faveur des structures sous-corticales* ». Selon l'auteur, de tels changements hormonaux bloquent la mémoire de travail et font passer le mode de traitement de l'information de lent, analytique et aux caractéristiques adaptatives, à un mode rapide, analogique et relativement automatique. On peut donc à nouveau constater la primauté d'un fonctionnement automatique sur un fonctionnement adaptatif lors de situation de stress. Cette primauté serait soustendue par la stimulation du fonctionnement de régions sous-corticales au détriment de régions corticales, et notamment du préfrontal. La même année, Arnsten & Goldman-Rakic ont déclaré que le stress altère, au travers d'un mécanisme hyper-dopaminergique, les fonctions du cortex préfrontal : selon eux, le stress perturbe la capacité du cortex préfrontal à réguler des réponses devenues habituelles et automatiques, et générées par des régions plus postérieures. Cela entend deux choses : d'une part, le cortex préfrontal n'est pas « écouté » et n'a pas la main sur l'action lors de situations stressantes, au contraire des régions plus automatiques du cerveau ; d'autre part, un stress chronique engendre une diminution de la capacité du cerveau à « recevoir » les stratégies adaptatives générées par le préfrontal.

- Les travaux de Raichle et de ses collaborateurs, en 1994, ont mis en évidence l'existence de deux modes de fonctionnement au travers de l'exercice simple de génération de mots. En effet, ils ont pu remarquer, en IRMf, que générer un nouvel usage pour des mots inconnus entraîne une activation au niveau des aires frontales (comprenant le préfrontal) et réduit l'activation des voies plus automatiques (et postérieures) utilisées dans la lecture basique des mots. Au fur et à mesure que la liste de mots est répétée et apprise, l'activation des aires frontales diminue et le cerveau produit une réponse qui ressemble à celle obtenue lorsque les sujets réalisent la tâche très automatique de lecture à voix haute. Les auteurs ont donc déclaré qu'il existait deux voies de génération de mots ou de traitement de l'information, une voie générant des réponses apprises, automatiques, et une autre voie générant des réponses non apprises, nouvelles et adaptée au traitement d'informations inconnues.

- Fernandez-Duque et Posner (2001) considèrent deux modes de régulation de l'émotion : les systèmes attentionnels « postérieur » et « antérieur » (les qualificatifs de postérieur et d'antérieur sont relatifs aux zones cérébrales activées par ces systèmes). Le système postérieur traiterait notamment les stimuli subjectivement menaçants de façon automatique, focalisée (avec un rétrécissement du foyer attentionnel) et réactive (non ajustée à la situation réelle immédiate). À l'inverse, le système antérieur permettrait une régulation et un contrôle de l'émotion et de l'action plus efficaces. De plus, le système attentionnel antérieur permettrait de réguler en retour le système attentionnel postérieur, et ainsi le caractère réactif inapproprié de la réponse émotionnelle. Le système attentionnel antérieur régulerait donc les biais attentionnels focalisés sur l'information menaçante.

- Paquette et al. (2003) ont étudié l'effet de thérapies cognitives et comportementales sur des phobies, d'un point de vue comportemental, mais également à l'aide d'imagerie TEP. Les auteurs ont noté que face à un stimulus phobique, les patients montraient une activation du cortex préfrontal dorso-latéral droit, du gyrus parahippocampique et des aires visuelles associatives (bilatérales), avant un traitement par les thérapies cognitives et comportementales. En comparaison, des sujets sains face au même type de stimulus auront une activation du gyrus occipital médian gauche et du gyrus temporal inférieur droit. Après une thérapie cognitive et comportementale réalisée avec succès, les patients ne présentent plus d'accès phobique vis-à-vis du stimulus cible et ne montrent plus d'activation significative du cortex préfrontal dorso-latéral droit ou du gyrus para-hippocampique. Les auteurs en ont conclu que l'activation du cortex préfrontal dorso-latéral droit chez les phobiques correspond à l'application de stratégies méta-cognitives ayant pour but de réguler la peur. À l'inverse, la région para-hippocampique serait liée à la réactivation automatique d'un souvenir contextuel de peur qui aurait mené au développement d'un comportement d'évitement et au maintien de la phobie. Les auteurs notent par ailleurs que les thérapies cognitives et comportementales ont le potentiel de modifier un circuit neurologique dysfonctionnel.

Ainsi, les études menées en imagerie (Ochsner et *al.*, 2004, 2005 ; Lieberman et *al.*, 2004 ; Lieberman, 2003 ; Hariri et *al.*, 1999 ; Anand et *al.*, 2003 ; Paquette et *al.*, 2003) tendent à montrer que la région préfrontale régule le traitement des affects négatifs en inhibant l'activation de régions limbiques et la mise en place de processus automatiques responsables du traitement et du maintien des affects négatifs.

Chapitre 2

La Gestion des Modes Mentaux

Nous venons de voir que le stress signale une persévérance non adaptative de notre mode automatique face à une situation nouvelle et/ou complexe qui nécessite le recrutement de notre mode préfrontal. Comment dès lors favoriser la bascule vers ce mode adaptatif ?

Ce chapitre est le cœur de l'ouvrage. Il aborde concrètement comment nous pouvons apprendre à mesurer, puis gérer consciemment, volontairement, la bascule de ces modes mentaux, qui d'ordinaire se fait difficilement, dans l'ombre de mécanismes inconscients sous la dépendance du « cerveau » automatique (eh oui, il est juge et partie !) et selon les hasards de nos atouts et handicaps culturels en ce domaine (ce que nous appelons la méta-culture de la connaissance de soi). C'est la Gestion des Modes Mentaux ou GMM[1].

---

1. Notre modèle de gestion des modes mentaux est une synthèse des connaissances neuroscientifiques les plus récentes sur le préfrontal, ainsi que de nos travaux de recherche clinique depuis plus de quinze ans sur le sujet. Plusieurs de nos études (réalisées en partenariat avec Paris-VIII et l'Institut de médecine aérospatiale du service de santé des armées) ont à la fois validé l'Échelle d'Évaluation des Modes Mentaux supérieurs et l'efficacité des exercices associés. Pour autant, le modèle présenté dans cet écrit est volontairement simplificateur dans un but pédagogique.

Nous développons deux grandes parties dans ce chapitre :

- l'introduction à notre Échelle d'Évaluation des Modes Mentaux (EEMM), à la fois outil de mesure et de changement [1]. C'est le plus universel des outils de la GMM ;

- la présentation d'autres outils de mesure (comme la grille de pensées stables), et surtout de changement de modes mentaux, qui viennent compléter et renforcer l'outil « à tout faire » qu'est l'EEMM.

L'Échelle d'Évaluation des Modes Mentaux (EEMM) : un outil de mesure et de changement

Nous allons successivement élaborer les caractéristiques des Modes Mentaux, l'enjeu de la Gestion des Modes Mentaux (GMM), le sens à donner au stress, pour ensuite vous aider à expérimenter l'outil d'évaluation des Modes Mentaux.

Les caractéristiques des modes mentaux

Le Mode Mental Automatique (MMA)

Le Mode Mental Automatique (MMA), géré par le cerveau limbique et le néo-cortex sensori-moteur, est binaire. Il pense, il agit selon un état d'esprit tranché : vrai/faux, bon/mauvais, le bien/le mal, honnête/malhonnête.

---

1. Les six dimensions de l'EEMM ont été extraites des tests classiques dits de psychométrie préfrontale, c'est-à-dire qui permettent de mesurer le degré de déficit de préfrontalité lors de la destruction des lobes frontaux, par exemple en cas de choc ou de chirurgie de tumeurs.

Il se caractérise par les six critères de contenant[1] suivants :

1.**Routine** (néophobie) : c'est l'attrait pour les habitudes, la maîtrise du connu, le non-désir de nouveauté, la peur d'aller explorer concrètement ailleurs, autrement…

2.**Refus** (persévération, rigidité) : c'est la persévérance, la volonté de ne pas se laisser déstabiliser par l'imprévu, l'échec contingent, mais c'est aussi parfois l'obstination, la crainte du dérangement, la résistance aveugle au changement, à l'anticipation…

3.**Dichotomie** (simplification, dualité) : c'est une capacité utile pour faciliter la décision rapide en situation courante et maîtrisée, mais c'est aussi parfois la vision tranchée, simpliste, manichéenne de situations complexes, le manque de nuances, les réactions excessives, affectives, passionnelles…

4.**Certitudes** (sensation de réalité) : il est utile de savoir s'affirmer ou affirmer, d'avoir une opinion, mais c'est aussi à l'excès la sensation que nos perceptions sensorielles sont « toute la réalité », que notre vision des faits est « toute la vérité », il en découle l'intolérance et les erreurs les plus graves…

5.**Empirisme** (focalisation sur les résultats) : c'est la recherche utile de l'opérationnel, des recettes qui marchent, des seuls résultats, mais c'est aussi l'aversion pour la réflexion perçue comme stérile et compliquée, « preneuse de tête ».

6.**Image sociale** (grégarité) : c'est une perception émotionnelle de ce qui se fait, est acceptable socialement dans un groupe, mais c'est aussi une préoccupation aliénante par le regard des autres, une importance exagérée donnée au positionnement hiérarchique dans le groupe, pourvoyeuse de manque d'initiative. Le groupe est perçu comme un « tout qui juge », ce qui amène aux vécus de honte, de ridicule, de prétention, de fierté…

---

1. Nous appelons critères de contenant les caractéristiques génériques d'un mode de fonctionnement mental. À côté des grands modes mentaux ou macro-contenants, on peut décrire des contenants plus spécifiques.

La mise en évidence de ces limites n'est nullement destinée à dévaloriser ce mode mental. **Mode « économique » pour gérer le basique, il est aussi le cœur de nous-mêmes, de notre conscience mais aussi de notre désir profond.** Ce serait d'ailleurs avoir une vision binaire du mode automatique que de ne voir que ses limites ! Le Mode Mental Automatique remplit le rôle qui est le sien : gérer le connu, le déjà vu, fixer les apprentissages et les compétences, gérer les « affaires courantes », et même constituer nos personnalités primaires et secondaires (voir *Manager selon nos personnalités*[1]), générer donc l'essentiel de nos motivations durables. On ne peut l'ignorer, on ne peut même que passer par lui. Il sous-tend la plupart de nos actes automatiques, il sait être fiable, il sait même devenir expert… si on l'éduque pour cela, quand on l'adapte et que l'on assure sa formation continue.

Le Mode Mental Préfrontal (MMP)

Le Mode Mental Préfrontal (MMP) est le spécialiste et le passionné pour tout ce que le mode automatique ne sait pas faire. Il est multitâche, multidimensionnel, c'est un chef d'orchestre et un improvisateur. Il pense, il agit en temps réel, selon un état d'esprit en perpétuel mouvement, questionnement, en recherche permanente, par questions ouvertes : quoi ? qu'est-ce ? pourquoi ? quoi d'autre ? combien ? comment ? jusqu'où ? pourquoi pas ? mais encore ? et moi ? et si ? mais alors…

Il se caractérise par les six critères de contenant suivants :

1. **Curiosité sensorielle** (ouverture) : c'est la recherche active et exploratoire, sensorielle, de la nouveauté, l'esprit de la découverte, la quête active de l'autre, de la différence…

2. **Acceptation**, (adaptabilité, fluidité) : c'est la capacité à s'ouvrir à l'imprévu, au dérangement, à accepter l'échec ou la souffrance comme source possible d'apprentissage, d'enrichissement, de renouveau, de rebond, sans soumission ni résignation…

---

1. *Op. cit.*

3.**Nuanciation** (perception du détail et de la complexité) : c'est une vision concevant les intermédiaires, ce qu'il y a de positif à côté du négatif, les avantages cachés sous les inconvénients et vice-versa, une perception du caractère infiniment complexe et mouvant des relations entre les éléments…

4.**Relativité** (recul) : c'est la conscience que chacun a son propre regard sur les choses, que toutes les visions sont relatives, superficielles et limitées par rapport au réel infini : la perception spontanée que ce que l'on voit n'est pas la réalité pleine et entière, que la carte n'est pas le territoire…

5.**Réflexion logique** (esprit de rationalité) : c'est la recherche active de la compréhension des mécanismes cachés qui animent le monde, le sentiment que tout pourrait se comprendre, qu'il y a des causes sous les effets visibles… et trompeurs, c'est vivre la logique comme un « regard », un sixième sens qui sonde les mystères des sensations…

6.**Opinion personnelle** (individualisation) : c'est la conscience de l'autre comme d'un autre soi-même, d'un groupe comme un ensemble d'individus et non pas comme une masse informe, sans peur du regard de l'autre, sans esprit non plus de fierté : on cherche plus l'opinion ou les sentiments de l'autre qu'on ne craint son jugement ; en ce sens, on est à même d'affirmer son opinion, même si l'on est seul à l'incarner, sans être sûr pour autant d'avoir raison ; d'ailleurs qu'est-ce qu'avoir raison… ?

Le MMP n'a pas vraiment de limite, relativement à l'autre mode, car il l'englobe. Anatomiquement tout d'abord, il est relié en direct à toutes les parties du cerveau. Physiologiquement, ensuite, parce qu'il dispose de la puissance neuronale pour traiter toutes ces informations et les interconnecter, les interpréter. Il est doté du cinquième de la masse cérébrale, qui ne sert qu'à « penser », car l'information de base et l'action de base sont gérées en amont par le reste du cerveau, autrement dit par le MMA. Qui peut le plus peut le moins, **il peut donc faire tout ce que le MMA sait faire… et le reste, car il accède à tout. D'ailleurs, il n'agit pas vraiment à la place du MMA, il se contente en bonne partie de coordonner finement les compétences, il intègre** le MMA. L'EEMM peut donc donner une impression fausse de symétrie entre les deux modes : en fait l'un inclut l'autre, une représentation en poupées russes serait plus pertinente dans l'absolu.

L'intégration du MMP par le MMA

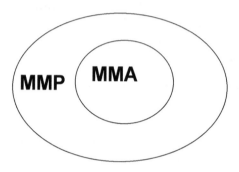

L'enjeu de la Gestion des Modes Mentaux (GMM)

Toutefois, il ne s'agit donc pas non plus de recréer un bien et un mal, où le MPP « écraserait » le MMA. On ne coupe pas les branches sur lesquelles on est assis. Le MMP s'appuie sur le MMA… et, de temps en temps, il se repose sur lui. **Non, nous ne sommes pas toujours stressés en MMA.** Preuve que le préfrontal ne voit rien à redire à son fonctionnement une large partie du temps. **Le véritable enjeu de la GMM, c'est d'apprendre à savoir sur quel mode nous fonctionnons, identifier les signaux d'alerte comme le stress et enfin savoir zapper, permettre la bascule, rapidement et efficacement si nécessaire.**

Le MMP n'est pas ce mode mental froid et distant, trop seulement intellectuel, que nous semblons redouter lorsque nous sommes en MMA. Le néocortex préfrontal est certes le cœur de la raison, la vraie, celle qui pense, pas forcément celle qui est « raisonnable », mais c'est aussi celui qui donne la vision large, l'ouverture, la démocratie, l'interdisciplinarité, l'interculturalité. C'est aussi lui qui sous-tend notre intuition, notre créativité, et même nos vrais sentiments (pas seulement nos désirs). C'est lui qui transforme l'amour reproductif reptilien, agréable, ou émotif, passionnel, limbique, en complicité réelle, romantique, avec l'autre, cet autre soi-même. Le sentiment est le prolongement chaleureux, nuancé et individuel de l'émotion, comme l'intelligence rationnelle et systémique est le prolongement de l'esprit de concret sensori-moteur du néocortex non préfrontal (MMA).

L'intelligence préfrontale tente donc de ressentir les choses aussi bien que de les concevoir, sans sembler n'être jamais sûre de rien, ou plutôt en restant constamment ouverte à tout. Elle ne dit même pas « ceci est vrai jusqu'à preuve du contraire », mais plutôt « c'est le meilleur ou moins mauvais outil que je connaisse pour l'instant », et c'est bien en sortant du cadre et en élargissant nos connaissances que l'intuition s'aiguise et s'affine.

Le néocortex préfrontal est donc bien le complément opérationnel du « cerveau » automatique, et vice-versa. Et c'est bien de cette complémentarité pratique, dans la gestion du quotidien, que nous pouvons tirer le meilleur parti pour améliorer notre savoir-être, réduire et prévenir au plus profond nos souffrances, dans le dysfonctionnement cérébral même qui fait le lit de nos erreurs et fragilités.

Notre cerveau comprend de nombreux territoires plus ou moins spécialisés, qui fonctionnent souvent de façon extraordinairement coordonnée, même si nous décrivons dans cet ouvrage un des quelques grands bugs. Mais comme ils sont désormais mieux connus, ils sont compensables. Le cerveau humain est à la fois extraordinaire et imparfait, comme le reste du corps ; c'est bien pour cela que la médecine existe.

Le but est donc d'améliorer toutes ces synergies, la pertinence des adaptations nécessaires, de fournir des outils accessibles à tous, instantanés, ou presque, dans leur mise en œuvre, ne nécessitant peu ou pas de temps « dédié ». Quand on a compris les principes, on peut les appliquer en menant sa vie, soit en facilitant ainsi l'action ou la réflexion en action, soit, en parallèle, en tâche de fond légère et agréable.

La gestion de la « méga-bascule[1] » entre les deux grandes parties du cerveau que sont l'avant intelligent (MMP) et l'arrière automate (MMA), c'est cela, la GMM. Elle prend à notre avis nettement le pas sur la bascule droite/gauche dont on a beaucoup parlé il y a quelques années et qui semble aujourd'hui à la fois moins cruciale, moins simple à décrire qu'il n'y paraissait, et surtout à laquelle on avait attribué certaines caractéristiques clés qui relèvent en fait de la bascule avant/arrière.

Lorsque nous gérons mieux les rouages de cette bascule des modes mentaux, nous pouvons saisir un tant soit peu la réalité et nous y adapter, même si elle « nous » semble trop complexe. En somme, la nature est bien faite… à condition d'un peu mieux la connaître ! Simple question de mode d'emploi[2]. Ça ne fait que 200 000 ans, ou sans doute plus, que nous, espèce humaine, l'attendons. Alors profitons-en. Car cette fête ne fait que commencer !

La GMM (Gestion des Modes Mentaux), application pratique de nos recherches et mise au point par notre équipe, permet de gérer le stress et de débloquer certaines situations auxquelles nous ne sommes plus à même de faire face.

---

1. Nous décrivons différentes autres gestions de modes mentaux ou d'autres sous-structures cérébrales (définies sous le terme générique de gestion des contenants cérébraux) dans le cadre de ce que nous appelons la thérapie neurocognitive et comportementale. Lire *La thérapie neurocognitive et comportementale* (Jacques Fradin, Fanny Fradin, *op. cit.*), *Manager selon les personnalités* (Jacques Fradin, Frédéric Le Moullec, *op. cit.*), *Personnalités et psychophysiopathologie* (Jacques Fradin, Fanny Fradin, Publibook, 2006) ou encore visiter notre bibliographie disponible sur nos sites (www.tncc.net et www.ime.fr).

2. Si on avait eu ce fichu mode d'emploi livré avec le matériel, on aurait tout de même gagné quelques centaines de milliers d'années !

Pourquoi six paramètres préfrontaux et pourquoi ceux-là ?

Nous avons déjà mentionné que les dimensions de l'EEMM ont été extraites des tests classiques qui permettent de mesurer le degré de déficit de préfrontalité lors de destruction des lobes frontaux, par exemple en cas de choc ou de chirurgie de tumeurs. Quelle est la logique qui nous a amené à choisir ces six paramètres ? Pourquoi pas cinq ou sept ?

Notre cerveau, sans vouloir le déshumaniser, fonctionne aussi comme n'importe quel système d'information. Car telle est bien l'une de ses missions naturelles. N'oublions pas ce que disait Henri Laborit : « *Le système nerveux est fait pour agir.* » Et, pour agir, celui qui est aux commandes (le cerveau) a nécessairement besoin de traiter l'information.

Comment fonctionne un système d'information ?

- Il a tout d'abord besoin de… données ! Il lui faut donc pouvoir les collecter grâce à une curiosité sensorielle (recherche active de la nouveauté perceptible, même si tout va bien et semble facile), et sortir de la routine qui prend plaisir dans les habitudes et qui reste dans une attitude de « déjà-vu ». Et si les choses vont autrement que prévu, il faut savoir accepter, c'est-à-dire rester curieux et ouvert même si tout va mal, et sortir d'une persévérance qui ignore, voire refuse, l'imprévu. **Les deux premiers paramètres préfrontaux (curiosité et acceptation) interviennent donc dans la prise d'information.**

Tandis que la capacité d'être curieux semble naturelle, c'est-à-dire innée, l'acceptation semble s'apprendre au cours de la vie, et dépendre des conditions culturelles. Comme dans les phases suivantes du traitement de l'information, le deuxième paramètre est « méta » par rapport au premier : l'acceptation inclut et va au-delà la curiosité « basique ».

- Ensuite il faut pouvoir traiter les multiples données atypiques collectées, c'est-à-dire inclure les détails nouveaux, les nuances, et accepter un certain flou dans sa représentation de la situation, au lieu de réduire le nouveau et le complexe au connu et au clair.

La phase suivante est de remettre en cause cette représentation enrichie, la relativiser, c'est-à-dire reconnaître et accepter que la carte n'est pas le territoire, et… qu'il y a un nombre (presque ?) infini de cartes possibles.

•••

●●●

Ces deux paramètres (nuance et relativité) interviennent ainsi dans le domaine du traitement de l'information à proprement parler.

Comme c'était le cas dans la curiosité et l'acceptation, la nuanciation peut être considérée comme un paramètre assez naturel ou « basique », la relativisation semblant plutôt une capacité « méta », fruit d'un long apprentissage culturel, individuel et collectif.

- Les opérations dans les phases 1 et 2 ont introduit progressivement l'incertitude et génèrent la coexistence d'une multitude d'options qui pourrait paralyser l'action. Une réflexion logique s'impose alors, une recherche des causes les plus probables des effets observés, pour faire un tri adapté entre les hypothèses générées.

Comme l'on n'arrive jamais à tout expliquer, il reste alors à assumer le risque résiduel en se formant une opinion personnelle qui ne sera pas définitive et qui peut très bien s'avérer en partie erronée. Cela implique d'aller au-delà des idées de ce qui se fait et ce qui ne se fait pas. Il s'agit de prendre une décision individuelle, peut-être inouïe, tout en restant ouvert au dialogue.

Les deux derniers paramètres (réflexion logique et opinion personnelle) interviennent donc sur la sortie d'information, en cherchant la perspective la plus adaptée à la situation à gérer et en assumant le risque que toute décision personnelle implique.

Comme dans les phases 1 et 2 du traitement de l'information, ce dernier paramètre (opinion personnelle) est « méta » par rapport au précédent (réflexion logique). Il semble aussi moins « naturel » que la réflexion logique.

Et n'oublions pas : ce ne sont pas les systèmes d'information et les ordinateurs qui ont créé l'homme, mais bien l'homme qui les a créés... à son image !

Pour une pratique générique avec la GMM

Néanmoins, nous ne sommes sans doute jamais complètement « automatiques » ou complètement « préfrontaux ». Là encore, il vaudrait mieux savoir faire preuve de nuance et de mesure. Chaque personnalité, culture, individu a par ailleurs ses circuits privilégiés, largement définis par les personnalités (voir « Une GMM orientée créativité », au chapitre 5). Certains parviendront à basculer plus facilement sur le paramètre de curiosité, par exemple, d'autres sur celui de la réflexion. Le principe stratégique de base est de commencer par les paramètres les plus accessibles à la personne. Il est de surcroît possible d'individualiser la méthode par la recherche, par exemple, de mots ou de phrases clés « préfrontalisants » sur quelques paramètres, qui permettront de constituer une amorce et un galet d'entraînement vers une préfrontalisation plus complète.

L'impact de la GMM est éprouvé par quinze ans de pratique clinique en psychothérapie NCC, dans des stages de gestion du stress en développement personnel, en entreprises et hôpitaux. Il a été validé par plusieurs études[1] : son effet est à la fois intense et bref. Cela s'explique par le fait que le processus de bascule est par essence adaptatif, fonctionnel, dynamique. Il est destiné à permettre à notre cerveau d'« accommoder » en temps réel son mode de fonctionnement, sa perception, lorsque « l'assimilation » ne suffit pas, selon la terminologie de Piaget[2].

En fait, on obtient une stabilisation progressive des résultats par l'entraînement, car on ne résout pas ses problèmes, on apprend à vivre autrement, dans un autre état d'esprit. Il faut donc de l'entraînement, mais cet entraînement est générique, universel, transculturel. On ne le fait pas qu'une fois pour toutes. Il vaut pour tous les problèmes, puisqu'il s'agit d'un processus de gestion de contenant, d'une bascule du fonctionnement mental, que l'on apprend « en soi », dans l'absolu. Ou alors les problèmes ne sont que des prétextes pour apprendre. Et **l'apprentissage consiste justement, non à figer le système, mais au contraire à faciliter notre capacité de zapping entre les modes, à**

---

1. Une thèse est actuellement en cours sur ce sujet entre l'IME, Paris-VIII et l'IMASSA, et les premiers résultats montrent d'excellentes corrélations entre stressabilité et modes mentaux (0,9). Une précédente étude, en 1997 (non publiée), avait montré la même chose, avec des corrélations moins poussées (0,76), Les deux études montrent également ment un fort impact des exercices sur la cotation avant/après, de l'ordre d'un gain de 4 points en moyenne sur une échelle de 10 (en quelques minutes).
2. Cf. p. 107, « Pour aller plus loin » 9.

améliorer la rapidité, la fiabilité et la pertinence de cette bascule. Il ne s'agit pas d'amputer le système d'un de ses composants, mais de le débrider davantage.

Comme le néocortex préfrontal est spontanément inconscient, au contraire du cerveau limbique, il y a un handicap de base du premier sur le second. Par défaut, nous sommes presque en permanence branchés sur notre cerveau automatique/limbique[1]. Quand nous faisons régulièrement « l'effort » de nous faire basculer sur le mode préfrontal, nous constatons que cela devient rapidement agréable, voire grisant. Mais, malgré cela, le « naturel revient au galop » et a tôt fait de reprendre le dessus pour nous ramener sur l'automatique/limbique, strate de la routine et de la conscience par défaut. Deux bonnes raisons d'ancrer l'anti-réflexe préfrontal... parfois bien plus que ne le nécessiterait la situation de l'instant. Car la force d'inertie du MMA est la plus grande. Et nous sommes d'emblée plus sûrement routiniers et stressables qu'ouverts, souples, cohérents et sereins.

Nous sommes tous des préfrontaux... sans le savoir

Être préfrontalisé, c'est à la fois très simple et quotidien. En fait, nous sommes tous les Madame et Monsieur Jourdain de la préfrontalité, chaque fois par exemple que nous acceptons ce qui nous dérange sans nous décourager ni agresser, autrement dit chaque fois que nous le faisons de façon constructive, dans la quête de nouvelles solutions aux problèmes qui se posent à nous.

Lorsque nous dispensons des formations en GMM, nous commençons parfois l'animation par la question suivante : « Dans quels

---

1. Comme c'est quand même le plus bête qui a la main, sans éducation *ad hoc*, il ne la rend pas. Cela peut sans doute expliquer beaucoup de choses sur l'histoire de l'humanité, qui va bien au-delà du déficit culturel en termes de contenu. Dans le monde du travail, l'enjeu serait de savoir « fabriquer » des cultures d'entreprise préfrontalisantes, puisqu'elles doivent devenir de plus en plus adaptatives et innovantes, c'est-à-dire préfrontales. Il n'y a donc pas le choix. Nous pouvons désormais en décrire le processus... et le mettre en pratique.

domaines êtes-vous capable de ne pas vous stresser en situation difficile ou devant un échec ? » Certains participants répondent qu'ils n'en voient pas. En fait, après vérification, c'est très rare, ou alors la personne est en état dépressif. Même s'il est vrai que nous ne sommes pas tous égaux (méta-culturellement, au sens d'une connaissance de soi apportée par la culture) devant la capacité de garder notre sang-froid, il est pour autant très rare que nous n'en soyons pas capables dans un certain nombre de domaines. Mais, posée sous cette forme, la question peut amener assez fréquemment cette première réponse négative, notamment de la part de ceux qui sont complexés ou en situation d'échec douloureux. En fait, reposée autrement, par exemple de cette façon : « Quels sont les domaines où vous voyez que d'autres perdent leurs moyens "pour pas grand-chose", c'est-à-dire là où vous ne voyez pas de difficulté, cela même si rien ne se passe comme prévu ? », alors presque tout le monde trouve des exemples « où les autres lui paraissent bêtes, empotés, pas dégourdis » : « Effectivement, mon mari est incapable de trouver une chemise propre dans le placard, même quand elle est sous ses yeux. Et s'il est vraiment pressé, il glapit comme un enfant plutôt que de la chercher, ou alors il fout la pagaille mais ne trouve rien. Si je ne le connaissais pas par ailleurs, je le prendrais vraiment pour un enfant », dit cette femme d'habitude si timide devant l'image écrasante de son mari « je sais tout ».

Pourtant, nombreux sont ceux qui se ressaisissent assez rapidement et disent : « Oui, certes, mais ce sujet sur lequel j'arrive à garder mon sang-froid et faire preuve de plus de bon sens que d'autres est un sujet facile. Il n'y a aucune difficulté ni aucun mérite à cela. Alors que les autres réussissent sur des sujets bien plus compliqués ou rébarbatifs. » Rien n'est moins sûr. Il y a toujours des cas où cela peut paraître « objectivement » vrai, mais statistiquement c'est faux. Ainsi, je peux citer le cas de ce brillant mathématicien, complexé devant les littéraires, et disant : « C'est vrai, je parviens à être ce que vous dites – intelligent – devant un problème de mathématique, même complexe, et à me ressaisir si tout est mal parti, qu'il y a une forte pression, des enjeux importants, un temps limité ou même de l'agressivité dans l'air. Mais cela s'explique par le fait que les mathématiques ne nécessitent aucune créativité, tout est prévisible ; finalement, je suis une machine. La solution est contenue dans l'énoncé. Et le chercheur ne fait que décrire le réel. Il ne le crée pas. Je ne suis qu'un artisan qui débouche les tuyaux de notre compréhension. Je trouve des solutions à des problèmes techniques. Mais un artiste ou un littéraire crée un monde, c'est un démiurge. Moi devant une feuille blanche, j'ai la tête vide et mon front se couvre de gouttes de sueur. Ou ce que je crée est digne d'un très jeune enfant. Même ma fille de six ans me dépasse, d'ailleurs. Mes dessins la font rire. La dernière fois, c'est elle qui m'a montré comment il fallait faire. » Je vous passe les commentaires opposés d'un littéraire complexé par les maths…

En fait, cette illusion d'optique s'explique facilement par le fait que ce que nous réalisons en mode préfrontal nous donne un grand sentiment d'aisance et de facilité. Bien sûr qu'en mode préfrontal, on n'est pas complexé. Mais la réappropriation de l'aisance préfrontale par le mode automatique/limbique peut s'appuyer sur cette facilité ressentie pour entretenir le complexe. D'ailleurs en MMP, nous ne percevons ni la créativité/aisance de notre attitude, ni souvent la difficulté ou le désagrément de la situation. Le professionnel à l'aise dans son métier ne considère pas forcément comme une contrariété les exigences d'un client ou les atypies de la situation. Cela peut même le distraire de la routine. C'est bien cela un expert passionné par les cas rares et les diagnostics difficiles ? Si nous ne percevons pas forcément une situation difficile en tant que telle, nous n'avons donc nullement l'impression d'être un héros, surmontant des obstacles gigantesques, souffrant de frustrations ou de remises en cause insupportables ! Nous ne sommes, à cet instant ou sur ce sujet, tout simplement pas en mode automatique/limbique. Les idées affluent pour résoudre les problèmes, le manque de résultat à l'inverse ne nous frustre pas ou pas aussi vite ni aussi fort, ni surtout pour les mêmes raisons : la faim existe toujours, mais pas la vexation ! Le manque d'argent est toujours problématique, mais pas pour des raisons d'image ou de « train de vie ». Ou même, inversion des rôles, ce peut être nous que leur agacement ou jugement amuse ! « Ah bon, ça te dérange ? Je suis désolé pour toi ! La vie doit être dure avec ce problème… » Non, nous nous trouvons souvent très ordinaires quand nous sommes préfrontalisés et que nous faisons face à une difficulté « insurmontable » pour l'image.

À l'inverse, nous pouvons être tellement « engoncés », dénués d'initiative, accrochés à notre stratégie, susceptibles devant toute trace de remise en cause, obsédés par l'idée que cela pourrait « mal se passer », pas « comme on veut », grincheux, exigeants, notre esprit est tellement vide d'idées et de créativité pour changer de point de vue et de stratégie que tout nous paraît être « une montagne » insurmontable. Ainsi, l'un, nerveux : « Ah ! je ne trouve pas le dossier X que tu m'as rapporté tout à l'heure. Ça fait huit fois que je repasse la pile que tu as posée sur mon bureau et il n'est pas dedans. » L'autre : « Fais voir… tiens, regarde, il est sur l'imprimante, je l'ai posé là parce que tu m'as demandé de te sortir une cartouche de toner… et je l'ai oublié. Désolé… » Ceux qui, sur un certain sujet, ne sont pas atteints de notre infirmité fonctionnelle nous paraissent donc soit incroyablement doués, soit désinvoltes, inconscients, voire inquiétants. Pourtant, ils ne méritent le plus souvent « ni cet excès d'honneurs, ni cette indignité ».

Résumons-nous

Suivant le canal mental que nous recrutons, nous sommes doués ou psychorigides, autrement dit en difficulté face à l'imprévu.

- *Nous sommes tous préfrontaux sur certains sujets et à certains moments. Cela se diagnostique par le fait que nous sommes souple, créatif et capable de sang-froid, voire de sérénité, même quand tout va mal.*

- *À l'inverse, nous avons tous des moments et/ou des sujets d'accrochage en mode automatique. Au mieux, c'est circonstancié, à un certain degré de fatigue ou si d'autres sujets nous perturbent, en toile de fond. Au pire, notre cas est plus grave. Nous « croyons dur comme fer » à ce qui nous met en état de stress. À chaud comme à froid, nous n'en démordons pas. D'ailleurs, ce qui est embêtant, c'est moins le « contenu » de la croyance que son « contenant », c'est-à-dire la façon dont nous la vivons ; vous l'aurez compris, le pronostic est d'autant plus mauvais que nous ne plaisantons pas sur le sujet (certitudes, image sociale fortes) : « C'est quoi encore ce problème (refus), ça marche bien comme ça, on n'a pas de temps à perdre (empirisme)… »*

La GMM dans la pratique

La GMM trouve son efficacité optimale grâce à une pratique régulière à travers de nombreux exercices. La variété des exercices permet de mieux coller à la nature du stress, de rendre ainsi leur impact plus efficace et d'éviter la lassitude. Elle constitue pour le cerveau une gymnastique, au même titre que n'importe quel exercice physique pour les autres parties du corps. La pratiquer régulièrement, c'est améliorer sa capacité et sa vitesse de zapping mental du limbique vers le préfrontal ; pas besoin d'apprendre à changer de mode dans l'autre sens, car ça se fait tout seul, « automatiquement ». La capacité et la rapidité à recruter son cerveau préfrontal constituent des atouts dans la recherche et le maintien de la motivation durable.

L'outil EEMM, représenté ci-après, est un tableau reprenant en première ligne et sur une échelle de 1 à 9 (5 étant la valeur médiane) le taux de stressabilité-sérénité vécu et mesuré intuitivement par le sujet dans une situation de stress donnée. Ce taux général est ensuite décliné dans les six contenants de chaque Mode Mental.

Paramètres du mode automatique	1	2	3	4	5	6	7	8	9	Paramètres du mode préfrontal
Stressabilité										Sérénité
Routine										Curiosité sensorielle
Refus										Acceptation
Dichotomie										Nuance
Certitudes										Relativité
Empirisme										Réflexion logique
Image sociale										Opinion personnelle

Comment en faire usage ? À travers trois exemples nous illustrons :

• comment coter les items divers ;

• la signification des termes utilisés dans l'échelle.

Exemple n° 1. Parler en public :
1re étape, cotation de la stressabilité ou de la sérénité vécue

D'abord quelques caractérisations des termes stressabilité et sérénité :

La stressabilité, c'est la tendance à se stresser sur le sujet considéré en situation négative, réelle ou imaginaire (échec, perte…).

La sérénité, c'est la capacité à garder son calme sur le sujet considéré, même en situation négative (échec, perte…).

1. Si je suis fortement stressé sur la prise de parole en public et que je m'identifie avec mes émotions, je mettrai une croix dans la colonne 2, d'autant plus si je ne me crois pas capable d'adopter les attitudes qu'une personne calme adopte pour s'exprimer.

   Si je me sens calme pour prendre la parole en public, alors même que je ne suis pas sûr de moi et de ce que j'ai à dire, je mettrai une cotation de 8 par exemple. Et si j'imagine que je reste serein, même si quelqu'un m'interrompt pour démontrer aux yeux de tous que je suis incompétent et que j'aurais mieux fait de me taire, alors je mets ma croix tout à fait à droite de la case.

2. Je mettrai ma croix juste à gauche de la ligne médiane sur la cote 4 si, d'une part, je pense clairement qu'il ne faudrait pas céder à mon stress en essayant vraiment de me mobiliser pour ne pas me laisser aller à mes impulsions (anxiété, colère, découragement), mais si, d'autre part, je crois que le stress aura probablement le dernier mot en matière d'action : fuir, éviter, changer de sujet si je suis en état de Fuite ; me fâcher, être cassant, susceptible si je suis en Lutte ; me décourager, me taire, m'effondrer en larmes si je suis en Inhibition.

3. À l'inverse, je mettrai ma croix proche de la ligne médiane mais un peu sur sa droite, en 6, si, d'une part, je suis encore en proie à des pressions internes pour céder à mes impulsions du stress (anxiété, colère, découragement), mais, d'autre part, je parviens à faire face à mon stress ; ce sera donc mon recul qui aura le dernier mot en matière d'action : je cherche à réfléchir même si j'ai du mal à y parvenir ; de l'extérieur, on voit que je suis émotionnellement perturbé mais que je garde mon sang-froid.

4. Le trait médian coté 5 est le « lieu » de la bascule des comportements en faveur de l'un ou l'autre mode mental. C'est en fait le lieu du changement de « gouvernance » entre les deux modes mentaux. La cotation 1 représente un stress ou une stressabilité très importante et une tendance très forte à s'identifier avec ces émotions qui semblent « totalement justifiées », la cotation 9 signifie une aisance totale, même en situation très difficile.

Voici les cotations enregistrées en fonction des réponses récoltées ci avant sur l'axe stressabilité/sérénité.

Paramètres du mode automatique	1	2	3	4	5	6	7	8	9	Paramètres du mode préfrontal
Stressabilité		X1		X3		X4		X2		Sérénité

Exemple n° 2. Du plombier au bon raccord : 2ᵉ étape, cotation des sous-paramètres de l'EEMM

De nouveau, nous présentons d'abord quelques caractérisations des termes principaux choisis qui vont vous aider à remplir le reste de l'EEMM :

Mode Mental Automatique ou MMA	Mode Mental Préfrontal ou MMP
La routine, c'est : • l'aisance et la facilité de l'habitude ; • le goût du familier, du connu, de la tradition ; • l'amour de la maîtrise, du travail bien fait, l'attrait pour l'expertise ; • l'aversion pour l'inconnu.	**La curiosité**, c'est : • la recherche active de la nouveauté ; • la curiosité pour les choses et les autres (même quand tout va bien) ; • l'attrait pour la créativité ; • la vigilance et la quête de l'imprévu.
Le refus, c'est : • le refus du dérangement, de l'imprévu, du non-contrôle ; • la persévération malgré l'obstacle ou l'échec ; • la défense des principes, des règles.	**L'acceptation**, c'est : • la prise en compte de toute la réalité « comme elle est » ; • la capacité d'adaptation ; • l'ouverture, la réceptivité, la souplesse ; • la capacité à repartir, rebondir, reconstruire.

•••

•••

La dichotomie, c'est :	La nuance, c'est :
• une vision tranchée, binaire (pour faciliter la prise de décision et l'action) ; • souvent basée sur des « jugements » (blanc/noir, bien/mal, vrai/faux).	• une vision subtile concevant un gradient, des valeurs intermédiaires ; • une perception de la complexité et de la continuité des choses.
La certitude, c'est :	La relativité, c'est :
• la croyance que le monde est ce que nous en voyons ; • la conviction que nos perceptions sont « toute la réalité » ; • le sentiment que nous détenons la « vérité » sur ce sujet ou sur nous-mêmes.	• la conscience que chacun a son « regard » ; • la conscience que chaque vision est relative, superficielle et terriblement limitée par rapport au réel infini ; • la conscience que la carte n'est pas le territoire.
L'empirisme, c'est :	La réflexion, c'est :
• le choix de la meilleure solution connue ; • la recherche du concret immédiat ; • l'attrait pour les seuls résultats, pour ce « qui marche » ; • la recherche de productivité, de fiabilité ; • l'aversion pour les réflexions « compliquées ».	• aimer comprendre, rationaliser ; • chercher la logique cachée ; • pour résoudre les rébus et les échecs, anticiper, améliorer, construire le futur ; • savoir « perdre du temps pour en gagner ».
L'image sociale, c'est :	L'opinion personnelle, c'est assumer un point de vue personnel :
• la préoccupation du regard et du jugement des autres (image, rites, pouvoir, rivalités) ; • la réceptivité aux vécus de fierté, honte, ridicule, culpabilité, prétention, etc. ; • la perception irrationnelle du groupe comme un « troupeau » (jugeant ou menaçant).	• fait de raison, d'intuition et de prise de risque ; • ouvert à l'opinion et aux sentiments des autres (mais pas à leurs jugements) ; • percevant l'autre comme un semblable unique ; • percevant un groupe comme un ensemble d'individus.

J'ai justement une fuite d'eau chez moi et je n'ai pas le temps de m'occuper du problème. C'est dimanche. J'appelle rapidement un plombier trouvé dans l'annuaire. Personne. *Idem* pour les suivants. Je mets du temps à comprendre comment trouver un plombier de garde. Quand je l'obtiens, on discute tarif – élevé – et délai (« ce n'est pas urgent, j'ai plus grave avant, je passerai dans la soirée »). À 22 heures, personne. Je sens que je perds mon calme.

Pourquoi ? J'ai de bonnes raisons « objectives » : je n'ai pas le temps, j'ai passé beaucoup de temps pour trouver un interlocuteur, négocier... et, finalement, personne ne passe. Pourquoi commencé-je à me crisper ?

En vérifiant intuitivement, sensoriellement, mon mode mental, je me sens trop à gauche sur l'EEMM, notamment dans le refus, et un peu agacé par la parole non tenue (grégarité) pour que cela convienne à la situation à l'évidence non contrôlée.

Je me fais glisser plus à droite, c'est un petit effort car « j'ai l'impression d'avoir autre chose de plus important à faire ». Mais j'y parviens tout de même et, après quelques minutes, je suis enfin détendu. Là, je regarde enfin la fuite, qui m'était apparue précédemment difficile à réparer. Comme j'ai accepté « la perte de temps et la distraction de mon activité urgente et importante, je suis calme et je vois ce qu'il y a à voir ». Une demi-heure plus tard, la fuite est réparée. Mes tergiversations téléphoniques, les opérations serpillières, m'ont pris, par étape, largement plus d'une heure et dérangé dix fois. Pas de commentaires.

« Je ne parlerai qu'en présence de mon préfrontal », ai-je plaisir à dire quand je me sens stressé. Je prends d'abord quelques instants pour me recentrer puis, une fois en état, je pense et j'agis sur le bon mode. **Il est rare que le problème posé ait été le bon et les solutions adaptées. C'est bien là le problème et l'origine de mon stress.**

Avant de chercher des solutions, il faut changer de Mode Mental. Que s'est-il passé à 22 heures ? Un glissement adaptatif sur certains critères automatiques illustrés sur le tableau ci-après et évalués grâce aux caractéristiques des termes décrits ci-dessus :

Paramètres du mode automatique	1	2	3	4	5	6	7	8	9	Paramètres du mode préfrontal
Stressabilité			x			➤				Sérénité
Routine						x				Curiosité sensorielle
Refus	x					➤				Acceptation
Dichotomie						x				Nuance
Certitudes			x			➤				Relativité
Empirisme		X					➤			Réflexion logique
Image sociale							x			Opinion personnelle

Nous pouvons ainsi observer l'impact que cette manœuvre a pu avoir sur notre stress et, mieux encore, sur notre stressabillité (stress que l'on éprouve vis-à-vis d'une issue négative imaginaire concernant la situation envisagée). En effet, cette distinction nous paraît cruciale pour bien comprendre ce que notre approche neurocognitive apporte.

Dans la plupart des approches classiques, presque toutes, on cherche (soi-même et ceux qui nous aident) à résoudre les problèmes qui se posent, qu'ils soient émotionnels ou concrets. C'est logiquement la première réponse que nous cherchons à apporter dans la vie quotidienne devant une difficulté puisque le problème attend une solution, *of course* ! (la fuite d'eau par exemple).

C'est aussi le cas en coaching, où nous cherchons avant tout à nous faire aider (ou à aider le client) à trouver des solutions aux problématiques plus ou moins techniques qui se posent. Plus subtilement, ensuite, nous pouvons nous aider, l'aider à acquérir des méthodes et attitudes qui pourront permettre de renouveler, de généraliser cette expérience. Plus encore, nous cherchons à (lui) apprendre à réfléchir, à construire des solutions hors du cadre dans lequel il s'était (nous nous étions) enfermé sans le savoir.

En fait, rares sont encore les approches qui nous font penser que nous posons mal le problème, ou même que ce que nous croyons être un problème n'en est peut-être pas un, ou pas pour ces raisons. Certes, ce n'est pas vrai pour la fuite d'eau, mais c'est peut-être le cas pour les problèmes scolaires de votre enfant. Faut-il alors répondre à la question ou se demander, avec Watzlawick[1] et l'approche systémique, si la question ne constitue pas tout ou partie du problème ? Ou si le mode mental qui la sous-tend ne l'est pas plus encore ? Bref, si la question n'appartient pas davantage au contenant qu'au contenu ? Et donc la solution aussi… ? Remettons les bons modes sur les bons sujets et voyons après s'il reste un problème !

---

1. Paul Watzlawick, John H. Weakland, Richard Fish, *Changements : paradoxes et psychothérapie*, Le Seuil, 1981.

Qu'est-ce que cela apporte de se poser ainsi la question en termes de contenant plutôt que de contenu (notamment en cas de stress, bien sûr) ? Cela change radicalement la donne et transforme un problème particulier en une problématique plus universelle. Autrement dit, la réponse devient largement indépendante du problème, c'est une question d'attitude, d'état d'esprit. Il n'y a plus de temps à perdre, « le nez dans le guidon », à bricoler dans l'incurable d'un mode inadapté : à propos de bricolage, c'est comme chercher à planter un clou dans un mur en béton. On se tape sur les doigts, on abîme le plâtre et la peinture… ou, au pire, le tableau tombera. On n'a pas de temps à perdre ? Raison de plus pour ne pas se tromper de train. Vite et bien, c'est d'abord être en état de faire. Rappelons que le stress ne survient pas forcément parce que l'on est pressé. Il survient parce que l'on se trompe. **Si vous avez votre *warning* mental qui s'allume, ce n'est pas perdre du temps que de débrayer le MMA, c'est éviter un inconvénient inutile, un conflit, un accident… ou pour le moins un risque idiot.**

Exemple n° 3. Charles et son coach

Les faits

Charles est embarrassé. Il doit décider si oui ou non il accepte une proposition d'embauche alors qu'il vient de décider de s'installer à son compte. Tout est prêt, son projet mûri, sa banque d'accord. Et, soudain, c'est la proposition d'embauche inattendue, pile celle qu'il a souhaitée l'année passée. Ou presque, parce que celle-là tombe plutôt mal. Elle suppose de quitter la France, il vient juste d'emménager ; il a surtout une nouvelle amie, Véronique, qui travaille à deux pas d'ici et avec laquelle ça s'annonce plutôt bien. Oui, mais, cruel dilemme, c'est vraiment le job de ses rêves ! Le salaire est sympa (façon de dire qu'il est le double de ce qu'il a gagné jusqu'ici) et, pour la réponse, c'est maintenant ou jamais. Il lui faut se décider fermement dans les 48 heures. Et il y a sûrement d'autres candidats.

Véronique le lui a clairement dit : elle le quittera tout net s'il part. Pas question d'une relation « merdique » où l'on se voit « tous les trente-six du mois », à l'autre bout du monde et ce, pendant un temps indéfini. Pas question non plus de partir et tout laisser, son travail, qu'elle aime bien, son indépendance, surtout, pour se retrouver seule du matin au soir dans un endroit où elle ne connaîtra rien ni personne.

Charles est au plus mal. Il essaie de remettre en selle dans sa tête son projet de travailleur indépendant, mais tout se brouille. Il ne sait plus ce qu'il en pense, il n'a plus le sentiment d'y croire, tout lui paraît maintenant insurmontable, périlleux... et ennuyeux. À l'inverse, l'idée de quitter sa nouvelle amie lui est insupportable.

Version GMM de la problématique

Mesure sur l'EEMM :

Paramètres du mode automatique	1	2	3	4	5	6	7	8	9	Paramètres du mode préfrontal
Stressabilité			x							Sérénité
Routine				x						Curiosité sensorielle
Refus	x									Acceptation
Dichotomie				x						Nuance
Certitudes						x				Relativité
Empirisme	x									Réflexion logique
Image sociale	x									Opinion personnelle

Explications sur la mesure :

* **Stress/Sérénité = 3** : cela signifie que sa capacité à rester calme en situation difficile (ici, devoir prendre une décision entre deux options attrayantes et incompatibles, bref, prendre une vraie décision), sur ce sujet, est très altérée, presque impossible pour lui à cet instant. Il a tout de même conscience, après un effort, que sa réaction est inappropriée, excessive et même un peu « ridicule », ce qui lui vaut sa notation de 3. Effectivement, alors même que sa situation est objectivement bonne, deux fois bonne... puisqu'il dispose de deux bonnes, voire très bonnes, solutions après une longue période de

manque, il est paradoxalement dans la détresse. Parce que le problème révélé par son stress est celui de la décision. Et se décider entre deux bonnes alternatives, difficiles à départager et contradictoires, c'est précisément le pire pour lui ! Il est effectivement stressable de façon récurrente sur le sujet du choix, mais il se débrouille ordinairement pour ne pas avoir à choisir (ne pas entamer simultanément plusieurs actions, laisser « pourrir » les situations si des options se présentent, etc.). Le problème n'est donc pas seulement « d'évaluer la décision à prendre », ou de l'aider à le faire, mais d'abord d'accepter (lui faire accepter) les inconvénients et risques de toute décision en soi, quels qu'en soient les avantages et les inconvénients, les risques, l'issue.

- **Routine/Curiosité = 4 :** cela signifie que, sur le sujet considéré (prendre une décision et l'assumer), il dispose d'une certaine capacité à explorer « sensoriellement » les hypothèses (c'est-à-dire à se mettre en situation de les vivre ou, pour le moins, de les évoquer, de les imaginer), même si dans le cas présent cela se limite à en concevoir l'intérêt et à l'appliquer de façon passive aux deux hypothèses que le destin lui a mises dans les mains (6 signifierait qu'il parviendrait à le mettre en acte de façon autonome, proactive, même si cela se faisait au départ dans une turbulence émotionnelle, l'aisance ne s'établissant qu'autour de 7). En réalité, il a construit son projet parce qu'il n'avait pas le choix, on voit maintenant que le choix détruit sa capacité à agir et s'investir (il n'y croit plus, il est « paumé »). Sa curiosité à l'égard de la multiplication des avis des uns et des autres sur ces choix est limitée, quoique présente : il se rend bien compte que ce choix peut être une opportunité, qu'il serait intelligent de se poser vraiment toutes les questions, même s'il a du mal à le faire lui-même.

Lorsque l'on pense qu'une attitude préfrontalisante (items de droite sur l'échelle) serait bénéfique, mais que l'on ne parvient pas à la mettre en actes, on est en dessous de 5. Dans ce cas particulier, Charles écoute et interroge ses amis sur ce qu'ils penseraient et feraient à sa place. Pour autant, il ne s'agit pas d'une attitude naturelle chez lui, c'est un peu sous la contrainte du stress et de l'urgence de la réponse à donner à l'employeur ou à Véronique qu'il l'adopte. En ce sens, tant que tout allait bien pour lui sur ce sujet, c'est-à-dire pas de choix alternatif crédible, il n'avait pas de curiosité naturelle pour l'exploration d'autres solutions « au cas où ça ne marcherait pas ». Sa valeur sur la curiosité est donc en dessous de 5.

- **Refus/Acceptation = 1 :** cela signifie que Charles ne parvient pas à s'adapter à une situation où il doit vraiment décider entre plusieurs options crédibles et comparables. Il rêve d'une solution miracle, comme il le dit lui-même, qui contiendrait tout le positif de tous les choix possibles, autrement dit d'une non-décision. Il ne conçoit même pas ce que signifie le principe d'acceptation de la perte, qui constitue la base de toute décision prise en connaissance de cause, en ayant pesé les avantages et les inconvénients. Au lieu de cela, il rumine à temps plein tout ce qu'il va devoir abandonner dès qu'il envisage une option, et inversement. Ne pouvant concevoir de choisir, de décider, il ne fait donc, sans le savoir, aucun effort pour résoudre son problème. Il « marine » plutôt dedans, alors qu'il lui semble qu'il se démène « comme un beau diable ».

- **Dichotomie/Nuance = 4 :** s'il n'a pas trop de difficultés à imaginer des atouts et des faiblesses pour chaque choix, ce qui alimente d'ailleurs son indécision, il a bien davantage des difficultés à nuancer les avantages et inconvénients… de la décision *versus* l'indécision, ce qui est, vous l'aurez compris, son vrai problème à évaluer sur l'échelle. Il est donc en dessous de 5, puisqu'il ne peut décider, et passer ainsi à l'action résolutive. Pour autant, il conçoit bien à cet instant que son indécision est en soi un sérieux handicap, et que savoir décider est un atout. En ce sens, il est conscient de son problème et se situe donc près de la résolution (passage à l'acte), ce qui lui vaut l'évaluation à 4.

- **Certitude/Relativité = 6 :** il n'est sûr de rien, surtout pas d'avoir raison, d'où son ouverture naturelle à rechercher le point de vue des autres, et celui de son coach, bien sûr, qu'il est activement venu solliciter ! Sur place, il se prête au jeu de la GMM avec facilité, y compris sur les sujets chauds comme celui-ci. Il espère même secrètement que la méthode pourra lui permettre de découvrir qu'une décision est meilleure que l'autre, ce qui lui éviterait une vraie décision. Freudien, direz-vous, c'est un transfert sur le coach et sa méthode ! Pas faux, aussi faut-il rester vigilant sur le point que le premier problème évalué par l'EEMM et traité par la GMM est bien celui de l'indécision, et non celui de trouver une « bonne décision, objectivement meilleure que l'autre ».

  Pourtant, changer de système n'est pas difficile pour lui à cet instant : concevant qu'il lui faut en finir avec ce problème, c'est une issue qu'il recherche dans le cas présent. Il est donc là pour le résoudre, maintenant. Ce paramètre est le seul à dominante préfrontale et nous allons l'exploiter au maximum, pour entraîner les autres paramètres.

- **Empirisme/Réflexion logique = 1 :** il lui est totalement impossible à cet instant de réfléchir logiquement à la problématique, donc de chercher des causes et des effets, comme de différencier ce qui est contingent, anecdotique, autrement dit remplaçable (même trouver une autre amie !), et ce qui est intrinsèquement lié au choix qu'il fera : par exemple, s'il accepte un travail d'expatrié, fait de multiples déplacements dans le monde, cela n'est pas compatible avec l'installation dans une maison, à court terme/moyen terme tout du moins, ni avec une vie de famille traditionnelle. Ce sont des inconvénients structurels de ce choix, et pas seulement le fait de la position tranchée de Véronique. Charles différencie également mal l'inconvénient ou le risque de ce qui est provisoire (emprunter pour s'installer professionnellement, dire oui à la proposition d'embauche sans savoir à l'avance tout ce qui l'attend) avec ce qui relève du risque d'échouer. Et comme tout se télescope dans sa tête « à deux cents à l'heure », il ne pense plus rien, tout s'embrouille. Par moments, il ne désire même plus rien, il est tenté de tout abandonner, ce qui lui paraît presque reposant et rassurant ! Après tout, la vie terne comme avant, il connaît, ça ne l'effraie pas.

- **Image sociale/Opinion personnelle = 1** : là encore, Charles ne parvient pas à décoller de la gauche de l'échelle pour commencer à concevoir une opinion personnelle. Ce que chacun va en penser le persécute, il se sent jugé d'avance par son amie, celui qui lui a proposé l'emploi, ses parents, ses amis... Il « voudrait plaire à tout le monde et son père » pour paraphraser La Fontaine dans « Le Meunier, son Fils et l'Âne ». Il ne sait même pas, ou plus, sur ce sujet ce que signifierait penser par lui-même, regarder le point de vue des autres comme une opinion intéressante, pertinente ou non, projective ou non, différente ou non, convaincante ou non... ou quelque part entre les deux. Là, rien. Il n'est même pas préoccupé par ce manque d'opinion personnelle, il ne cherche, là encore, que la décision miracle qui pourrait plaire à tous et résoudre cette tension insupportable.

On comprend aisément que tout cela le stresse, ou, plus exactement, on imagine ce que son préfrontal, refoulé, peut penser de tout ce pépiement, ce charabia mental où chaque neurone limbique semble parler en même temps que les autres.

Après une petite reconstruction interactive de la pédagogie *ad hoc* sur les bases de la GMM, le rôle respectif des deux modes mentaux et l'intérêt de la gestion consciente de leur bascule...

... Charles reprend à voix haute son évaluation :

Charles : *Alors, mon problème, c'est la prise de décision ?*

Le coach : *Mmmmm...*

Charles : *Et non de prendre la bonne décision !*

Le coach : ...

Charles : *Mais, pourtant, il faudra bien que je ne décide pas n'importe quoi et que je choisisse la bonne décision ?*

Le coach : ...

Charles : ...

Le coach : ... *Chaque chose en son temps. Avant de prendre la bonne décision, s'il y en a une qui est meilleure que les autres, il faut d'abord pouvoir concevoir, évaluer, assumer une décision, quelle qu'elle soit.*

Charles : *Là il y a du boulot.*

Le coach : *Donc, à l'œuvre...*

Charles : *Mais que dois-je faire maintenant ?*

Le coach : *On va reprendre l'EEMM et vous allez vous demander maintenant où vous en êtes.*

Charles : *Sur le stress, je me sens plus calme, j'ai l'impression que je vais pouvoir sortir de la tourmente où je ne pensais rien qui soit digne de ce nom.*

Le coach : *Et ça, ça se cote combien ?*

Charles : *Hmmmm... j'sais pas.*

Le coach : *...*

Charles : *Bon, 5... ? Parce que je suis encore bien stressé dès que j'y pense, mais il me semble que je pourrais agir malgré tout. Du moins, par moments. C'est comme si j'étais sur la corde...*

Le coach : *Banco pour 5.*

Charles : *Pour ce qui est de ma curiosité sur la prise de décision « en soi », c'est vrai que ce travail l'aiguillonne. Oui, j'ai maintenant davantage envie de comprendre comment on fait pour décider et tourner la page sans traîner des valises de remords, comme je fais toujours, même pour les bricoles.*

Le coach : *Ça pèse combien, ça ?*

Charles : *Hmmmmmm... 6, parce que je n'ai plus d'état d'âme sur l'objectif, même si je ne me sens toujours pas fier dans la pratique, je dois donc explorer le sujet, faire parler les autres, non pas comme je le faisais jusqu'ici pour qu'ils me disent ce qu'il faut décider, ou ce qui revient au même, ce qu'ils décideraient à ma place. Mais bien plutôt qu'ils m'expliquent comment ils font pour décider, comparer et trancher. Puis il me faudra assumer ma position. Marre de mes problèmes à la con. Je dois pour autant avouer que lorsque je dis ça, je sens ma voix qui tremble.*

Le coach : *Alors, combien ?*

Charles : *Oui, 6 tout de même. Je me sens décidé à tenir bon.*

Le coach : *Critère suivant : êtes-vous capable de vous adapter maintenant, c'est-à-dire de faire face à toute réalité, quelle qu'elle soit, même si vous faites un mauvais choix, ou que vous le croyez tel ?*

Charles : *Brrrrrrr... J'en ai la chair de poule en vous écoutant. Non, je ne suis pas vraiment prêt. Mais je commence à comprendre que c'est incontournable, que l'on doit bien décider, assumer ses erreurs, ou pour le moins les inconvénients de ses choix, les effets collatéraux en quelque sorte...*

Le coach : *Ça vaut ?*

Charles : *4.*

Le coach : *Oui, les idées sont claires sur ce qu'est le paramètre intelligent (à droite du tableau), mais l'action n'est pas encore tout à fait mûre. C'est bien 4.*

Charles : *Concernant la nuance, est-ce que je suis plus nuancé sur la prise de décision ?*

Le coach : *...*

Charles : *J'ai encore du mal à voir...*

Le coach : *La nuance, c'est l'arc-en-ciel des gris entre le blanc et le noir.*

Charles : *Alors, effectivement, je perçois mieux que décider ou ne pas décider, c'est là la question ! Et qu'il y a des décisions qui ne décident rien et des non-décisions qui nous engagent !*

Le coach : *Combien ?*

Charles : *7, je me sens à l'aise avec cette façon de penser à cet instant. Je me sens même détendu. C'est une grande phrase pompeuse et pourtant pleine de sens qui me fait rire.*

Le coach : *Parfait !*

Charles : *Je prends goût à ce jeu. Voyons la relativité maintenant. Suis-je relativiste ? Quel recul ai-je sur mon problème, ma conscience que ce n'est qu'une façon de voir que l'on peut changer, comme vous disiez tout à l'heure ?*

Le coach : *...*

Charles : *Je me sens à l'aise, plus que tout à l'heure, à cet instant, mon problème commence de plus en plus à me faire rire... C'est incroyable, à la base, je suis plus à l'aise en situation de famine que dans l'abondance !*

Le coach : *Ça vaut combien, ça ?*

Charles : *8. Je me sens même créatif et léger pour avoir du recul.*

Le coach : *Vendu.*

Charles : *Heureusement que votre truc est plafonné à 9, sinon... Bon, suis-je en état de réfléchir ? Rationnellement ? Oui, il me semble.*

Le coach : *On va vérifier. Replongez-vous bien dans votre décision réelle à prendre sous 36 heures maintenant, est-ce que vous sentez capable d'analyser la situation, de différencier ce qui sera durable, indissociable du choix, provisoire, soluble, aléatoire, etc. ?*

Charles : *Aaaah... Je me sens tout de même moins bien. Ça se brouille un peu. Je ne sais même plus ce que vous avez dit, c'est allé trop vite...*

Le coach : *Ou votre cerveau s'est embrumé...*

Charles : *Oui, effectivement, je me sens encore handicapé des neurones sur le plan de la réflexion concrète.*

Le coach : *On donne combien pour ça ?*

Charles : *Bof, 4. Je vois bien que ça me manque, mais je me sens encore démuni pour débrouiller mon écheveau mental tout seul.*

Le coach : *Patience.*

Charles : *Reste le noyau dur. Le regard des autres, ma grégarité. Ça reste dur… Non, je me dégonfle. Comment vais-je assumer une décision si j'en prends une ? Oh, ça, c'est le pire. D'habitude, je laisse les autres décider pour moi. Par exemple, si j'avais eu davantage de temps, j'aurais laissé la relation se pourrir, sans rien décider, et Véronique me plaquer !*

Le coach : *…*

Charles : *Bon, malgré tout, je sens bien qu'il faut que je m'affranchisse du regard, de la pression des autres et de la vie gâchée qui va avec. Je comprends mieux maintenant pourquoi ma vie est vide le plus souvent. En attendant, je tremble à l'idée que mon père et ma mère vont hurler si je dis oui à ce poste. Et je ne pourrai pas regarder Véronique dans les yeux.*

Le coach : *Mais votre opinion personnelle à cet instant : en avez-vous une, ou pas encore ?*

Charles : *Pas encore, c'est l'idée même que je pourrais décider qui m'angoisse. Que je puisse dire : j'ai décidé de… parce que, jusqu'à présent, je prends un air de cocker malheureux, je passe voir tout le monde pour bien faire comprendre à quel point je ne peux pas, ne veux pas décider, pour qu'on finisse par me pousser à décider et à m'excuser d'avance pour tout ce qui pourrait arriver. Ou que les événements eux-mêmes décident à ma place, ici, par exemple que l'employeur m'annonce que le poste est déjà pourvu ou que Véronique me dise que mon indécision l'a déçue. En fait, je prends un air si malheureux pour que l'on finisse par me dire : mais tu sais, tu as le droit de faire ce que tu veux. Qu'est-ce que tu préfères en fait ?*

Le coach : *Et alors ?*

Charles : *Je n'en veux plus de cet enfer pour moi et les autres. Ça dure des semaines ou des mois chaque fois, puis après je ressasse, regrette, et, parfois, j'accuse mes parents, par exemple, de m'avoir empêché de choisir. Le pire, c'est que ça n'est pas faux, et d'ailleurs on bataille sur le sujet… quand c'est trop tard. Là, mes idées se clarifient et je sais ce que j'aurais dû faire.*

Le coach : *Et alors ?*

Charles : *J'en ai marre de moi. Je veux prendre ma vie en main. Ça va être dur… très dur. Ouaf… (fait-il en s'épongeant le front) j'en sue d'avance.*

Le coach : *Combien ça vaut, ça ?*

Charles : *Combien vaut quoi ?*

Le coach : *En cotation sur l'échelle ?*

Charles : *L'échelle ?*

Le coach : *Des modes mentaux !*

Charles : *Aaaaaah, oui ! Ben, je ne sais pas. Quelle était votre question ? J'ai oublié !*

Le coach : *Combien vous cotez-vous sur l'axe « regard de l'autre/opinion personnelle » ?*

Charles : *Ben... ah oui, je raccroche, ben... j'sais pas. Pt'être 4.*

Le coach : *Pourquoi ?*

Charles : *Ben, houla, j'ai mal à la tête. Je crois que je mesure que ma vie, c'est de la merde, que je suis un « bon à rien décider », je suis le jouet de mes parents, patrons, amis, amie... Je suis inconsistant.*

Le coach : *Combien ça vaut, à quel niveau sur l'axe, c'est important de mesurer, ça aide à voir plus clair, à savoir dans quel sens on doit ramer !*

Charles : *Oui, je comprends, mais c'est vraiment le pire, le noyau dur, l'extrémiste local. Je me sens coupable de désirer par moi-même. Ça, ça vaut... allez, 3.*

Le coach : *Pas mal. C'est ce que j'aurais dit.*

Charles : *On signe.*

Le coach : *Et votre stress maintenant, en repensant bien fort à votre décision à prendre (en insistant et articulant lentement) sous tren-te-six-heu-res... ?*

Charles : *Moins fort, ça commence à me soulager. Il faut que je sorte de ce merdier. Je dois pouvoir décider dans ma vie ce que je veux. Je dois pouvoir ne pas céder à la panique quand je sens le malaise qui monte. Je ne veux plus vivre ça.*

Le coach : *Combien ça pèse ça ?*

Charles : *Sur stress/sérénité ?*

Le coach : *Oui.*

Charles : *5 ou 6, je ne sais pas. Mais c'est mieux. Je commence à entrevoir une sortie.*

Le coach : *Ne me dites surtout pas laquelle.*

Charles : *Pourquoi ?*

Le coach : *Parce que peu importe, pour l'instant, préparez-vous pour les deux, et pour les assumer chacune, quoi qu'il advienne.*

Charles : *Et qu'est-ce que je vais dire à Véronique ?*

Le coach : *Que vous allez décider après avoir réfléchi. Sous trente-six heures. Dans tous les cas. Au risque de faire un mauvais choix.*

Charles : *Bon sang, comme c'est simple !*

Le coach : *...*

Charles : *Et si elle pleure ?*

Le coach : *Il ne tient qu'à elle de savoir pourquoi...*

Charles : *Que voulez-vous dire… ?*

Le coach : *Qu'elle peut aussi avoir des problèmes ! Si elle pleure, c'est peut-être du stress…*

Charles : *Ça alors, je n'y aurais pas pensé. Sans rire. Pour moi, si mes décisions (que je ne prenais pas, sauf pendant mes fantasmes nocturnes) faisaient pleurer un autre, surtout une femme ou mes parents, ma mère qui est les deux, je ne pensais rien d'autre que : c'est ma faute.*

Le coach : *On a encore de belles séances devant nous.*

Voici ce que donne le tableau après la séance :

Paramètres du mode automatique	1	2	3	4	5	6	7	8	9	Paramètres du mode préfrontal
Stressabilité					x					Sérénité
Routine						x				Curiosité sensorielle
Refus				x						Acceptation
Dichotomie							x			Nuance
Certitudes								x		Relativité
Empirisme				x						Réflexion logique
Image sociale			x							Opinion personnelle
Stressabilité (post-exercice)					x	x				Sérénité (post-exercice)

Nous voyons avec ce cas que **le fait de poser le problème en termes de « contenant »**, c'est-à-dire de stressabilité dans le cas présent, attire l'attention sur le « vrai » problème et nous permet de dire que la difficulté « pathologique » porte sur la capacité à faire basculer les modes mentaux supérieurs en direction du préfrontal en cas de difficulté, et plus précisément sur le sujet « prendre une décision ». Cette vision nous permet de prendre du recul sur le point de focalisation du problème, un contenu particulier, qui était en l'occurrence : quelle est la meilleure décision ?

On découvre ainsi que le problème posé consciemment consistait précisément à tout faire pour éviter de se trouver confronté au « vrai problème » : la capacité à « méta-fonctionner » sur le bon canal mental, celui qui peut, génériquement, assumer l'incertitude, les risques, l'échec, les changements de décision en cours de route, débrancher la persévération du mode automatique malgré l'échec.

En termes mathématiques, toute décision comporte des risques, des myriades de risques probables ou improbables, interactifs. Une fois le problème posé en termes de contenant, la question n'est donc plus de savoir s'il y a ou non risque, mais de choisir entre plusieurs risques, probabilités… et les préférences, personnelles ou partagées, les projets, les effets collatéraux, etc.

Et pour cela, il n'y a qu'un mode mental qui soit à l'aise comme un poisson dans l'eau avec ce problème-là, c'est le préfrontal. Là-dessus, il n'y a pas à hésiter : l'un est mieux que l'autre ! Ouf, ça fait une décision de moins à prendre. Lorsqu'il s'agit de vivre ou survivre en telle ou telle situation, n'hésitez pas, convoquez-le en votre conscience, il est de bonne volonté car il travaille sans cesse, comme on le voit à l'imagerie cérébrale, mais, en général, on ne l'écoute pas assez. Nul doute qu'il saura apprécier l'incitation. Et mesurez son approbation à travers la baisse de votre stress. Mieux encore, mesurez le gain potentiel, virtuel, en testant votre stressabilité sur le sujet considéré : rappelons qu'il s'agit de votre prédisposition (culturelle, individuelle acquise, car cela n'a rien de « génétique ») à vous stresser en situation négative (selon vos propres critères), jusqu'à imaginer la plus négative concevable par vous. **Si vous êtes bien installé désormais dans votre mode préfrontal, alors vous pourrez constater que votre stressabilité a diminué en proportion de la moyenne de vos six autres valeurs qui mesurent les six paramètres des modes mentaux.**

Dans le cas de Charles, cela donne une cotation avant la pédagogie GMM que voici :

Paramètres du mode automatique	1	2	3	4	5	6	7	8	9	Paramètres du mode préfrontal
Stressabilité			x							Sérénité
Routine				x						Curiosité sensorielle
Refus	x									Acceptation
Dichotomie				x						Nuance
Certitudes						x				Relativité
Empirisme	x									Réflexion logique
Image sociale	x									Opinion personnelle
Moyennes des six paramètres précédents	17/6 = 2,8									
Différentiel entre stressabilité et moyenne des six paramètres des Modes Mentaux	3 – 2,8 = 0,2									

Normalement, le différentiel tend vers zéro, ce qui traduit la corrélation élevée qui existe entre les variations des Modes Mentaux et la Stressabilité/Sérénité.

Le rôle et l'utilité du Mode Automatique

Cette corrélation entre stressabilité et MMA ne signifie nullement que le Mode Mental Automatique (MMA) soit « mauvais en soi », mais seulement qu'il est inadapté à cet instant sur ce sujet qu'il ne maîtrise pas.

Il existe évidemment de nombreux cas, nettement majoritaires en fait, où le MMA est tout à fait à sa place, par exemple pour effectuer une tâche routinière, ou même pour maîtriser une procédure compliquée mais adaptée. Et si l'usage du MMA est judicieux, le préfrontal ne s'y oppose pas, bien au contraire. Oui, dès lors qu'une solution pleinement satisfaisante est connue, et même validée, il est utile de la mémoriser, de l'apprendre par cœur si nécessaire, de chercher même tous les moyens mnémotechniques (collages visuels, émotionnels, culturels, analogiques – « ça me rappelle telle chose »), et surtout, au final, de pratiquer, s'entraîner pour l'ancrer, la fiabiliser ou l'industrialiser. Il ne semble pas alors judicieux, en de telles circonstances, de fonctionner en mode créatif ou global. Encore que... une fois la mélodie bien acquise, le MMP peut servir à y ajouter l'art et la manière, l'interprétation, à faire vibrer l'auditoire. À faire preuve aussi de « bon sens » en cas d'imprévu, bref à se préparer à changer de posture quand l'heure sera venue.

En principe, les deux modes se complètent, alternativement : c'est le MMP qui invente et le MMA qui stocke, catalogue, qualifie pour la reproduction, la transmission rapide et efficace. C'est ensuite à nouveau le MMP qui interprète, adapte, transforme, recadre ou même filtre, hiérarchise, reformate, élimine, au profit d'une plus ou moins nouvelle stratégie, plus performante ou plus souple, plus universelle...

Mesurer et objectiver le lien entre MMA et stressabilité contribue à nous convaincre, autrement dit à convaincre notre MMA, cœur de notre conscience basique, que, à ce moment-ci, il est mieux pour nous, pour lui MMA, de faire un *zapping*, un *brainswitch*, de se faire aider par le MMP.

Regardons maintenant ce qu'est devenue la stressabilité de Charles :

Paramètres du mode automatique	1	2	3	4	5	6	7	8	9	Paramètres du mode préfrontal
Stressabilité (post-exercice)					x	x				Sérénité (post-exercice)
Routine						x				Curiosité sensorielle
Refus				x						Acceptation
Dichotomie							x			Nuance
Certitudes								x		Relativité
Empirisme				x						Réflexion logique
Image sociale			x							Opinion personnelle
Moyennes des 6 paramètres précédents	32/6 = 5,3									
Différentiel entre stressabilité et moyenne des 6 paramètres des modes mentaux	5,5 – 5,3 = 0,2									

Si le différentiel tend vers zéro, c'est *a priori* que le test est correctement passé. Dans le cas présent, le coach s'est appuyé sur le test pour faire faire de la GMM active à Charles, et les valeurs ont augmenté au cours de ce test.

Quelques autres outils de changement de mode mental

Parmi les multiples outils que nous avons créés et utilisons en GMM pour faciliter la bascule des Modes Mentaux, nous vous en présentons ci-après quelques-uns qui se sont avérés particulièrement efficaces dans la résolution des incohérences motivationnelles, du stress et autres troubles émotionnels qui s'ensuivent.

Plus concrètement, ils facilitent une réflexion préfrontalisante sur les questions suivantes :

- Comment mettre en œuvre une vraie ambition ?
- Comment nuancer succès et échec ?
- Comment rendre ses évaluations plus cohérentes ?

D'autres exercices, plus sensoriels ou contemplatifs, seront décrits aux chapitres 4 et 5.

Comment mettre en œuvre une vraie ambition : la méthode Pyramide Moyens/Exigences

L'ambition est-elle d'abord et avant tout, voire seulement, un acte de foi transcrit en actes, une pensée positive et militante, un volontarisme combattant, un ardent désir exprimé et réalisé avec force et conviction, « une fièvre de gagner » sans place pour le défaitisme, l'illustration ultime du célèbre adage « si l'on veut, on peut » et donc… « on doit réussir » ? Ou se construit-elle tout autant avec raison, anticipation, construction d'un plan d'action, mobilisation de tous les moyens nécessaires à la mesure du projet, prise en compte et gestion des difficultés rencontrées lors de la mise en œuvre ?

Un peu tout cela sans doute, mais assurément sans négliger la seconde partie ! Sinon, l'énergie engagée pourrait ne devenir qu'agitation brownienne[1] et se résoudre en crise de nerfs ou dépression. Comble de dénouement pour une grande ambition ! Or nous allons (re)découvrir que les extrêmes, par exemple ambition/résignation, volonté/velléité, succès/échec… se rejoignent souvent, et que la part de l'émotionnel

---

1. L'agitation brownienne est celle des particules et sous-particules qui constituent la matière, comme les électrons, positrons, neutrons, etc. Il s'agit en quelque sorte d'une dispersion des forces, dont la résultante globale tend vers zéro, dont l'efficacité est faible. C'est une forme dégradée de l'énergie, par opposition à celle de la lumière, ou mieux encore de la lumière laser, où toutes les particules/photons sont orientés de la même façon.

(le désir) est à bien pondérer lors de la mise en musique concrète, celle de la transformation du projet en succès.

Le monde du sport donne de nombreuses illustrations de ce que l'on peut tirer ou subir d'une plus ou moins bonne gestion du rapport moyens/exigences.

L'exemple du football

L'un des exemples parmi les plus caractéristiques est celui du football. Il n'est pas rare de voir, en effet, dans les compétitions à « formule Coupe », qui se jouent sur des matchs à élimination directe, les petites équipes éliminer celles qui leur sont objectivement supérieures. Que se passe-t-il ?

D'un côté, nous avons une équipe de niveau nettement inférieur qui n'a rien à craindre d'un échec parce que, pour elle, ce ne serait pas « humiliant de perdre », et qui n'a qu'un match à réussir pour s'illustrer et réaliser un exploit, donc très peu d'exigences. Elle peut donc se concentrer sur les moyens qu'elle est en mesure de développer pour créer l'exploit, sans pression d'aucune sorte. Bien sûr, cela ne saura combler complètement un écart de niveau si celui-ci s'avère trop important. Mais dans le sport actuel de haut niveau, les écarts se sont bien resserrés ; ce que l'on appelle les « surprises » sont alors de plus en plus nombreuses. D'un autre côté, nous avons une équipe de niveau supérieur qui a tout à perdre, non seulement le match, mais également son image et sa réputation que les médias n'hésiteront pas à écorner, etc. Une équipe, alors, avec de plus grands moyens, mais aussi avec de plus grandes exigences qui, aux moments critiques, peuvent peser lourdement sur la qualité de son jeu… Bien entendu, l'exploit de l'« outsider » reste minoritaire, car les grandes équipes savent aussi, souvent, garder ou remettre leur propre « pyramide » à l'endroit !

C'est d'ailleurs souvent la signature des très grandes équipes. Celles-ci possèdent un projet de jeu qui les détourne du résultat immédiat et les occupe plus à développer un style de jeu, une façon de faire. Les meilleures équipes se reconnaissent par ce que l'on appelle un « fond de jeu ». Parfois, les débuts sont hésitants, les résultats se font attendre, mais une fois que la machine est lancée, la réussite s'installe en général pour plusieurs années. Pourquoi ? Parce qu'avant toute chose, les joueurs prennent du plaisir et, prenant du plaisir, ils se donnent des moyens supplémentaires et sont moins obnubilés par l'exigence du simple résultat. Grâce à cela, ils peuvent faire preuve de créativité…

Ce fut le cas de l'Ajax d'Amsterdam des années 1970, du Milan AC de la fin des années 1980 ou, plus près et plus proche de nous, de l'équipe de France de football de la fin des années 1990. Pourtant, que de critiques avant le titre de Champions du Monde de 1998 ! Toutes ces équipes, en faisant preuve de créativité, amènent de la nouveauté. Par exemple l'Ajax a transformé ses défenseurs en attaquants potentiels, créant ainsi un surnombre décisif dans les phases offensives. On a appelé cela le « football total ». Tout le monde attaque, tout le monde défend ! Ce n'était pourtant pas sans risque.

Les grandes équipes ont une approche artistique, chorégraphique, de leur discipline. Est-ce que c'est le « préfrontal collectif » qui mène le jeu ?

La compétition ne semble pas une fin en soi, c'est, suivant les cas, un jeu, une nécessité, ou les deux à la fois. Tout du moins, une réalité sociale à prendre en compte. Et la plus grande erreur consiste bel et bien à en faire un objectif de vie, sinon une exigence irréductible[1], aussi bien dans le monde de l'entreprise que dans celui du sport ou d'ailleurs. À quoi ça sert de répéter à longueur de temps les objectifs à tenir, voire de les élever inconsidérément ? En fait-on une source d'inspiration, ainsi ? Il nous semble que c'est la plupart du temps l'inverse qui se produit. Les résultats, hormis les effets de contexte, sont surtout une conséquence des forces que l'on a mises en marche. Il est plus intelligent et satisfaisant de passer le plus de temps et de consacrer le plus d'énergie sur ce dernier aspect. Car c'est **bien dans le plaisir de faire que va se puiser la motivation positive et durable, le calme dans la réalisation, l'efficacité et la fiabilité, pour finir.**

---

1. Exigence : ce mot rappelle les crises de caprice des jeunes enfants, qui se roulent par terre pour exiger sans rien offrir en contrepartie, donc sans moyens. Avec l'âge, si ça ne s'arrange pas, ceux qui gardent ce comportement à l'âge adulte sont dits histrioniques (nouvelle dénomination pour hystériques). Avoir des exigences, c'est refuser la réalité et ses risques, et dépenser finalement beaucoup d'énergie en vain, au lieu de l'utiliser plus utilement à agir, négocier ou préparer les alternatives.

Représentation de la Pyramide Moyens/Exigences

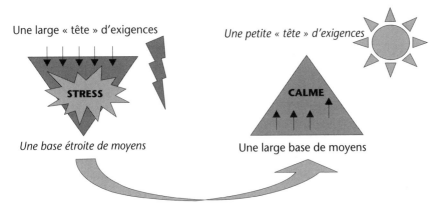

À gauche une pyramide à l'envers, avec très peu de moyens et beaucoup d'exigences (qui nous mettent sous pression) : ça ne tient pas debout ! Notre intelligence préfrontale le sait et nous avertit par une réaction de stress, qui risque de nous fragiliser encore plus, sauf... si nous mettons la pyramide à l'endroit, en mettant en place plus de moyens personnels (qui offrent du support) et en réduisant nos exigences, également personnelles. **Résultat : une plus grande adaptabilité.** Le préfrontal peut inhiber le stress, car son message a été « entendu ». Le calme peut régner.

Cette représentation de la Pyramide Moyens/Exigences est évidemment très simplificatrice, dans un souci pédagogique à l'égard de ce qui est, en pratique, le plus souvent un trapèze, avec une base ou un sommet pas vraiment pointu, c'est-à-dire non nul. Un tel trapèze est évidemment d'autant plus stable que sa base de moyens est plus large que le sommet des exigences. Une colonne peut d'ailleurs tout à fait tenir debout, s'il n'y a pas trop de vent ou de tremblements de terre ! Pour autant, **le mode préfrontal semble spontanément se rapprocher de l'idéal d'une pyramide, par la rationalité et l'individualisation qui permettent l'élargissement de la base et par l'acceptation et la relativité qui réduisent la largeur de la tête.**

Exercez-vous à la méthode Pyramide Moyens/Exigences

- Définissez pour vous-même (ou votre équipe, dans un contexte profession-nel) le prochain objectif (le désir, l'ambition...) que vous souhaitez attein-dre.

- Listez pour vous-même (ou faites lister par votre équipe) les moyens actuels dont vous disposez, qui vous viennent spontanément à l'esprit.

- Élargissez (ou faites élargir) la liste des moyens, objectifs et subjectifs, même les plus décalés, les plus incongrus.

- Établissez la nouvelle liste de moyens, précisez-la, affinez-la. Comparez la nouvelle liste obtenue à la définition de l'objectif.

- Listez pour vous-même (ou faites lister par votre équipe) toutes les exigen-ces (« il faut... ») qui vous semblent « évidentes », indissociables de votre objectif.

- Explorez à quel point il est nécessaire et rationnel ou non de s'imposer de telles exigences.

- Envisagez une réduction maximale de ces exigences pour les remplacer par une augmentation des moyens mis en œuvre.

- Établissez pour vous-même (ou avec votre équipe) un plan d'action et de répartition des rôles pour activer chacun des moyens et réduire les exigen-ces irrationnelles.

La Pyramide Moyens/Exigences en entreprise

Élaborons un peu plus les termes *exigence, moyen, ambition* et *objectif,* car, surtout en entreprise, ce premier concept génère assez fréquemment certains malentendus sur l'interprétation de cette pyramide :

- Nous entendons par *exigence* tout ce qui présente un caractère « absolu et purement émotionnel » qui, en tant que tel, mériterait d'être réduit au minimum, voire à zéro, comme les « sages » et autres stoïciens ten-tent de le définir.

- L'*exigence,* cette attente qui semble irréductible, sauf à provoquer bri-sures et dépressions, n'est pas à confondre avec l'*objectif* que l'on se donne, ni avec l'*ambition,* au sens général et positif du terme : « la réa-lisation de son désir intense ». Une telle ambition peut être large, même avec peu de *moyens* « objectifs », car elle peut s'appuyer sur un

•••

•••

fort engagement personnel. Selon nous, la « **vraie ambition** » appartient aux *moyens* plutôt qu'aux *exigences.*

• Confondre *ambition, objectifs*, ou même nécessités, avec *exigences* personnelles peut donner l'impression d'une tête de la pyramide plus large qu'elle n'est. Car le sommet n'est constitué que de ce qui est émotionnellement, limbiquement, « non négociable », et ainsi tend à créer une pression psychologique improductive.

• Autant utiliser son énergie à élargir la base des *moyens* et prendre du recul avec ses exigences émotionnelles. À moins que, parfois, la solution ne réside dans l'abandon de l'*objectif*, en acceptant son incapacité à résoudre le problème posé, ce qui permet de tourner la page et de passer à la suite.

Selon notre définition, la Pyramide Moyens/Exigences est avant tout une pyramide personnelle, et elle se différencie ainsi de celle qui est souvent décrite en entreprise comme : « moyens matériels et humains mis en œuvre par l'entreprise *versus* exigences de résultats ». Dans le cas où, de par sa fonction, on doit satisfaire une telle exigence objective formulée par un tiers (client ou actionnaire, manager…), on gagne à évaluer personnellement les moyens qui sont fournis par les autres (ici, l'entreprise). À ces moyens-là s'ajoutent ceux que l'on peut éventuellement négocier en défendant les enjeux du chantier, et enfin ceux que l'on tire de son propre engagement.

Au final, les éventuelles exigences d'un groupe humain à son propre égard peuvent ne pas être adoptées, bien au contraire : rien n'oblige en effet à s'imposer à soi-même un comportement irrationnel… et stressant ! Ce sont en effet les exigences internes ou la réappropriation interne des exigences externes (« je n'ai pas le droit d'échouer… ») qui mettent sous pression de façon improductive. S'il s'agit d'une situation précaire, l'exigence ne fait que l'aggraver, au lieu de la résoudre ; se mettre sous pression ne change objectivement rien aux enjeux. Si la situation est désespérée, elle le restera, le stress en plus… et l'inefficacité par-dessus le marché, qui peut-être fera échouer quand il était encore temps d'agir avec calme. S'il ne s'agit « que » d'une grande ambition, pourrait-on dire, la meilleure stratégie est de moduler son propre engagement, se donner tous les moyens adéquats et… travailler dans le même temps son acceptation de l'échec au cas où… Ainsi, on pourra rester zen. À chaque femme et homme averti de savoir dès lors ce qu'il préfère entre cohérence et… insomnie liée au stress !

Comment nuancer succès et échec : la méthode du Pack Valeur-Antivaleur

Pourtant, bien se préparer, rationaliser, s'engager à la mesure de son ambition, individuellement et collectivement, n'est pas toujours suffisant pour réussir. Il reste les impondérables, les risques incalculables qui rendent toute réalisation humaine incertaine à tout instant.

La technique dite du Pack Valeur-Antivaleur (ou Pack Aventure) est une approche complémentaire élaborée par l'IME pour se préparer, comme l'a écrit le poète Henri Michaux, à « faire front en tout cas », dans toutes les situations, notamment les plus négatives, sur « tous les terrains ». Comme ces aventuriers qui se préparent au pire avant de partir en expédition.

Son principe repose sur l'acceptation du risque d'échouer, car ce qui bloque les actions et chances de succès, c'est bien souvent le stress généré par le « refus du risque lié au choix », autrement dit par l'absence de plan B. Il n'est pas cohérent pour le préfrontal de vouloir gagner sans prendre le risque de perdre. **Savoir anticiper pour mieux prévenir l'échec, gérer l'échec s'il survient, ainsi que ses conséquences, voire en tirer parti, s'avère être un atout indispensable pour... gagner !** L'envisager, et surtout l'accepter comme constitutif de tout choix (et même de non-choix qui, lui aussi, est un choix), de toute action et inaction permet de faire baisser la pression et le stress lié à un enjeu irrationnel et excessif : celui du « surtout ne pas échouer » !

Cette exigence, car il faut bien la nommer par son nom, ne constitue en rien un atout, mais bien plutôt un handicap, un risque supplémentaire. Car, encore une fois, l'ambition, la vraie, adulte, celle de la maturité, se construit sur les moyens que l'on se donne, dont l'acceptation et la gestion des risques font partie. Tout ce qui n'est qu'agitation et dramatisation des attentes déçues nous éloigne de ce que nous souhaitons et de la réalisation de nos ambitions ; notamment les vraies, personnelles, celles de nos plaisirs et idéaux issus de nos tempéraments et de notre intelligence préfrontale.

L'exemple du sport comme de l'entreprise

Bien sûr, pour poursuivre l'exemple du sport, un succès comme une réussite sont bienvenus, toujours bons à prendre, mais, au demeurant, est-on toujours bien sûr de savoir pourquoi on a réussi ? Qu'est-ce qui différencie un succès d'un échec ? Certains succès, en effet, relèvent parfois plus du facteur chance, d'un concours de circonstances, que d'une réelle supériorité. Que se passera-t-il lors de la prochaine échéance si l'on n'en a pas tiré les conclusions qui s'imposent ? *A contrario*, qu'a-t-il manqué parfois à une déconvenue pour qu'elle ne se transforme en réussite ?

On gagne donc à deviner les racines de l'échec dans le succès et inversement, car, contrairement à ce que l'on dit encore bien souvent dans le monde du sport, de l'entreprise et d'ailleurs, il n'y a pas que le résultat qui compte. Toutes les grandes équipes, tous les grands champions, entraîneurs et autres managers, enseignants ou parents, tous ceux qui inscrivent leur pratique dans la durée le savent. C'est bien d'ailleurs ce qui leur fait dire qu'il est toujours plus difficile de se maintenir à un haut niveau que d'y parvenir. Car on ne peut pas durer si l'on est stressé, par exemple par une peur de chuter.

Nous avons utilisé les outils de la GMM dans la préparation mentale de sportifs de haut niveau, y compris d'équipes nationales. Nous avons notamment étroitement collaboré avec un psychologue chargé de la préparation de plusieurs équipes nationales, qui a publié un ouvrage récapitulatif sur le savoir-penser pour gagner[1]. On pourrait bien entendu largement l'appliquer en entreprise, comme dans l'éducation et la vie privée.

La nuanciation du succès, comme l'anticipation, la prévention et la gestion de l'échec constituent donc des éléments clés pour garder, ou retrouver, le calme et l'équilibre face aux objectifs, pour faciliter sa motivation et soutenir sa joie de vivre durables.

Lorsque le rétablissement de la Pyramide Moyens/Exigences ne suffit pas à faire baisser la pression, ou pas de façon stable, la méthode du Pack Valeur-Antivaleur permet de s'immerger en profondeur dans ce que pourrait être un échec et de l'accepter, le dédramatiser, pour mieux rebondir, et gagner en sérénité.

---

1. Christian Targuet, *Manuel de préparation mentale. Tous les savoir-faire et stratégies de la confiance et de la réussite*, Chiron, 2003.

En comparant point par point ce qui pourrait advenir en cas d'échec et de sa réussite miroir, nous faisons le constat, toujours surprenant, que, sur le fond, il n'y a que peu de différences entre les deux situations : c'est surtout le résultat concret qui change ! L'application du Pack Aventure est une démarche tout à fait symétrique qui montre que, pour notre épanouissement personnel et professionnel, il y a toujours des informations précieuses à tirer de l'échec comme du succès. Nous (re)découvrons que l'un n'est pas simplement bon et désirable, que l'autre n'est pas que mauvais, à éviter à tout prix. Ainsi **nous pouvons sortir des dualités claires et nettes, des certitudes tranchées qui paradoxalement sont des sources de stress.** Nous pouvons découvrir qu'une perception plus complexe de notre réalité apaise et nourrit l'esprit d'aventure intelligente. **L'échec comme la réussite deviennent des points de passage, des relais pour alimenter un enrichissement et des actions continues, ancrées dans le passé, actives dans l'instant de façon interactive, ouvertes sur le futur.**

Exercez-vous à la méthode du Pack Valeur-Antivaleur

Cet exercice vise à explorer certains aspects de l'échec comme du succès dans une situation donnée, puis à comparer les informations recueillies de part et d'autre. Comme pour les exercices précédents, on peut évaluer son stress sur une échelle de 1 à 10 (ou utiliser une Échelle d'Évaluation des Modes Mentaux, voir supra.) avant et après l'exercice, et comparer. Puis, éventuellement, recommencer l'exercice ou l'enrichir si le calme n'est pas suffisamment retrouvé.

Il est recommandé de prendre le temps nécessaire pour remplir la matrice (là aussi, pas d'obligation de résultat, mais un engagement de moyens !). L'ordre le plus logique pour remplir les six premières alvéoles est indiqué par les chiffres.

Succès (situation souhaitée)			Échec (situation non souhaitée)		
Avantages (conséquen-ces positives)	Inconvé-nients (con-séquences négatives)	Apprentissage (ce que j'en déduis)	Avantages (conséquen-ces positives)	Inconvé-nients (con-séquences négatives)	Apprentissage (ce que j'en déduis)
1	3	5	4	2	6
...	...	...	...	...	...
Responsabilité (ce qui dépend de moi)	Chance (ce qui ne dépend pas de moi)	Apprentissage (ce que j'en déduis)	Responsabilité (ce qui dépend de moi)	Malchance (ce qui ne dépend pas de moi)	Apprentissage (ce que j'en déduis)
...	...	...	...	...	...

Ce tableau comporte quatre cases « apprentissage » pour vous inciter à tirer des conclusions logiques pour chaque étape de raisonnement, ce qui, souvent, n'est pas spontané.

Ainsi, **comprendre que le succès présente des avantages, mais aussi des inconvénients, nécessite une réflexion en soi : il y a les germes de l'échec dans tout succès** ; il convient donc de développer une « politique qualité », par exemple, ou un projet de Recherche & Développement, même au sommet de la gloire.

Si l'échec présente des avantages, et pas seulement des inconvénients, cela entraîne un autre apprentissage : il peut y avoir des opportunités à saisir, il faut donc garder l'œil. Comprendre que l'on a des responsabilités directes dans un succès mais aussi que l'on a bénéficié de facteurs chance permet de garder raison sur notre propre valeur, celle des autres et le risque d'échec qui continue à rôder, car le facteur chance/facteurs externes peut tourner ! Cela est bien sûr aussi vrai pour l'échec, alors qu'il est souvent de bon ton de s'assassiner avec ses échecs, ou de les considérer comme « justification » des facteurs externes.

Seule la préfrontalité permet… (peut-être) de réussir durablement, ou du moins **d'évoluer vers plus de maturité et sérénité.**

Comment rendre ses évaluations plus cohérentes : la méthode de la Pensée Stabilisée

Qu'est-ce qu'une réflexion et une opinion dignes de ce nom ? Sans prétendre posséder une vision objective de la réalité, ce qui serait en contradiction avec le quatrième paramètre de la préfrontalité, **la méthode GMM dite de la Pensée Stabilisée permet de faire le tri entre ce que nous appelons l'émotion verbalisée et une véritable pensée que nous dénommons pensée stable,** en ce sens que cette dernière constitue une « loi », une règle applicable à toutes sortes de situations, d'êtres ou d'objets.

La rumeur publique et les médias qui s'en font l'écho rapportent souvent autour d'événements, plus ou moins dramatiques, divers propos passionnels qui les accompagnent : « Il n'aurait jamais fallu faire comme cela… Il n'y avait qu'à faire ceci… Il faut changer la loi… Cette erreur n'est pas pardonnable… », etc. À l'échelle intime de la psychologie, certains commentaires intérieurs qui accompagnent nos simples erreurs et autres échecs involontaires ont un air de parenté avec les précédents et semblent, comme eux, souvent défier les lois de la pesanteur… et de la raison : « Je ne me pardonnerai jamais d'avoir échoué, c'était trop important, je n'avais pas le droit… Cela prouve bien que je suis nul(le)… Je n'oserai plus regarder les autres dans les yeux… »

D'où viennent de telles affirmations, ordinairement disproportionnées avec les faits, surtout profondément irrationnelles et en contradiction évidente avec ce qui précède sur le Pack Aventure ? Comment se fait-il surtout que nous ne puissions pas toujours facilement prendre du recul, alors que nous sommes à froid, ni parvenir à faire le tri entre :

- une évaluation presque seulement basé sur l'émotion,
- et la réflexion logique (l'analyse des causes et des effets, l'évaluation des moyens mis en œuvre, la gestion des risques) ?

La réponse est bien sûr dans la physiologie de notre cerveau, qui, comme nous l'avons déjà largement débattu, est en « bascule » entre deux modes mentaux, l'un automatique et émotionnel, spontanément conscient, et l'autre, intelligent et adaptatif, mais disposant d'un difficile accès à la conscience.

Globalement et collectivement, culturellement, philosophiquement, nous connaissons cette différence. Mais, au quotidien, nous nous heurtons souvent à la difficulté de faire le tri entre :

- **les émotions verbalisées**, qui ne sont que des ressentis issus de la mémorisation limbique des expériences agréables et désagréables passées, souvent et sans le savoir abusivement transcrits en préceptes. En pratique, elles alimentent la dimension passionnelle des vécus et conversations qui apportent finalement peu de neuf ;

- **les représentations analogiques** (« Ça se passe comme... Ça ressemble à... »), qui aboutissent au mieux à la description plus ou moins fidèle de la situation. Sous l'angle de la description, d'étranges analogies peuvent être formulées entre tout et son contraire ;

- **les pensées logiques ou pensées véritables**, qui tentent de décrire des liens de causalité (« Ceci semble produire cela... ») et permettent de formuler des conclusions plus ou moins pertinentes, d'énoncer des modèles plus ou moins opérationnels et vérifiables, transcripteurs plus ou moins fidèles des lois cachées qui animent le monde. Les pensées qui nous apaisent et sont source des actions inspirées.

Vaste sujet philosophique et scientifique que celui-ci ? Assurément. Pourtant, le simple test suivant peut permettre de sortir de bien des « mélasses » mentales, en pleine confusion induite par le stress, les pressions culpabilisantes de la soumission ou déculpabilisantes de la dominance[1], etc.

---

1. Jacques Fradin, *Manager selon les personnalités, op. cit.*

Comment ? Par le simple fait qu'une pensée logique est une loi… qui s'applique à tous dans des conditions comparables. Moi et les autres. Et quelle que soit l'issue d'une action engagée avant… d'en connaître le résultat !

Selon nous, une pensée est instable à partir du moment où celle-ci, et à travers elle nos comportements, change en fonction des événements, en dehors de tout fait ou de toute analyse qui justifierait que l'on changeât d'avis ou de comportement. À l'inverse, une pensée est dite stable si elle n'est pas ou peu distordue au gré des seuls événements et résultats, qu'ils soient favorables ou non, que nous soyons impliqués ou non.

Une pensée stable est d'abord une pensée véritable, digne de ce nom : ce qui la fait changer, ce ne sont que des arguments de fond, pas les apparences. Comme toute décision comporte des risques, la réalisation d'un risque ne suffit pas à changer notre point de vue en pensée stable, du moins pour autant que ce dernier reste dans les abaques de ce que la réflexion annonçait.

Changer de pensée, en pensée stable, c'est avoir de vraies raisons, factuelles, bien sûr, mais aussi logiques, de penser que l'échec est pire que « prévu », qu'il sort des probabilités prévues ou du moins qu'il sort de ce qui semble au final acceptable. Elle remet donc en cause le « modèle de pensée », ou du moins sa réalisation. À l'inverse, au moindre échec, une pensée instable jette le bébé avec l'eau du bain, tue le messager porteur de mauvaise nouvelle, interdit le médicament qui sauve des millions de vie parce qu'il produit aussi quelques accidents, et devient ainsi victime de son succès.

De même, une **pensée stable est identique**, ou pour le moins semblable, **pour deux personnes différentes confrontées à la même situation, facile ou difficile**. S'il n'en est pas ainsi, l'évaluation est **instable, c'est-à-dire non représentative d'une « loi » applicable à toutes ses variables**. Si je ne me remets pas de mon dernier échec que je dramatise, tandis que je suis beaucoup plus rassurant et convaincu vis-à-vis de mon collègue qui « est dans la même galère » que moi, alors ma pensée est instable.

L'exemple de Yann, victime d'une pensée instable

Yann est chargé d'études dans un cabinet conseil. Depuis quelque temps, Xavier, son manager, a constaté que Yann semblait moins motivé. Pourtant, rien ne semble expliquer cette baisse de motivation. Mais Yann met plus de temps à traiter les dossiers, il prend du retard, et Xavier est amené à les revoir plus en profondeur que de coutume. Xavier décide d'en parler tranquillement avec Yann. Yann convient qu'il ne comprend pas ce qui se passe, mais, depuis quelques semaines, effectivement, il a moins d'entrain. Il se sent moins sûr de lui et il passe plus de temps sur les dossiers, il hésite souvent dans ses choix et, comme il dit, il se sent « plus bête qu'avant ». Il a beau se faire violence, être plein de bonnes résolutions, se raisonner, rien n'y fait. En prenant le temps d'interroger Yann, il semble que Xavier met le doigt sur un événement déclencheur. Il y a trois ou quatre semaines, le chargé de clientèle qui a l'habitude de travailler avec Yann lui a fait une remarque très négative sur l'un de ses dossiers. Depuis, en effet, Yann doute de lui, et cela a tendance à le démotiver. Pourtant, à froid, Yann semble sûr de lui, c'est d'ailleurs l'image qu'il a toujours donnée. Au demeurant, rendre un dossier impeccable lui paraît tout à fait normal. Jusque-là, il n'avait jamais essuyé de critique. En fait, il ne sait pas bien ce que le chargé de clientèle reprochait à son dossier, et il n'a pas plus cherché à le savoir. Mais il appréhende désormais d'être critiqué dans son travail. Il convient avec Xavier que la critique peut être constructive, que, parfois, un mot peut échapper, que, pour autant, il n'est même pas sûr que le chargé de clientèle ait eu raison, et, quand bien même, nul n'est parfait ! D'ailleurs, l'autre jour, c'est lui qui a remonté le moral à l'un de ses collègues qui s'est trouvé dans la même situation, un comble ! Mais c'est plus fort que lui, le doute s'est désormais emparé de lui.

Yann semble bien être victime d'une pensée instable, qu'un événement *a priori* anodin vient de révéler. Une fois de plus, l'événement n'en est pas la cause, il en est un simple révélateur. C'est bien le regard de Yann qui, depuis, a changé. Vraisemblablement, cette fragilité face à la critique, fondée ou infondée, était latente et n'avait pas trouvé encore matière à s'exprimer (« jusque-là, il n'avait jamais essuyé de critique »). Yann compensait cette faiblesse par une attitude irréprochable (« rendre un dossier impeccable lui paraît tout à fait normal ») mais... irrationnelle (« impeccable » existe-t-il vraiment, et de façon permanente ?), de même qu'incohérente (« nul n'est parfait », dit-il lui-même) ! Le plus étonnant, c'est que Yann a été le premier pour faire réfléchir son collègue qui venait de vivre une expérience comparable. En résumé, Yann ne pense pas la même chose :

- lorsque ça se passe bien ou qu'il en parle à froid (« à froid, Yann semble sûr de lui, la critique peut être constructive, nul n'est parfait... ! ») ;
- lorsque ça se passe mal (« depuis, en effet, Yann doute de lui... ») ;
- lorsqu'il n'est pas impliqué (« c'est lui qui a remonté le moral à l'un de ses collègues qui s'est trouvé dans la même situation... »).

Stabiliser sa pensée est un moyen qui permet de rétablir sa cohérence, sa motivation intelligente, et ainsi de gagner en sérénité. Toute pensée instable est susceptible de déstabiliser et fragiliser la personne. Comment, donc, réorganiser une pensée instable ?

La méthode de la Pensée Stabilisée consiste à s'entraîner à « homogénéiser » sa pensée, dans le bon sens du terme comme nous allons le voir, à partir d'une pensée initialement « hétérogène » et influencée par des paramètres qui sont extérieurs à la personne. Cela ne tient pas de la méthode Coué. Car la pensée ne se stabilise qu'à partir du moment où elle est intégrée, et donc que le cortex préfrontal prend l'ascendant sur les territoires émotionnels limbiques. Néanmoins, il ne s'agit pas de devenir obtus et de ne plus être capable de faire évoluer sa pensée, bien au contraire ! En pensée instable, on est influençable, car sans opinion, pas ouvert. Tandis qu'en pensée stable ou véritable, on peut certes se fermer, mais aussi s'ouvrir... et changer. Pour pouvoir décider, il faut pouvoir penser. **Il s'agit donc de sortir de cette situation qui nous enferme dans un système émotionnel de non-pensée**, sclérosant, dans lequel nous tournons en rond, n'ayant plus accès, un tant soit peu, ni à notre raison, ni à notre opinion personnelle (« mais qu'est-ce que j'en pense moi ? »).

La pensée instable

En fait, la pensée la plus instable provient du fonctionnement que nous nommons paléo-limbique (vieux limbique), vraisemblablement issu du fonctionnement de l'amygdale limbique, et caractérisé par une prédominance de l'émotion et du rapport de force. Ainsi, une des attitudes issues de ce fonctionnement, la soumission, définit un comportement très anxieux, culpabilisé de façon très irrationnelle et auto-dévalorisée. À l'inverse, le sujet en état de soumission surestime l'action et la pensée des autres. Vous reconnaissez là un exemple de pensée structurellement instable[1].

---

1. Voir nos écrits *Manager selon les personnalités* et *Personnalités et psychophysiopathologie*, déjà cités

Exercez-vous à la méthode de la Pensée Stabilisée

L'exercice agit sur deux axes : trouver des pensées équivalentes, que l'on soit en situation positive ou en position négative (réflexion logique), d'une part, et que l'on soit directement concerné ou non (opinion personnelle), d'autre part. La pensée sera stable lorsqu'elle sera équivalente dans les quatre cas, en dehors de tout élément qui pourrait justifier un quelconque changement de pensée.

Pensée instable		
Mode de pensée	Situation positive « le dossier n'est pas critiqué »	Situation négative « le dossier est critiqué »
Sans implication : « Je ne suis pas concerné »	De toute façon, l'essentiel, c'est de faire de son mieux.	Nul n'est parfait. C'est une question de point de vue. La critique est toujours intéressante.
Avec implication : « Je suis concerné »	On se doit de rendre un dossier impeccable.	Je n'ai pas assez travaillé. Je manque de compétence. J'ai atteint mes limites.

Pensée stabilisée		
Mode de pensée	Situation positive « le dossier n'est pas critiqué »	Situation négative « le dossier est critiqué »
Sans implication : « Je ne suis pas concerné »	L'essentiel, c'est de faire de son mieux et/ou de progresser grâce aux critiques.	L'essentiel, c'est de faire de son mieux et/ou de progresser grâce aux critiques.
Avec implication : « Je suis concerné »	L'essentiel, c'est de faire de son mieux et/ou de progresser grâce aux critiques.	L'essentiel, c'est de faire de son mieux et/ou de progresser grâce aux critiques.

Le contenu de l'exercice est bien sûr donné à titre d'exemple. Les pensées stables (et instables) sont largement différenciées selon les personnes et les situations. Ce qui importe, c'est bien que la personne trouve la pensée stable qui lui est propre et qui lui permet de (re)trouver son opinion et son inspiration.

Dans cet exemple, nous constatons qu'il y avait, au départ, autant de pensées que de cas de figure possibles, si ce n'est plus ! Nous avions donc affaire à une pensée très instable, sur les deux axes du tableau.

Cet exercice nécessite du temps et du calme, et peut avoir besoin d'être répété plusieurs fois, jusqu'à ce que vous parveniez à trouver la pensée stabilisatrice. En général, une des quatre cases est généralisable aux trois autres de façon satisfaisante.

Dans un premier temps, la pensée de référence est le plus souvent celle que vous avez en situation de succès.

Dans un second temps :

- si vous êtes plutôt « complexé », vous allez commencer par généraliser sur la ligne de non-implication (le cas de Yann, précédemment). Un complexé est souvent de bon conseil ;
- si vous êtes plutôt affirmé, vous allez commencer par généraliser sur la ligne de l'implication : appliquez aux autres ce que vous pratiquez pour vous.

Pour comprendre la substantifique moelle de cet exercice, nous vous conseillons de l'appliquer à une situation où vous ne perdez pas vos moyens en situation difficile. Vous verrez que dans ce cas votre pensée est stable, c'est-à-dire que vous pouvez facilement trouver la pensée qui pourra remplir les quatre cases du tableau.

La question qui reste peut être : en quoi cet exercice apporte-t-il davantage qu'un constat de plus ? « Je sais que ma pensée est instable. Je savais aussi que je n'avais pas de volonté. Et alors ? »

En effet ce « manque de volonté » est un symptôme et on ne peut pas agir de façon efficace, et surtout durable, sur lui. Cette prise de conscience devrait donc logiquement avoir peu d'effet positif, ou même aggraver la situation… étant donné qu'elle crée un sentiment à la fois d'insatisfaction et d'impuissance.

À l'inverse, le présent exercice agit au niveau des causes cognitives, et même neurocognitives, du stress et du manque de volonté qui s'ensuit : **trouver la pensée commune aux quatre situations du tableau, c'est en effet trouver la « loi », autrement dit l'opinion qui sous-tend une action équilibrée.** C'est donc faire remonter son activité mentale dans les « cerveaux », en partant ordinairement :

• du paléo-limbique, « étage » des émotions brutes et des rapports de force, lieu par excellence de la pensée instable ou plutôt de la non-pensée,

• au néo-limbique, « étage » des croyances et des valeurs, pensées certes rigides mais pensées tout de même,

• ou au préfrontal, « étage » des sentiments nuancés et des pensées logiques, à la fois stables, à un instant donné, et évolutives dans le temps.

Pour aller plus loin

• Piaget (1974) considère l'adaptation comme l'utilisation de ce qui a été acquis pour faire face à des situations nouvelles. En ce sens, il parle d'assimilation comme de l'application des connaissances ou des structures cognitives (réseaux de représentations) de l'individu à l'environnement, et de l'accommodation comme du processus permettant de changer les structures cognitives préexistantes afin de s'adapter à l'environnement, ou de l'intégrer. Assimilation et accommodation s'opèrent grâce à la manipulation et à la coordination de schèmes, tandis qu'elles aboutissent à l'enrichissement de ces derniers. Les schèmes sont, selon Piaget, des structures d'action qui s'appliquent à des situations nouvelles, parce qu'ils ont une capacité de généralisation et s'adaptent en même temps aux particularités de ces situations (Richard, 2005).

Chapitre 3

Un conflit
de génération dans la tête

Deux modes mentaux complémentaires…

Nous l'avons vu, les deux modes mentaux supérieurs sont complémentaires. La séparation des pouvoirs est claire et nette : l'un gère le simple et le connu, l'autre le complexe et l'inconnu. De surcroît, **c'est la perception subjective que nous avons de ces caractéristiques qui constitue le stimulus qui fait « pencher la balance » d'un côté ou de l'autre.** Ce sont les conclusions des travaux de Posner et Raichle[1] réalisés en imagerie par résonance magnétique fonctionnelle (IRMf), confirmés depuis par de nombreuses publications.

Depuis lors, on sait que pour recruter l'un ou l'autre mode, il faut créer des conditions d'expérimentation ou… de vie, qui induisent de tels ressentis. Et là est toute la subtilité ou la difficulté, suivant les cas. Car la simple complexité du réel ne suffit pas à faire commuter le système. **Il faut donc « sensibiliser » le sujet ou soi-même, susciter sa curiosité pour ce qu'il y a de différent, d'anormal, d'intéressant dans la situation apparemment connue ou assimilable à une autre qui l'est.**

---

1. *Op cit.*, p. 35.

On voit donc que le mode automatique va, en fait, souvent « pêcher dans les eaux territoriales du préfrontal », et détourne le sens profond des pensées intelligentes, crée des « dogmes préfrontaux », etc. ; ce qui provoque quelques incidents diplomatiques dont nous parviennent quelques effluents sous forme de stress. Cela, nous l'avons bien compris désormais.

D'un autre côté, on peut chercher les détails dans le connu « qui marche », et donc solliciter le mode préfrontal en « territoire automatique ». Dans ce cas, pourtant, on n'observe pas de stress. **Tout se passe comme si la prise de commande préfrontale ne génère pas de conflit inconscient avec le mode limbique.** Parce que le préfrontal est un pacificateur, un grand coordinateur… ou parce que le reptilien est inféodé au préfrontal ? Qu'importe. On ne se fait pas flasher pour excès de préfrontalité, comme cela se passe dans l'autre sens. Comme quoi, il est moins dangereux d'abuser de l'intelligence que l'inverse !

Pour autant, au-delà de ces escarmouches, **il existe beaucoup de ressemblances dans l'organisation de la gestion de l'information dans les deux modes, de telle sorte que l'on peut décrire les mêmes étapes, et donc évaluer sur quel « canal » nous fonctionnons à chaque étap**e. Et, en pratique, on peut très bien être plutôt à droite (préfrontal) sur l'EEMM pour certains paramètres et à gauche ou au centre pour d'autres :

Paramètres du mode automatique	1	2	3	4	5	6	7	8	9	Paramètres du mode préfrontal
Stressabilité			x							Sérénité
Routine				x						Curiosité sensorielle
Refus	x									Acceptation
Dichotomie						x				Nuance
Certitudes					x					Relativité
Empirisme	x									Réflexion logique
Image sociale		x								Opinion personnelle

Chaque Mode Mental est un système complet de traitement de l'information

Pour élaborer le modèle introduit dans le chapitre précédent, nous présentons les tableaux suivants ; ils décrivent en parallèle les deux modes aux différentes étapes de ce traitement de l'information, selon l'EEMM :

Le Mode Mental Automatique (MMA)	Le Mode mental Préfontal (MMP)
C'est le mode mental de la gestion du connu et voici pourquoi :	C'est le mode mental de la gestion de l'inconnu et voici pourquoi :
Entrée de l'information	
Il trie l'information à l'entrée car il ne sait pas (ou très difficilement/dangereusement, par essai/erreur) traiter l'inconnu. Il préfère donc (on le comprend, vu ses capacités) rester dans des situations de routine. Il se bat contre l'intrus qui bouscule sa routine (persévérance, refus du changement).	Il s'ouvre largement à l'entrée de toutes les informations, il aime partir explorer, accumuler des données nouvelles, sous forme brute, informelle. Il accepte également que le réel le bouscule, il prend en compte l'imprévu, ce qui le dérange, il préfère disposer de toutes les données, plutôt que de les étouffer (le réel est têtu et emportera tout sur son passage, comme un fleuve en furie, si on ne lui prévoit pas des ponts et des zones d'expansion).
Traitement de l'information	
Il trie l'information pertinente, selon lui (interprétable, car connue). Pour cela il simplifie, binarise, numérise, pixélise l'information pour mieux la stocker et l'utiliser. Il constitue alors une représentation nette, belle, absolue comme une image numérique, qui paraît plus vraie que le vrai, la certitude qui justifie la guerre.	Il cherche à ne pas dénaturer l'information, car il sait naturellement que la carte n'est pas le territoire (son seul maître est précisément le réel), d'où son souci du détail... qui pourrait bien cacher l'essentiel. Il tend donc vers des représentations abstraites, intégrant des calculs, intuitifs ou précis, sur les incertitudes. La somme de ces valeurs floues donne une représentation du monde relative, puisqu'il sait que l'incertitude sur la résultante est bien plus grande que la somme des incertitudes. À partir de là, il est ouvert à la remise en cause, source de correction d'erreur ou de redéfinition permanente et interactive de modèles (modèle systémique), au service de la compréhension du réel et pas l'inverse.

•••

•••

Sortie de l'information

En situation, il sélectionne parmi les réponses connues la plus approchante et appropriée à la situation à traiter.

Enfin, il confronte sa décision d'action à sa représentation des autres, des normes, des valeurs et des tabous, pour choisir celle qui sera socialement acceptable. C'est là que le « vraisemblable » peut prendre le pas sur le « vrai », sur le regard des autres – ou l'idée qu'il s'en fait –, sur le sien.

Pour lui aucun modèle n'est complètement applicable. Pour chaque situation, surtout complexe, il cherche donc à analyser, non seulement les avantages et les inconvénients, mais aussi les causes impliquées connues ou probables, leurs effets prévisibles ou potentiels cumulés, à en déduire des adaptations à court/moyen terme, à corriger le tir en temps réel, bref à utiliser toute sa vigilance, son bon sens intuitif et sa rationalité pour contextualiser l'action.

Pourtant, en MMP, on sait qu'il restera toujours un certain degré d'indéfinition, d'impermanence, d'impondérables qui nécessiteront une prise de risque, qu'il faudra assumer (prise de responsabilité individuelle et sociale), concurremment à d'autres choix, pourvoyeurs d'autres avantages/inconvénients, d'autres risques. Au fur et à mesure se constitue notre opinion individuelle, que nous confronterons à celles des autres, sans toutefois perdre de vue que « les conseillers ne sont pas les payeurs ». L'ouverture du préfrontal, depuis la collecte de l'information, son traitement, jusqu'à la réflexion prédécisionnelle, laisse la place à l'opinion, la prise de risque, la responsabilité assumée, malgré des points de vue divergents, parfois seul contre tous.

Conséquences :

- **En MMA**, on réussit ou… on échoue frontalement, il n'y a pas d'airbag avant le tableau de bord, et on risque donc de se casser. Ce risque augmente en fonction de l'âge, de l'expérience… et, paradoxalement, du nombre de succès (« on ne change pas une équipe qui gagne », mais quand elle est hors course, alors c'est le vide).

- **En MMP**, on s'adapte, on anticipe, on surfe à toutes les étapes et on boucle (rétrocontrôle) tout le temps : on intègre chaque nouvelle information.

Le premier est un hanneton. Sur le dos, il meurt de ne pouvoir se redresser. Le second est un félin, il retombe toujours sur ses pattes[1].

Le traitement de l'information

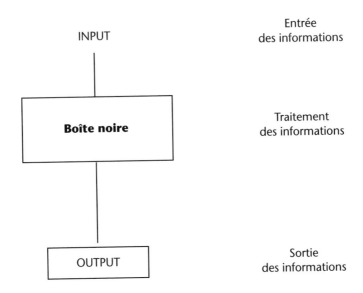

INPUT	Entrée des informations
Boîte noire	Traitement des informations
OUTPUT	Sortie des informations

---

1. Sophie Faure, *Sagesse chinoise. Mettez du chat dans votre management*, Eyrolles, 2007.

Traitement de l'information
par les deux Modes Mentaux

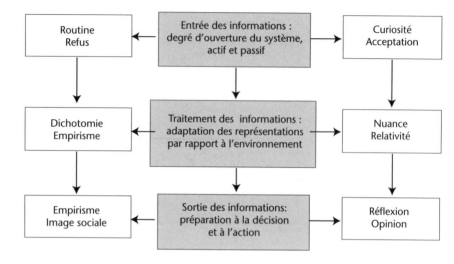

___ *Résumons-nous* ___

Le MMA nous est facile à comprendre, son mode ressemble à celui de nos ordinateurs. C'est (très, très, très) compliqué, mais compréhensible. C'est normal qu'il nous parle, puisque nous (notre conscient), c'est lui ! Mais facile à comprendre ne veut pas dire facile à vivre. Sinon, nous en serions restés aux pierres taillées.

*Le MMP est beaucoup plus complexe, son traitement de l'information évoque les modèles les plus sophistiqués de la science (à moins que ce ne soit l'inverse, of course !). Cela peut nous décourager, au point de se dire « mais je ne suis pas physicien, donc ce n'est pas pour moi », sans oublier que le MMP agit de façon inconsciente. Et même son recrutement plus conscient, que nous évoquons dans ce livre, n'implique pas que nous devions devenir conscient de son fonctionnement. Heureusement ! Nous nous contentons d'apprendre à en accueillir mieux les résultats, à en faciliter le fonctionnement. À cette fin, il est, par contre, utile de savoir de quoi il « se nourrit » et en quoi consiste ce qu'il nous « restitue », pour ne pas passer à côté de l'*insight*, éviter de gêner son action ou, même, sans le savoir, la censurer.*

Laisser son préfrontal travailler est finalement plus facile que de fonctionner en MMA ; puisque ce dernier est conscient, il nécessite donc notre participation consciente active. C'est d'ailleurs pour cela que le MMA valorise la méritocratie, car l'effort conscient est largement nécessaire à sa production. Alors que le premier, le préfrontal, fonctionne au-delà de notre conscience et que sa production s'exprime dans notre conscient par « illuminations » ou improvisations sous forme de « flot » cher aux sportifs, danseurs, orateurs et autres écrivains (à condition de savoir se mettre dans l'état propice à la réception de la Muse, ce qui prend du temps d'apprentissage). C'est pourquoi les gens « doués », entendez plus préfrontalisés que d'autres qui les trouvent doués, ont tellement l'air de ne pas faire d'effort, que tout leur est facile. Ce n'est pas complètement faux, relativement au résultat final.

Les deux modes, dont l'alternance naturelle est plutôt chaotique, se complètent toutefois volontiers, pourvu que l'on comprenne et gère mieux leurs rôles respectifs, que l'on intègre les signaux les plus révélateurs de son fonctionnement cérébral.

Mode Automatique et Mode Préfontal : deux « états d'esprit » complémentaires et opposés !

Nous avons jusqu'ici, tout au long de cet écrit, largement développé comment il est possible de stimuler l'activité préfrontale, conscientiser les indicateurs de dysfonctionnement comme le stress, démontré comment les deux modes se complètent et comment le préfrontal est taillé pour gérer l'impossible.

Nous allons maintenant nous intéresser, non plus à ce qui mobilise, mais à ce qui peut s'opposer, par incompatibilité d'humeur pourrait-on dire, par antinomie, voire antipathie entre les deux modes, et notamment du MMA envers le MMP.

Nous avons déjà brièvement évoqué l'opposition terme à terme des deux modes mentaux et le pourquoi théorique de cette opposition. Rappelons les dessous de la crise :

Routine _____ Curiosité

- **Là où le MMA** aime la routine, le connu, le lent déroulement d'une journée comme une autre, le cycle des semaines et saisons, les chats sur les perrons qui contemplent des jardins ordonnés, être chez lui plus que partir au loin, ou alors toujours au même endroit pour y faire les mêmes choses, la précision facile des gestes appris jusqu'à en être naturels, les rituels et sanctuaires, signes d'ordre et de paix, les souvenirs qui font le berceau du jour nouveau, les madeleines de Proust et les flacons imprégnés des odeurs du passé, les objets fétiches ou sacrés, les amitiés d'enfance ou de trente ans…

… **Le MMP**, quant à lui, assouvit sa curiosité naturelle, recherche l'inconnu, part à l'aventure, à la découverte, explore les sensations inhabituelles, surprenantes, l'imprévu, l'improvisation, la créativité. Il contemple et observe des différences, s'enrichit de l'exotisme, perçoit le monde comme une symphonie sans cesse renouvelée, dansante, imprévisible, qui ne joue jamais deux fois la même partition, il cherche sans cesse à construire de nouvelles relations, renouveler et faire évoluer celles qui se routinisent, sortir des habitudes pour relancer le désir.

Refus _____ Acceptation

- **Là où le MMA** aime accumuler, construire, développer, assurer, en vue de consolider ses positions, persister, persévérer, résister aux mauvais coups du sort, maîtriser son destin, l'organisation de l'espace et du temps, anticiper et gérer la sécurité, accumuler des réserves, combattre et faire plier tout ce et ceux qui le dérangent, réduire l'incertitude, préserver l'acquis, défendre sa classe, corporation, culture, ses habitudes, préférences et valeurs contre le différent, le nouveau, l'exotique, le bizarre ou, bien sûr l'inquiétant, dompter sa nature, la nature, et dominer l'adversaire, perpétuer ce qui a fonctionné, triompher plutôt que céder…

… **Le MMP**, quant à lui, préfère prendre en compte la réalité, intégrer ce qui fait obstacle, s'adapter à un monde en mouvement et même anticiper les changements avant qu'ils ne nous submergent, chercher les signaux faibles annonciateurs de rupture, et lorsqu'il est trop tard pour gérer, prendre le flot submergeant et surfer, laisser passer la vague, se laisser emporter pour mieux ressortir plus loin, plier comme le roseau de La Fontaine plutôt que de se rompre comme le chêne, accepter, tirer parti des événements plutôt que de les nier, rebondir, s'enrichir des expériences, construire des opportunités à partir de contrariétés ou d'échecs, pratiquer des arts martiaux orientaux plutôt que de construire des digues contre le Pacifique, concevoir que l'homme n'est que fétu de paille dans un univers infini, qu'il ne peut que perdre ses combats contre la réalité, et doit plutôt être habile que puissant, intelligent et sage plutôt que valeureux.

Dichotomie _____ Nuance

- **Là où le MMA** aime le simple, le simplifié, voire le simpliste, le binaire, le tranché, le définitif, le stable, ramener l'atypique au typique, le hors norme à la norme, l'inconnu au connu (par comparaison, analogie, assimilation : « C'est comme… Ça me rappelle… »), quitte à tordre un peu les faits pour les mettre dans les dogmes ou les modèles, trier de manière expéditive et monocritère, prendre parti pour ou contre, mettre en opposition, en dualité (blanc/noir, vrai/faux, bien/mal, ami/ennemi, rentable/pas rentable, beau/moche), rendre les débats passionnels, oppositionnels (droite/gauche en politique, par exemple), prendre des positions catégoriques, tranchées, affirmées, définitives, ou alors en changer de façon brutale, entière, carrée, adopter des postures…

… **Le MMP**, quant à lui, préfère nuancer, préciser, capter la subtilité du réel, transcrire sa complexité et sa continuité[1]. Il gardera la complexité utile[2], ou réservera la simplification au résultat ultime des calculs, pour faciliter l'ergonomie, mais sans l'appliquer à la capture des données[3].

---

1. Par des représentations dites dimensionnelles.
2. En mathématique, on dit que l'on ne peut avoir moins d'équations que de variables si l'on veut pouvoir définir les valeurs, sinon il persiste un degré d'indéfinition.
3. Les calculs amplifient les incertitudes, il est donc préférable de ne pas simplifier d'emblée.

Certitudes _____ Relativité

- **Là où le MMA** aime établir des règles, des certitudes, des vérités, des lois indiscutables, des valeurs absolues, des dogmes, un modèle du monde…

… **Le MMP,** quant à lui, préfère l'analyse multicritères, l'ancrage dans la complexité du réel, car il sait que le monde est bien plus complexe que nos représentations, partielles et partiales, sans doute plus fausses que vraies, qui ne servent donc que d'outils provisoires, en attendant les suivants, à peine moins imparfaits, partiels, et tout aussi provisoires. D'où l'intérêt de partager les points de vue, car rien (ou presque ?) n'est *a priori* « impertinent » pour le MMP.

Empirisme _____ Réflexion

- **Là où le MMA** aime l'expérience, l'empirisme, les recettes et autres savoir-faire, les décisions carrées (on valide ce qui marche, on élimine ce qui échoue…)…

… **Le MMP,** quant à lui, préfère réfléchir, comprendre la cascade et l'interaction des causes et des effets, garder un œil critique sur ce qui marche ; l'apparence est souvent trompeuse, et, quelques secondes avant de s'effondrer, un mur est toujours debout ! Il évite également de tout jeter dans ce qui a échoué (le bébé et l'eau du bain), sans en avoir compris le déroulement précis, d'où les « enquêtes accident » qui analysent par le menu le déroulement des incidents/accidents. On traque les causes, pas les effets.

Image sociale _____ Opinion personnelle

- **Là où le MMA,** enfin, aime être valorisé, aimé, fier, reconnu, méritant, voire glorifié, plutôt que ridicule, honteux, accusé, humilié, déclassé, exclus ou rejeté…

… **Le MMP,** quant à lui, préfère d'abord savoir ce qu'il pense par lui-même (individualisation), ce qu'il croit à peu près acquis (ou, pour le moins, pas encore démenti par les faits, notamment dans les cas particuliers) et ce qui est plus incertain, ce qu'il préfère choisir en fonction de ses opinions, goûts, motivations, expériences, relations, des sentiments qu'il porte aux autres. Et alors, seulement, il décide, en accord avec lui-même, prêt à assumer ses actes, capable de faire le tri entre le jugement émotionnel des autres et les faits, entre la loi du plus fort ou du conformisme et la loi du droit, entre la morale et l'éthique. Il est la brique de base de la démocratie mature.

Nous le voyons, **le mode mental automatique n'entretient pas toujours une vision très positive du MMP** : et pour cause, leurs valeurs et méta-valeurs sont opposées point par point (*cf.* l'EEMM).

Nous allons maintenant en aborder les aspects pratiques, concrets, quotidiens, pour ne pas dire obscurs, pas toujours bien « beaux », un peu mesquins quoi ! Révélons au grand jour, il est temps, comment le joyau de notre intelligence a été tenu en cage, sous notre front, depuis la nuit des temps, d'avant l'émergence du préfrontal. Voici quelques noms d'oiseaux couramment utilisés chez les neurones d'en bas en arrière, pour nommer l'empêcheur de penser en rond, même si c'est pour notre bien.

Une coexistence parfois difficile

Commençons par les pensées « anti-intelligence » les plus courantes. Car c'est le petit qui commence, en général, aussi dans notre tête. Il est parfois un peu teigneux et n'aime pas trop partager le pouvoir, encore moins le donner. D'où quelques chamailleries, « indignes d'un cerveau humain ».

Prenons plaisir à développer notre curiosité à l'égard de pensées automatiques et limbiques, qui méritent toute notre attention d'ethnologue soucieux de préserver, pour un futur encore incertain, quelques traces de sa façon de faire… dans le cadre de la biodiversité.

Paramètre par paramètre, nous allons dérouler tout ce qui peut empêcher de penser en MMP. Nous avons vu précédemment que le MMA est routinier, qu'il répugne à changer, qu'il n'en a pas vraiment les moyens et qu'il doit donc « passer la main ». Ce qui, même entre deux « cerveaux » d'une même tête, ne semble pas très agréable si l'on en juge par la réticence, la mauvaise grâce avec laquelle cela se passe. Et cela, même lorsque la prise de conscience s'impose par la nécessité urgente d'un changement de point de vue. Ce vécu ambigu, troublé, s'évalue autour des cotations allant de 3 à 6 sur l'EEMM.

Ces conflits ne sont pas sans rappeler quelques autres résistances au changement, rencontrées celles-là dans les collectivités humaines. Comme quoi, nous tenons peut-être nos sales manières de vivre ensemble de nos propres neurones. Mais serait-ce si étonnant ?

Le MMP vu par le MMA

Voici donc quelques exemples non exhaustifs de commentaires à coloration (texture, contenant) MMA sur des attitudes à coloration MMP. Ils peuvent s'adresser aussi bien à une partie de nous-même qu'à un autre :

Commentaires types provenant d'un contenant MMA

- **Anti-Curiosité :** « *Tu changes tout le temps, pose-toi de temps en temps ! Tu nous fais tourner la tête... Pourquoi aller chercher ailleurs ce que tu as ici... ? Tu es superficiel, tu ne t'intéresses qu'à ce qui brille, tu n'approfondis rien... Tu as trop d'ouverture d'esprit, tu vas te disperser... Tu parles à tout le monde, tu écoutes tout le monde, même ce qui est sans intérêt... Ta tête est-elle totalement vide pour que tu sois ainsi candide, aussi ouvert à tout... ? L'herbe est plus verte dans le pré d'en face... ! On se fout de ce qu'ils font ailleurs, on est très bien ici... ! Tu ne peux jamais faire deux fois la même chose de la même façon... ! Tu es un instable, un artiste (les yeux au ciel)... Tu ne penses qu'à te distraire, te faire plaisir... Que tu ne te plaignes pas s'il t'arrive des ennuis !* »

- **Anti-Acceptation :** « *Tu manques de persévérance... Tes compromis sont des compromissions... ! Tes consensus sont mous... ! Tu acceptes et moi je résiste... ! Tu manques de courage, tu es un lâcheur... Tu es influençable, tu acceptes tout sans te battre, tu te résignes... Tu n'as pas de colonne vertébrale, tu tournes ta veste... Tu es inauthentique, tu n'oses pas dire ce que tu penses, tu laisses la sale besogne aux autres (de dire non, de se révolter), à moins que tu ne penses rien, que tu ne sois un béni-oui-oui... Tu me déstabilises, tu m'insécurises, on ne peut pas compter sur toi !* »

- **Anti-Nuance :** « *Tu coupes les cheveux en quatre, tu pinailles… ! Tu es compliqué, indécis, confus, touffus, pagaille : décide-toi… ! Tu manques de plan, de clarté, tu ne sais pas où tu vas… Tu manques de vie, de couleur, de sexy… Tu ne sais pas te vendre ou vendre tes idées (une à la fois STP !), tu pars dans tous les sens, qu'est-ce que tu ne vas pas nous chercher ?* »

- **Anti-Relativité :** « *Tu manques de lucidité, tu te la joues, arrête ton char, sois simple… Tu te racontes des salades avec "ton recul", tu te caches la réalité, tu crois au Père Noël, tu vis dans l'illusion, tu rêves, c'est trop facile, tu n'as pas les pieds sur terre, plus dure sera la chute… Oui, la vérité ça existe, mais ça dérange les embrouilleurs comme toi qui disent que tout est pareil… Avec ton recul sur tout, tu n'as même plus d'émotion, de compassion, d'implication, de tripes, tu n'es plus humain, tu te fous de tout finalement !* »

- **Anti-Réflexion logique :** « *Tu es un preneur de tête, tu construis des usines à gaz… Tu cherches midi à quatorze heures… Tu es improductif, tu es un intello… Ton discours est obscur, compliqué, on ne comprend rien à ce que tu racontes (et cela veut-il dire quelque chose ?)… Nous attendons (en pensant à autre chose) que tu aies fini tes interminables explications (ou justifications) pour savoir ce que tu veux en pratique (et ça n'est pas clair) !* »

- **Anti-Opinion personnelle :** « *Tu es aimable, certes, mais tu es incolore, sans odeur et sans saveur, mou, bizarre, incernable, étrange, imprévisible, à part, inclassable, et solitaire en plus… Tu ne peux pas faire comme tout le monde, tu manques de "simplicité", tu es froid, individualiste, on ne sait pas comment tu vis, tu ne te livres pas… On sent une distance, tu es un martien, tu nous mets mal à l'aise quand tu écoutes nos conversations, quand tu nous observes, on ne sait pas ce que tu penses, tu nous déranges, tu es un empêcheur de tourner en rond, on se sent coupable de tout devant toi, tu n'as pas de défaut, tu n'es pas drôle, on ne peut pas rigoler avec toi, tu es trop sérieux… En fait, tu nous roules dans la farine, tu es un hypocrite mais tu caches bien ton jeu… ! Et puis je préfère les avoir mes défauts, plutôt que d'être mort-vivant comme toi !* »

Le « toi » peut bien sûr être remplacé par le « moi », si ces invectives ou autres noms d'oiseaux s'adressent à soi-même.

À noter que l'on peut considérer que le fait de se sentir agressé par de tels propos, d'avoir besoin de se justifier face à eux, traduit… le fait qu'on y est sensible et que l'on a donc besoin de leur livrer bataille à l'intérieur de nous ! Donc, plutôt que de s'en prendre à la partie visible de l'iceberg, il paraît sage de se demander pourquoi l'on trouve quelque « vérité » ou, du moins, « force » dans ces propos !

Le MMA vu par le MMP (ou presque)

Notons, qu'en sens inverse, il arrive, quoique de façon moins fréquente et moins acérée, moins offensive, que le MMP, ou plus exactement notre conscience, c'est-à-dire une partie de notre MMA, puisse défendre de façon quelque peu limbique (!) son alliance avec le préfrontal. En GMM, nous dénommons un tel MMA, défenseur de MMP, un « mode mental préfrontalisé » (parce qu'au sens strict, un mode mental préfrontal conscient, ça n'existe pas encore !). Et, vous savez, parfois, les royalistes sont plus royalistes que le roi ! Ainsi, ce qui suit relève encore du MMA, et notamment de sa composante limbique. Il peut en découler quelques conflits internes, entre (accrochez-vous) ce MMA-là, pro-préfrontal, traître à sa propre cause, et le MMA classique (loyaliste à lui-même). Ce mode mental préfrontalisé peut même être en conflit avec son idole, le préfrontal lui-même, qui préfère comme il se doit la nuance et la pensée globale, les synergies, plutôt que les conflits.

Alors, dans les commentaires qui suivent, il y a bien de « l'anti-MMA » au premier degré (en termes de contenu), mais ça fleure bon le MMA en termes de contenant. Donc, même si ça vous fait parfois rire au détriment de ce pauvre MMA, il n'est pas sûr que votre propre préfrontal vous couvre : attention à la stressabilité et au stress *himself* en cas de discussion chaude sur le sujet avec un « vrai » limbique pro-MMA assumé ! Remarquez d'emblée le changement de style, on ne tutoie plus, le style est moins direct !

Commentaires types « anti-MMA » en termes de contenu

- **Anti-Routine :** « *Il est casanier, routinier, ennuyeux, triste, terne, non créatif, sans ouverture, sans curiosité, sans vision, sans idéal, il n'a pas d'avenir, il est mort-vivant, momifié, amorphe, s'il ne se secoue pas il va tomber en poussière, il faudrait un treuil pour le sortir de ses habitudes, il est lobotomisé, il est sénile précoce, de quoi a-t-il peur ? On ne va pas le manger tout cru, il peut sortir de son terrier, les voyages forment la jeunesse...* »
- **Anti-Refus :** « *Il est fermé, borné, buté, obstiné* (or, « *seuls les imbéciles ne changent pas d'avis* » !), *psychorigide, conservateur, résistant au changement, inadapté, inapte, il fait un drame de rien et de tout, que d'histoires pour rien, il*

est râleur, casse-pieds, c'est un éternel insatisfait, un mauvais coucheur, il est puéril, immature, quel âge a-t-il... ? »

- **Anti-Dichotomie :** *« Il est simpliste, balourd, lourdaud, tranché, cassant, caté-gorique, sans nuance, pas fin ou pas finaud, primaire, sectaire, intolérant, extré-miste, emporté, terroriste, c'est une brute épaisse, mal dégrossie, mal raffinée, pas subtile, il est agressif, incapable de concevoir autre chose qu'une chose et son contraire... »*

- **Anti-Certitudes :** *« Il est naïf, au premier degré, sans recul, accroc à la "vérité" et aux "valeurs" universelles, il construit "des digues contre le Pacifique", il se gâche la vie pour rien, il vit dans le drame, il est (inutilement) perfectionniste, il se noie dans les détails (il n'a pas de vision globale), il ne sait pas hiérarchi-ser... »*

- **Anti-Empirisme :** *« Il a le nez dans le guidon, il ne voit pas plus loin que le bout de son nez, il est bête, stupide, c'est un crétin complet, il reproduit sans comprendre, il croit que le passé annonce l'avenir, il a toujours une guerre de retard, il mélange tout, il n'a rien compris sur le fond et on n'entend que lui, pitié faites-le taire, il est incapable de réfléchir avant d'agir, il applique des recet-tes et des règles éculées sans les comprendre, il se croit rigoureux alors qu'il n'est que rigide, il répète comme un perroquet, la mémoire est la science des ânes, c'est un concréto-concret de base (dénué d'abstraction)... »*

- **Anti-Image sociale :** *« Il n'a pas de tact, il ne sent rien (en matière humaine), il est bouché à l'émeri, insensible, et le pire c'est qu'il croit sentir et savoir... ! Il est (selon les cas) complexé, compliqué, paumé, crédule, manipulable, niais, soumis ou réactionnel, conventionnel ou parano, il n'a pas d'opinion véritable ou d'expérience véritablement personnelles, c'est un perroquet, il répète ce que ses mentors ont dit, ses discussions sont barbantes car ses conclusions sont con-nues d'avance, il s'énerve pour un rien et il faut toujours finir par dire comme lui pour avoir la paix... »*

Évidemment, tout cela est simplifié, réducteur, assurément non repré-sentatif à parts égales de toutes les personnalités, cultures, sexes… Acceptez donc d'avance nos excuses. Le mieux est d'ailleurs de rédiger sa propre liste sur ses commentaires anti-MMP (ou anti-MMA).

Au-delà de l'humour et la détente, **il est tout à fait crucial d'identifier ce qui en soi est toxique pour le MMP.** Car on se tromperait à penser que seule la routine automatique, l'aveuglement et les partis pris limbiques sont en cause dans nos difficultés à voir, puis changer notre mode mental ou, du moins, à en assouplir les rouages, les bascules, lorsqu'il en est besoin.

Il y a aussi, à notre avis et expérience, une opposition organisée, que nous attribuons à plusieurs sous-structures du MMA, et tout d'abord dans le cadre du clivage néo-limbique/paléo-limbique :

• **Le néo-limbique** est identifiable anatomiquement au gyrus cingu-laire, partie la plus ancienne du cortex cérébral située entre les deux hémisphères. Selon nous, il est responsable des personnalités, des préférences et des vocations[1], et de la psychologie « méritocrate », des valeurs, des tabous aussi, et des intolérances.

• **Le paléo-limbique** est identifiable anatomiquement, principale-ment, à l'amygdale limbique, située dans la profondeur de l'encéphale, sous le manteau cortical et sous le corps calleux, amas de faisceaux qui relient les deux hémisphères. Il engendre selon nous la psychologie du rapport de force, de la fascination par le pouvoir et la hiérarchie, de la violence perverse émise ou subie (sado-masochisme, paranoïa).

Ces sous-entités ont leurs complémentarités, bien sûr et avant tout, **mais elles ont aussi leurs guerres de pouvoir, affichées** (comme dans les commentaires précédents) **ou clandestines** (plus inconscientes et « freudiennes »). Et ces tensions, qui peuvent notamment se traduire par le stress comme nous l'avons vu et revu, gagnent à être mieux comprises pour mieux s'en défendre, les gérer, et faire de cette diver-sité une force, une synergie. C'est d'ailleurs ce que fait le préfrontal. Faciliter l'accès du préfrontal à la conscience, ou du moins faire que notre MMA conscient l'incite à l'expression et canalise ses messages sans trop les déformer (*tradutore traditore*), c'est acquérir du recul sur les contenants globaux (MMA/MMP) ou les sous-contenants, de façon à n'en être pas dupe au premier degré.

---

1. Jacques Fradin, Frédéric Le Moullec, *Manager selon les personnalités, op. cit.*

Si vous reconnaissez dans votre tête ou dans le discours d'un autre des extraits des commentaires précédents (nous ne prenons pas de droits d'auteurs), détendez-vous : il n'y a pas à répondre, ni à cette partie de vous ni aux autres, car c'est du *hard*, pas du *soft* ni des data. À moins de transformer toutes vos soirées entre amis en débat sur la GMM, prenez le parti d'en rire, ou plutôt d'en sourire intérieurement. La discussion est inutile, car jouée d'avance ; en tous les cas, vous y investir pour « faire changer l'autre » au premier degré est souvent peine perdue… Ou ça recommencera le coup d'après. C'est le moment d'écouter de la musique, de brancher une autre conversation ou de changer de groupe si c'est un cocktail… Car, finalement, le vrai « coupable » est dans notre propre tête : **notre stressabilité nous appartient. Nous n'en sommes pas coupables, mais responsables au sens de seuls à même d'y mettre un terme…** lorsque l'on a compris comment cela marche.

Un nouvel art de vivre : la *prefrontal attitude*

De l'outil préfrontal à l'état de préfrontalité

On peut utiliser la préfrontalisation comme un outil spécifique pour traiter une incohérence passagère ou résoudre une situation d'échec, par exemple. C'est alors un moyen : réduire la souffrance, prévenir ou gérer une crise. **Cette GMM « outil » utilise la meilleure gestion des capacités cérébrales pour résoudre une problématique ponctuelle et immédiate, sans pour autant avoir l'ambition de changer ses motivations de base.** On peut ainsi chercher à améliorer ses résultats professionnels, ses relations conjugales, l'éducation de ses enfants, ses performances sportives ou sa capacité à séduire…

Mais la recherche de préfrontalité par la GMM peut aussi devenir une quête d'art de vivre plus ou moins permanente. Les objectifs mêmes de notre existence sont alors repassés au filtre de la préfrontalité. Et pour tendre vers le « tout préfrontal », vers un état d'esprit et un style de vie compatibles avec une meilleure expression du préfrontal, on gagne à cultiver une véritable esthétique, une atmosphère favorable à son expression. Car, rappelons-le, le mode mental requiert moins un changement d'activité (contenu) que de façon d'être et de penser, en fait de traiter l'information (contenant), d'accéder à « l'esprit de la civilisation », selon les termes de Goldberg, un des spécialistes actuels du préfrontal.

À cette fin, on retrouve bien sûr toujours les mêmes six paramètres qui définissent le mode préfrontal, mais il s'agit ici de les développer à l'échelle d'une philosophie personnelle, de projets de vie. **On cherche à devenir plus intimement et profondément curieux, souple, nuancé, conscient de la relativité des visions de chacun, rationnel et individualisé en tout lieu et à tout moment.** Il ne s'agit pas de perfectionnisme maniaque (!), mais d'un simple désir de véritable « prise en main », banalisation de ce nouvel état d'être, consolidation du changement, ancrage structurel, autre référentiel en quelque sorte. Et lorsque nous sommes habités par cette « petite musique », nous parvenons alors, en temps réel, à percevoir les dissonances, comme le ferait un musicien : « Cette note est fausse, elle n'est pas dans la gamme. » Il est possible de s'imprégner du mode préfrontal, devenir le Mozart de ce mode, acquérir « l'oreille absolue » du MMP.

Sensibiliser le mode automatique conscient (sensori-moteur et limbique) au *style* préfrontal, c'est lui faire adopter l'esthétique préfrontale, une réceptivité à ses cognitions (pensées) et sentiments. Notre MMA ne peut pas réellement comprendre, s'approprier « toute » notre pensée préfrontale, mais il peut apprendre à lui « dérouler un tapis rouge », à la reconnaître, et créer des conditions motivationnelles favorables à son expression. C'est ce qu'ont fait de façon empirique des artistes, philosophes, scientifiques et méditants. Parvenir à vivre (davantage) en mode préfrontal, c'est découvrir des ressentis, des façons de penser et d'agir différentes, les expérimenter « partout », avec ou sans raison précise. On ne flâne pas, on n'est pas tendre de la même façon dans les deux modes. Le contenu devient en fait quelconque : professionnel, relationnel, culturel, social… voire absent. C'est la méditation, la contemplation préfrontale !

Un entraînement nécessaire

Étant donné que le mode préfrontal n'est pas dominant, il est nécessaire de pratiquer des exercices pour conscientiser davantage les moyens d'y accéder et de s'y maintenir. Cette représentation « limbique » (en Mode Mental Automatique) du mode préfrontal, cette compétence ont besoin d'être régulièrement « dégelées », parce que le lac limbique se prend dans les glaces de la routine, même dans sa représentation du préfrontal. À un moment donné, on perd de la nuance, par exemple, et on peut alors se stresser. **Il est donc important de faire, périodiquement, des exercices d'évacuation du MMA ! Ces derniers vont essayer de faire lâcher nos résistances sans cesse réactivées, issues du fonctionnement même, structurel, des modes mentaux inférieurs :**

- Dans cette quête renouvelée de sensations fraîches, **on gagne au début à utiliser des exercices plutôt cognitifs, et notamment pédagogiques**, qui constituent, puis renforcent notre représentation du processus de changement de mode mental (EEMM, exercices dits du « Pack Aventure », comme la Pyramide Moyens/Exigences et le Pack Valeur/Antivaleur). Rappelons aussi l'exercice dit de la Pensée stable.

- **Au stade de la consolidation, on gagne à utiliser des exercices de préfrontalisation ayant davantage trait à la créativité**, comme l'improvisation verbale en langage créatif et un peu touffu, c'est-à-dire à mi-distance entre langage signifiant et totalement farfelu, décousu, explosé… Cela procure une sensation d'aisance, puis d'euphorie, liée non pas au résultat mais bien à l'effet neurocognitif.

À noter que ces exercices sensoriels, émotionnels, corporels, comportementaux engendrent le même type d'effets et dans les mêmes proportions que les premiers exercices cognitifs ou pédagogiques. On le mesure aussi bien avec l'EEMM sur chacun des six paramètres ou sur le tableau de Pensée stable. La stabilisation de l'opinion par un exercice préfrontalisant de cette seconde catégorie d'exercices, comme la dissociation consciente de plusieurs mouvements complexes et simultanés, n'a aucun effet direct d'entraînement à cette compétence cognitive. Cela illustre bien le caractère global du changement de mode mental et la véritable bascule de nos capacités qui s'opèrent alors. D'une certaine façon, **on ne choisit pas principalement un exercice de GMM en fonction de la tâche à accomplir, mais plutôt en fonction des préférences et facilités de la personne** (voir quelques exemples dans notre prochain chapitre sur la créativité).

Ainsi, au cours de nos multiples va-et-vient entre limbique et préfrontal, notre MMA semble pouvoir produire une « photographie » altérée du préfrontal. On peut réduire cette dégradation quant à la texture du mode préfrontal (les six critères de l'EEMM définissant l'attitude favorable à son recrutement), mais il est sans doute plus délicat de traduire sa complexité, car les réseaux neuronaux néo-limbiques et néo-corticaux des territoires sensori-moteurs ne sont pas suffisamment complexes – disons « riches » – pour générer la cognition qui va avec ; le MMA pourrait être comparé à un amateur de musique qui aurait pour tâche de transcrire l'œuvre du musicien ou de l'orchestre. Nous avons l'impression qu'**on peut éduquer le MMA à être un bon mélomane, expert en musique préfrontale ; mais il lui manquera toujours le génie créatif.** En bons mélomanes, nous devons nous éduquer à ne pas (plus) bâillonner notre chanteur intérieur et lui reconnaître sans tergiversations là où il est plus efficace que nous : c'est-à-dire presque partout, surtout quand ça se complique et que nous échouons.

Régulièrement, il nous faut empêcher la rigidification progressive de notre pensée néo-limbique (comme le chasseur de phoques doit recasser la glace qui se reforme sur la banquise) d'une façon ou d'une autre : par l'imprévu, par la complexité, par des échanges avec des inconnus, par de nouvelles expériences, par des improvisations osées (apprentissage, exploration, rencontres, découvertes, réflexions, vision globale, transversale), tout en parvenant à le faire de façon détendue. Car notre MMA tend à figer progressivement le lac de lave préfrontale dans une espèce de croûte limbique qui nous sépare peu à peu de l'ouverture produite. À exercices GMM égaux.

Le fruit d'une tradition culturelle

Une disponibilité durable au préfrontal nous paraît le fruit d'une longue tradition culturelle plus que millénaire, d'une éducation exigeante, celles par exemple qui ouvrent à la réflexion, la création, l'éthique. C'est un long accouchement collectif et individuel, à la fois une science et un art, un art de vivre. Il nous faut déployer un effort assidu pour y parvenir. Mais, lorsque l'on y parvient, le résultat est étonnant : il mêle sérénité et efficacité, intuition et rigueur, rapidité et patience, vision globale et regard d'aigle.

Notre compréhension des œuvres de notre préfrontal restera réduite, quand même, car lorsque nous sommes enfin habités par une pensée consciente à coloration préfrontale, il ne s'agit que d'une « émulation » préfrontale, selon le langage des informaticiens. L'interprétation sensori-motrice et limbique des pensées préfrontales dépend de facteurs largement aléatoires, pour des raisons à la fois structurelles et culturelles :

- La bascule automatique entre Mode Mental Automatique et Mode Mental Préfrontal **dépend de la réalité, mais surtout de la perception subjective de la situation** comme simple et/ou connue ou complexe et/ou inconnue.

- **Cette appréciation dépend de notre passé, notre personnalité,** nos troubles émotionnels, nos tabous (hypos, voir glossaire) et autres croyances ou convictions culturelles, contingences de toutes sortes qui vont encourager, censurer ou dévaloriser l'expression consciente de la pensée préfrontale.

- **Certaines traditions culturelles** semblent globalement plus favorables à la préfrontalisation, comme le bouddhisme déjà cité, qui ont, depuis longtemps, identifié et géré certaines de ces manœuvres mentales.

- **En Occident, ce sont certains artistes, scientifiques, psychothérapeutes** (comme Erickson, Beck, Rogers…) qui ont, suivant les cas, développé leur curiosité et sensorialité, capacité d'écoute, de réflexion, d'innovation.

- **Des philosophes** de tous les temps et toutes cultures savent déjà que nous ne savons rien avec certitude, et c'est irrémédiable… Mais cela ne nous dispense pas de mieux nous connaître, d'apprendre à mieux vivre, d'accéder à une pensée rationnelle, à des connaissances relatives. On accepte d'en faire un sujet de méditation et de réflexion. Tout est beaucoup plus complexe que ne le laisse à penser notre perception sensori-motrice. Mais surtout, peut-être, la philosophie est une aide parce qu'elle nous confronte à une intense conscience de l'infini et de la complexité du monde, ce qui peut-être est inutile en termes de contenu et crucial en termes de contenant. Il en va de même pour la méditation.

- **La lignée religieuse** est plus ambivalente. Elle nous oblige à nous poser des questions immédiates, pas inutiles en termes de contenu (« suis-je sorti de la bestialité sensori-motrice immédiate ? »), mais souvent émotionnelles limbiques, donc binaires, en termes de contenant (comme : « suis-je bon ou méchant ? »). Autre piège : la ritualisation, les certitudes et, souvent, le caractère infantile, donc « limbicisant » (automatisant), des croyances elles-mêmes. Une religiosité ou spiritualité plus mûre, en revanche, reconnaît et vénère le mystère ; et si l'on sait combiner cela avec une relativisation des dogmes et une nuanciation des règles…

- Bien entendu, **rien ne nous dit que la pensée laïque réactionnelle soit toujours juste ni plus vraie**.

- **La science et la technologie** décrivent la réalité comme un ensemble d'emboîtements de causes et d'effets. On pense que c'est infini, qu'il n'existe pas de terme. À l'évidence, ces questionnements sans réponses sont bons pour le préfrontal et, finalement, créent plus d'apaisement que d'angoisse. Et si la première vertu de la science est de nous apaiser, de contribuer ainsi à la démocratie, alors c'est une sorte de philosophie, de métaphysique ou, pour le moins, d'art de vivre !

Risquons une (quasi) certitude : si notre préfrontal devenait plus conscientisable, s'il prenait la commande, individuellement et collectivement, la vie humaine et la planète seraient assurément bien différentes !

Romantiser la vie quotidienne

Pour illustrer avec plus de détails l'interdépendance de culture et préfrontalité, prenons comme exemple la romantisation, qui tend à donner les mêmes « valeurs » aux expériences négatives (« mauvaises cases ») qu'aux positives (« bonnes cases »).

Ainsi, dans un « film d'amour », tout n'est pas rose, loin de là. Les rencontres, brouilles, réconciliations sont de mise. **En quoi le romantisme est-il différent de la vie « ordinaire », aussi faite de succès et d'échec ? En ce sens qu'il fait de la mésaventure une aventure en soi, colorée de la même texture émotionnelle.** De l'antivaleur une variante de la valeur, non son opposé ou son manque. Un héros romantique ne vit pas une rupture interne de ses sentiments à chaque échec. Contre toute « raison » commune (binaire, limbique et non préfrontale), il reste affectif et… sentimental (préfrontal), comme le musicien reste musicien quand il fait une fausse note. Être romantique et sentimental, que l'on soit artiste, scientifique ou plombier, c'est ne plus faire dépendre le droit de se sentir amoureux du résultat immédiat. L'artiste bohème ou le passionné de toute chose se sent investi de cet état ou de cette compétence, par-delà les inévitables fluctuations de la vie et de la reconnaissance. En ce sens, un démocrate perdu dans un pays totalitaire et qui se sent toujours démocrate est romantique. Et une mère de famille aussi, quand elle aime ses enfants et se sent toujours mère aimante lorsque ceux-ci, devenus adolescents ou adultes, l'oublient parfois ou semblent devenus froids, voire hostiles. Il ne s'agit pas ici de l'amour inconditionnel et aveugle, mais d'un sentiment que l'on se donne le droit d'éprouver même s'il n'est pas ou plus partagé. En fait, il s'agit en quelque sorte d'une opinion personnelle émotionnelle !

Lorsque l'on entend parfois « j'ai honte d'être français aujourd'hui », il s'agit d'une réaction émotionnelle grégaire. Difficile de se détacher de son (ses) groupe(s) d'identification sociale… Sauf quand on est en « mode préfrontalisé », où l'on ne se sent plus concerné par de telles appartenances. On pense et l'on ressent de façon autonome, on ne se sent en rien impliqué par les actes ou les sentiments des autres (fier, coupable ou honteux) et, simultanément, on se sent le droit d'éprouver de la tendresse, de la sympathie, voire de l'amour pour quelqu'un qui ne partage pas ou pas tout de suite ces sentiments. Il ne s'agit pas non plus d'en tirer quelques obligations que l'on imposerait à l'autre, de le culpabiliser. En MMP, on ne se sent ni ridicule d'éprouver et de montrer un sentiment unilatéral, ni victime de quelque injustice : « Je t'aime et tu ne m'aimes pas. Tu es cruel ! » Non, le préfrontal nous rend juste humain, ni froid, ni tyrannique.

Mais le romantisme ne concerne pas que les relations amoureuses. La musique est devenue largement romantique, et cela est bien plus vaste que ce que l'on entend par là ordinairement. Nous appelons romantique toute musique qui allie dans une même esthétique l'harmonie et la dysharmonie. Depuis la renaissance, elle n'a cessé de s'enrichir de la dissonance tonale et rythmique, aboutissant autant à la musique contemporaine qu'au jazz ou à la musique techno. La peinture a également subi une profonde mue, de Goya à la peinture moderne et contemporaine.

En Gestion des Modes Mentaux, cette démarche de « romantisation élargie » prend le nom plus trivial, mais très parlant, de « Pack Valeur-Antivaleur », qui décrit bien le caractère indissociable et continu des événements du réel. En miroir, la perception préfrontale adopte une sensibilité elle aussi continue et graduelle[1], plutôt que binaire, numérique[2] et moraliste.

Nous voyons ainsi que la romantisation a été largement utilisée dans la culture occidentale moderne. Citons certaines facettes de ce processus qui ne sont pas toujours perçues comme telles, comme les modes qui tendent à réhabiliter de façon cyclique, et même à faire de plus en plus se superposer, des facettes de cultures antérieurement dévalorisées. Ainsi, l'affectivité était souvent dévalorisée dans la culture européenne, notamment masculine. Certes, il y a bien eu depuis l'Antiquité l'influence chrétienne, et plus particulièrement catholique, qui a parlé « des agneaux de Dieu », valorisé l'humilité, la modestie, l'auto-reconnaissance de ses torts par la confession, et même la gentillesse, la faiblesse, la fragilité psychologique comme autant de qualités morales et religieuses. Pour autant, la culture « civile » a large-

---

1. Ou vectorielle, au sens mathématique.
2. Ou discrète, au sens mathématique.

ment continué à valoriser la force, le courage, le contrôle des émotions et sentiments, la persévérance, comme autant de valeurs viriles, héroïques. Le mérite du romantisme historique, celui des écrivains, poètes, musiciens ou peintres, a été de populariser, de façon plus profane et divertissante, la tendresse, la douceur, la fragilité, l'imperfection, l'incertitude, l'indécision, le sentimentalisme, la faiblesse, l'erreur, comme propre à l'humaine nature, comme autant de valeurs universelles, transcendant les sexes, les époques, les cultures, les tabous, les règles, l'image sociale, les devoirs moraux, les rapports de force (voir le livre *Imparfaits, libres et heureux* de Christophe André[1]). Cette réhabilitation de la culture affective va en fait bien au-delà d'une simple idéalisation assumée d'un tempérament néo-limbique (l'affectivité de l'inhibition réussie, selon notre modèle[2]) à l'échelle d'une culture tout entière. **C'est l'amorce d'une préfrontalisation culturelle à travers la valorisation de l'antivaleur, et de tout le continuum mental qui relie les valeurs et antivaleurs** (la dimensionnalité).

Le romantisme n'a donc pas tant été une simple mode, la mise en avant fugitive d'une sensibilité jusque-là largement incomprise, qu'une première consécration de l'antivaleur. Par exemple, la naissance du mythe de l'anti-héros, au cœur de notre culture contemporaine. Ou la naissance des nouvelles relations hommes/femmes, plus construites sur la conscience de la différence assumée, la complémentarité et, pour autant, la continuité : il y a du masculin chez la femme et inversement.

Cette représentation de la relativité, de la complexité humaine, non pas seulement comme une limite, mais une richesse à part entière, est à nos yeux une des premières émergences de la pensée préfrontale dans la culture émotionnelle populaire. À ce titre, le socle de la psychologie moderne était né, celui qui permettait « de se complaire » à parler de ses états d'âme, condition *sine qua non* à la naissance d'une

---

1. Christophe André, *Imparfaits, libres et heureux*, Odile Jacob, 2006.
2. Jacques Fradin, Fanny Fradin, *Personnalités et psychophysiopathologie*, *op. cit.*

méta-psychologie, de la psychothérapie… et des neurosciences cognitives.

À notre sens, une culture qui n'atteint pas :

• au dépassement de ce que les hindouistes ont nommé la dualité ;

• à la prise de conscience de la continuité du réel (par exemple entre le chaud et le froid) ;

• à la complémentarité des « opposés » (la veille et le sommeil) ;

• à la relativité des représentations et valorisations (d'où l'émergence de mythes modernes comme le génie méconnu, le héros maudit, les bandits-gentlemen, les misérables et autres révoltés anoblis sous la plume de Zola, Balzac, Stendhal ou de la littérature contemporaine, etc.)…

… une telle culture n'est pas (encore) en état d'opérer des remises en cause profondes, collectives et individuelles, psychologiques mais aussi politiques, philosophiques ou scientifiques.

Du tabou au complexe

Prenons un autre exemple, celui de l'évolution des tabous, au sens très large, dans notre société contemporaine. **Les tabous classiques sont identifiables à ce que nous avons nommé « comportements automatiques d'évitement social »** (CAES, encore dénommés comportements hypofonctionnels ou hypos, selon une terminologie plus cybernétique). **Ils prennent une forme « basique », en ce sens qu'ils représentent des interdits sociaux portant sur l'objet lui-même.** Ainsi, le tabou sexuel « basique » concerne toute attitude évocatrice de sexualité en société. L'infraction, sous quelque forme directe ou indirecte, à l'interdit social (sous cette forme primitive qu'est le tabou) est perçue comme une provocation condamnable, prend des airs de scandale. Nous associons au tabou les vécus de gêne, sensation de ridicule, de mépris ou d'agacement. Ces vécus s'observent non seulement en situation d'affrontement, comme on le décrit classiquement, mais aussi en situation que nous avons nommée de résonance émotionnelle : lorsque l'on observe quelqu'un qui a une liberté que nous n'avons pas (interdite par un tabou, s'entend), nous éprouvons une telle résonance émotionnelle, même lorsque nous ne sommes pas concernés (au cinéma ou à la télévision, par exemple, même s'il s'agit d'une fiction).

Actuellement, dans de nombreux domaines, de tels tabous « basiques » tendent à laisser la place à des interdits plus relatifs, portant avant tout sur la façon de (mal) faire. **Dans notre modèle neurocognitif et comportemental (NCC), ce sont des hypo-métas : ils portent davantage sur la façon de faire que sur l'objet ou le comportement lui-même.** Concrètement, s'il n'est souvent plus du tout tabou de parler de sexe, ou même de le mettre en scène et actes plus ou moins explicites, il reste tabou (ridicule) de mal le faire ! Ainsi, s'embrasser sur la bouche en public est permis si l'on est jeune et beau, pas encore vraiment pour les vieux moches, ni pour les timides. Chanter en public est réservé à ceux qui chantent juste et ont une belle voix… ou au moins du culot et de l'aisance à jouer de leur malaise comme Woody Allen.

Mais tout cela est nécessaire pour l'agrément de tous, direz-vous ! Sinon, l'espace public deviendrait le déversoir de tout et son contraire. Certes, mais l'étau des tabous n'est sans doute pas encore assez desserré. Ainsi, un élève peut encore être ridiculisé s'il hésite ou se trompe pour apprendre dans un espace pourtant dédié comme l'école. Dans un stage de chant pour débutants, celui qui est plus atteint que la moyenne d'un groupe par un complexe (hypo-méta) sur le fait de chanter faux ne peut le faire sans se sentir ridicule… et même se faire moquer de lui. Il se tord de malaise et finit par lâcher quelques sons inaudibles… et affreux, comme il se doit. Il s'ensuit ce que nous appelons une pseudo-vérification que son complexe est fondé.

Le complexé présente la caractéristique d'avoir une « résonance émotionnelle » particulière devant celui qui parvient à « faire la chose comme il le faut » : un sentiment d'admiration avec émotion, allant parfois jusqu'à la sensation de sublime. Ce vécu est un mélange hétéroclite entre sentiment de gêne, classique dans l'affrontement comportemental du tabou (hypo), et vécu d'admiration en situation d'observation. Le sujet est à la fois admiratif et gêné, anxieux pour l'autre qu'il ne faille à la (sa) règle de la perfection et tombe ainsi dans le ridicule ou le méprisable.

Nous voyons ainsi que **l'hypo se dissout progressivement dans la continuité préfrontale.** À ce stade, l'adhésion cognitive à l'interdit, qui constituait l'intolérance et la moralisation de l'hypo basique, la condamnation scandalisée allant parfois jusqu'à l'exclusion sociale, laisse la place à une conscience progressive de l'interdit par celui qui en est victime : il reste émotionnellement « coincé » et incapable d'assumer l'acte socialement, mais il devient complexé de l'être.

Notons aussi que le sentiment esthétique de sublime entre dans la romantisation progressive du néo-limbique sous l'influence de la préfrontalisation croissante de notre culture : apprendre, être maladroit à tout âge, échouer, avoir l'air « bête » devient acceptable, cela constitue même des étapes normales et enrichissantes de l'apprentissage et de l'expérience de la vie. L'héroïsme n'est plus ce qu'il était !

On voit ainsi que **la préfrontralisation du néo-limbique, et le fractionnement de ses certitudes, n'est pas seulement cognitive. C'est bien sûr avant tout une valorisation métacognitive, abstraite, quoique intuitive et approximative, des six paramètres de la préfrontalité** (à travers un état d'esprit empreint de curiosité, acceptation, nuance, relativité, réflexion logique et opinion personnelle). **Mais c'est aussi une évolution cognitive « chaude », à travers une valorisation des valeurs/antivaleurs, de l'esthétique harmonie/dissonance.** Bref, c'est toute l'évolution vers l'art moderne et contemporain, qui a largement contribué elle-même à ouvrir la voie à l'exploration de l'imprévu et du risque, à l'inter-culturalisme, à la complexité.

Résumons-nous

Tabou et complexe

Le tabou (hypo) « basique » déclenche une réaction de mépris ou d'agacement, une gêne ou sensation de ridicule. Ce processus particulier utilisé par le mode mental automatique, ou MMA (néo-limbique), lui permet d'exclure ainsi certains comportements pour des raisons sociales primitives ou grégaires, normatives, ce qui est conforme à sa « mission » originelle de cohésion et spécification d'un groupe : le clan. Les rites tribaux, comme le snobisme contemporain, appartiennent, selon nous, à cette même catégorie de fonctions limbiques de catégorisation et segmentation des groupes.

Par contre, le complexe (ou hypo-méta) réagit sous forme atténuée de résonance en « admiration émue » vis-à-vis de ceux qui parviennent à s'affranchir avec élégance de l'interdit social. Nous y voyons une hybridation entre interdit (« ce n'est pas bien de faire cela ») et un début de sensibilisation « esthétique » envers la liberté de ceux qui se sont affranchis (« c'est sublime et désirable… mais pas – encore – pour moi »).

Petite méditation préfrontale à six balles !

Tout d'abord, ce bonheur est réellement gratuit… Ensuite, la duplication en est réellement libre. Enfin, il est à la portée de tous.

Nous l'avons dit, le mode préfrontal n'est pas simplement une ressource, il peut devenir avec l'entraînement une attitude, une forme de penser, d'agir et interagir. À terme, il finit par devenir presque immédiatement accessible en tout lieu et tout temps. C'est ce que l'on observe en sport lorsque le geste devient facile, délié, réactif, créatif, synchrone et autonome, flou et centré. On parvient à se sentir agir de l'intérieur, se coordonner aux autres de façon à la fois souple et globale. En termes techniques, les entraîneurs (Christian Target[1]) parlent de « flot » ou de *flow*[2]. C'est le miracle qui fait naître les

---

1. Christian Target, *op. cit.*
2. La théorie du *flow* est développée par Csikszentmihalyi aux États-Unis : voir, par exemple, Mihaly Csikszentmihalyi, *Beyond Boredom and Anxiety*, Jossey-Bass, San Francisco, 1975.

dream-teams, qui guide le pas d'un danseur qui capte, improvise sur le rythme d'une danse qu'il ne connaissait pas.

Plus concrètement encore ? Les perceptions gagnent en subtilité, les couleurs deviennent plus intenses, contrastées, les champs visuel et sensoriel s'élargissent. Les modes mentaux, les miens et ceux des autres, deviennent en quelque sorte progressivement « palpables », perceptibles, comme des lignes mélodiques superposées, interactives, d'une partition globale. Par exemple, nous (re)découvrons que notre bonheur dans la vie est de moins en moins lié à des conditions matérielles, ou moins encore sociales (lieu, mode, objets, relations, styles…), et de plus en plus à un idéal d'être. On profite aussi davantage de ce que l'on a, fait, est.

Et cela peut aussi devenir un ressenti de plus en plus spontané. Nous avons déjà qualifié cet état de « gazeux », où la structure mentale co-évolue avec l'expérience. Tout se passe comme si le bonheur de vivre dépendait alors de moins en moins des plaisirs/déplaisirs concrets, ou plutôt d'une forme particulière de concrétisation. On accepte mieux ce que l'on vit, on est plus enclin à en tirer parti. Non pas que l'on confonde plaisir et douleur, mais la variété des formes de plaisirs, de leur perception, devient de plus en plus palpable, fluide, imaginative, malléable, texturable. Et si effort il y a à faire, c'est le temps d'une prise de conscience de notre stress, par exemple, de notre « rigidité » sous-jacente, de la reconstruction de notre motivation à « changer notre regard ». D'une certaine façon, même notre mode automatique/limbique semble s'éduquer et prendre plaisir doucement à cette sérénité. Et c'est assurément la plus sûre façon pour lui de ne plus « se prendre la tête », une préoccupation pourtant bien quotidienne du MMA, mais c'est la méthode qui change !

Vous l'aurez compris, le MMP n'est pas froid de la froidure de l'abstraction par opposition au chaud limbique des émotions. Il a très peu (ou rien) à voir avec l'image de l'intellectuel (l'intello) « qui se prend la tête » à construire des réflexions compliquées, absconses, voire stériles (les « usines à gaz »). Ce personnage existe bien, mais il n'est pas très câblé sur son mode préfrontal. Non, la réflexion en mode préfrontal semble surtout fulgurante, elle est d'ailleurs, répétons-le, plus inconsciente et douce que torturante. On se concentre sur ce que l'on veut comprendre, bien plus que sur la construction précise de la réponse… qui vient souvent d'un bloc. C'est *Eurêka*. « Je ne cherche pas, je trouve », disait aussi (le préfrontal de) Picasso.

Le mode préfrontal ne s'oppose donc ni à la sensation reptilienne, ni à l'épicurisme des bons vivants, pas plus qu'à l'ouverture relationnelle des affectifs. Il peut parler de tout… car il n'a pas de tabou !

Les étapes qui permettent d'entrer dans le monde préfrontal

Étape 1 : la curiosité

Pour entrer dans le monde préfrontal, **fermez les yeux**, afin de vous abstraire quelques instants de vos références trop quotidiennes : la vision est cérébralement très postérieure, très ancrée dans le MMA, qui est, rappelons-le, lui aussi postérieur. Puis **laissez-vous bercer par les sons**, des plus proches aux plus lointains, tous ensemble, comme une symphonie. Ne zappez pas de l'un à l'autre. Puis **laissez-vous porter, sans rien lâcher des perceptions précédentes, par toutes vos sensations**, superficielles et profondes, laissez-les toutes remonter ensemble jusqu'à votre conscience, là aussi de façon floue et globale. **Laissez-les coexister sans s'exclure**, comme les différentes touches d'un même tableau. Si vous décrochez ou focalisez sur une stimulation quelconque, repartez de zéro, remettez du très flou et très global. Enfin, **lorsque vous parvenez à rester ainsi suspendu, comme si vous assistiez à un spectacle total, tentez d'ajouter la vision**, comme une vaste plaque sensible, ouverte à tout, en position « grand angle ». C'est un moment souvent difficile, où l'édifice préfrontal risque de s'écrouler… car la vision nous scotche facilement dans le concret, le matériel ; elle nous focalise. Si c'est le cas, recommencez à zéro (encore un « jeu de l'oie »).

Lorsque vous êtes parvenu à maintenir cet état de perception globale (avec ou sans vision, vous y parviendrez plus tard, en vous entraînant), **ressentez le calme profond qui vous a envahi.** Ce n'est pas parce que vous vous êtes vidé la tête. Vous pouvez d'ailleurs prendre le temps de penser à ce qui vous préoccupait et vous stressait. Ne lâchez pas vos perceptions globales et pensez à ce que vous voulez. Vous verrez probablement que le calme persiste. C'est parce que vous avez changé de mode mental et que le préfrontal est associé au calme (nous l'avons vu, coefficient de corrélation de 0,9 sur 1, autrement dit, les deux sont presque synonymes). Plus précisément, à la sérénité, c'est-à-dire la capacité à rester calme même quand tout va mal.

Imaginez que vous restez ainsi curieux de tout, comme pour la première fois. La chose vous est pourtant connue, même familière. En êtes-vous sûr ? Explorez-la, redécouvrez-la comme la mode redécouvre régulièrement des époques oubliées ou méprisées.

Car **nous sommes capables de nous intéresser et ré-intéresser à tout.** Tout peut devenir et redevenir passionnant, **par l'approfondissement, la complexification de notre perception.** N'est-ce pas cela la passion ? Avant de juger et rejeter, ou même négliger, imaginons la curiosité sans fin des spécialistes. Et s'il reste possible que certains thèmes nous intéressent moins que d'autres, au terme d'une longue exploration et pratique assidue (et non au titre d'un simple préjugé), nous apprenons à surmonter les crises, faire bon cœur contre mauvaise fortune et tirer parti de l'imprévu, remonter des échecs, admettre des erreurs qui coûtent bien moins cher que notre obstination. **Nous sortons du rejet et de la désapprobation.**

Étape 2 : l'acceptation

Si la vie nous contraint à ne pas réussir, à perdre nos relations, détourner nos actions, nous amoindrir par le vieillissement ou la maladie, nous pouvons découvrir, reconstruire, métamorphoser notre vécu. Et cela de façon active (« rebondir ») aussi bien que passive (accepter les choses comme elles sont). **Sortir de sa « mauvaise case » limbique, c'est concevoir l'opportunité qui se cache derrière le désagrément.**

C'est à portée de préfrontal, source d'une expérience, d'une aventure dont la richesse n'est pas encore concrétisable, ou même imaginable. Le négatif se révèle souvent l'échec d'une stratégie, plus que la réalité qu'il cache. Recruter le mode préfrontal par la curiosité, c'est concevoir que l'échec ou le manque peuvent stimuler notre créativité et, pour le moins, développer maturité, patience, sagesse, sérénité. Cela dépend avant tout de nous, de notre capacité à concevoir, désirer et nous mobiliser pour adopter l'état d'esprit qui convient.

Imaginons ainsi qu'il existe une infinité de façons d'être heureux, que notre regard détermine bien plus notre tension ou notre apaisement que la difficulté en soi de la situation. Quelle qu'elle soit. En fait, l'essentiel nous échappe toujours, inexorablement. Il y a toujours des dizaines, milliers ou millions d'autres choix. Quoi que l'on décide, qui que l'on soit. Donc l'important n'est souvent pas là où on le croit : savoir vivre, c'est choisir et en accepter les risques. Il y a plus à gagner à accepter les avantages et inconvénients d'un choix, qu'à regretter et… bloquer sa capacité à décider de nouvelles fois. Ou à se morfondre à regarder ce que l'on a perdu. Il y a toujours un pré d'à côté où l'herbe est plus verte. Mais cela attise le sentiment d'échec, d'erreur, de jalousie. Et renforce le MMA. Stop au MMA quand il n'est pas compétent.

Cela permet de cultiver sans regret ni remord le plaisir de l'instant, pour mieux en extraire la substantifique moelle, en cultiver la richesse immédiate ou différée (l'expérience, la maturité) plutôt que courir derrière ce qui nous fait défaut. Certes, le préfrontal est plus « doué » que tout autre « amas neuronal » pour créer, changer, renverser des montagnes… de fausses difficultés. Mais, dans le même temps, et peut-être plus encore, il ne perd pas sa vie à vouloir la gagner, ne se noie pas dans l'ambition sociale et la compétition stérile, l'insatisfaction chronique et la comparaison. Il semble savoir faire son miel de toute fleur. Or la première condition pour cela, c'est **l'acceptation. De soi et du réel comme il est.** En fait, il s'agit juste d'actualiser sa carte du monde. Refuser, c'est nier, se cacher la tête derrière une pierre. Ne pas combattre. Tout combat réel, efficace, suppose de voir d'abord les choses comme elles sont, là où elles sont, vues depuis là où l'on se trouve. **Accepter ne préjuge pas de l'action, ou de l'inaction.** À partir de là, de ce point de vue, avoir pour objectif de se préfrontaliser « en profondeur », **c'est conclure un pacte avec soi-même, notamment de ne plus rien refus**er. Pourquoi perdre du temps à refuser ? Nous savons très bien, au fond de nous, qu'il s'agit d'« enfantillage », puisque nous n'y cédons pas lorsque la situation est grave. Il est donc grave aussi de se pourrir la vie au quotidien avec nos petits refus… qui nous font mener une « petite vie ».

Si nous pouvons nous **défaire en profondeur, de façon systémique, de notre refus naturel (pour le MMA)** en une seconde plutôt qu'en trois (ça peut sauver la vie au volant), un quart d'heure au lieu de trois heures (ça peut sauver une vie de couple ou du moins bien des soirées stériles), un jour plutôt que trois semaines… ou trente ans (le temps d'un deuil ou d'une « sale » rupture totalement refusée), ce sera encore mieux. C'est une performance qu'on pourra toujours améliorer, sans effets collatéraux. **Être souple et mature libère notre capacité d'action et lui permet de se réaliser sans tension.** Notre cerveau, telle une biche de Walt Disney, devient prêt à bondir dans une autre direction, et capable d'inventer même l'espace-temps qui va avec. On devient de plus en plus « gazeux », capable d'occuper dans l'instant tous les espaces vides, mobile comme les nuages, capable de plier sous la vague pour mieux en ressortir, glissant sur les obstacles, les englobant et les redessinant, comme en surf…

Étape 3 : la nuanciation et la complexification

La nuanciation n'est pas la curiosité. Elle n'est pas en quête de tout et du vaste inconnu, tel un papillon que tous les souffles emportent. **La nuanciation se focalise sur les détails de l'objet de notre attention,** sur les gradients d'arc-en-ciel qui séparent les opposés.

Dans la nuanciation, nous ne cédons pas aux charmes héroïques du discours bien tranché, catégorique et binaire, porteur d'actes pourfendeurs aussi courageux qu'ineptes. Trop imager, réduire à des simplifications « pédagogiques » peut également… infantiliser. Du moins pourrait-on rester conscient des approximations qu'imposent parfois le langage et l'action quotidienne. Car, sur le fond, dans l'esprit plus que dans la lettre, l'affirmation est absurde, vide de sens, quel qu'en soit le contenu. Si nous affirmons par défaut, parce qu'il faut bien s'exprimer, simplifier quelque peu la forme, sur le fond il n'y a pas de quoi se battre, même par mots interposés. Ne savons-nous pas, au fond, que la complexité du réel est indescriptible, et pour le moins difficile à « mettre en pages » ? **Nous fonctionnons dans un espace-temps physique et culturel entre ce que nous concevons et ce que nous exprimons, entre ce qui est et ce que nous concevons.** Idéalement, cela devrait aller de soi à chaque instant et, s'il nous arrive alors de l'oublier, nous pourrons cultiver cette conscience jusqu'à ce qu'elle s'ancre dans nos représentations les plus automatiques. Pour le préfrontal, même les choses les plus graves sont… acceptables, parce que réelles. Mais ce que nous en percevons est approximatif. Et, quand on l'a définitivement admis, qu'on a donné une carte blanche au réel, on paraphrase Talleyrand et l'on dit « pire qu'un crime, c'est une erreur » de penser autrement.

Donc, entrons dans les détails indescriptibles et pourtant fascinants de la réalité invisible : que s'est-il réellement passé ? Plus je scrute ce visage qui me paraissait fermé, moins je sais ce que l'autre pense. Et plus je fronce les sourcils pour affiner ma perception de l'objet de notre litige, moins je sais ce que j'en pense. **Tout est si complexe qu'il devient apaisant de contempler ce qui nous sépare chacun de la… raison.** Cela peut me donner envie de rire, mais je ne voudrais pas donner à penser que je me moque de lui, alors que c'est surtout de moi. Un sourire suffira peut-être à détendre l'atmosphère, une question à rouvrir le débat : « Je me suis rendu compte que les choses sont peut-être plus complexes que je ne le disais… » Sourire approbateur de mon désormais comparse : « Oui », lâche-t-il, soulagé de cette issue inattendue… Et pour le coup, nous éclatons tous deux de rire.

Étape 4 : la relativité

Venons-en à la dure réalité de la relativité de toute connaissance. Tout n'est pas de savoir que chaque bribe particulière de connaissance ou d'observation est floue, voire fausse, en tous les cas inexorablement réductrice, pire est de se dire que la somme de ce fatras d'imprécision doit générer de bien piteux calculs. Car l'incertitude sur la somme croît comme la somme des incertitudes, disent les profs de maths. Mais l'incertitude sur la différence croît aussi comme la somme des incertitudes. Et celle des divisions comme la multiplication des incertitudes. Bref, le pire ne fait que commencer. **La relativisation prolonge la nuanciation. La complexité de l'infiniment petit est grande, mais nous sommes encore bien plus petits devant l'infiniment grand.** À l'échelle de l'univers et du sens des choses, l'infini est encore plus inconcevable (les mathématiciens parlent d'un infini d'autant plus dense qu'il comporte davantage de dimensions, elles-mêmes infinies).

En regard de cela, peut-on se prendre au sérieux ? Hors de leur contexte limbique, les termes de fierté ou de certitude perdent tout sens dans le doux état gazeux que semble sécréter le préfrontal. Cela ne nous empêche pas d'avoir des représentations d'usage, « moins pires » que l'ignorance totale, des opinions et actions provisoires et jetables, valides pour autant qu'elles nous permettent ici et maintenant d'accéder à quelques résultats de vie, satisfaisantes en termes de vécu, de subjectivité, d'agrément plus ou moins partagé, de résultats techniques dans cet espace-temps. Et il faut le dire vite, car vérité en deçà de sa génération, erreur au-delà. On le vérifie par exemple avec le réchauffement climatique, qui a surpris tout le monde par son ampleur, même les écologistes et les scientifiques.

Étape 5 : la réflexion logique

La rationalité constitue l'étape suivante, cruciale car prédécisionnelle, de ce petit train de l'esprit intérieur. Étant donné tout ce qui précède, **en considérant que rien n'est jamais acquis, nous nous trouvons devant un vide.** Que faire si l'on ne sait rien dire, penser ou, *a fortiori*, affirmer ? Nous sommes pourtant pourvus d'une fonction mentale, la cinquième des merveilles préfrontales, à même de résoudre ce rébus.

Prenons le temps de réfléchir, de laisser notre « bon sens » fonctionner… Non par inquiétude et volonté de contrôler, d'apporter de suite une réponse, mais plutôt par jeu. Comment deviner, puis révéler les forces à l'œuvre derrière les apparences que l'on sait trompeuses ? Comment démonter les causes des effets que l'on peut observer ? **En acceptant de se confronter et re-confronter aux émergences de la réalité par le canal de nos sens, celui des appareils que nous avons conçus pour les prolonger, par celui du dialogue et de l'esprit critique, par les succès et les échecs, notre système de représentations peut alors se modeler.** Il peut se structurer et reconstruire sans cesse par l'expérience, la réflexion qui la polit et repolit. Car se tromper n'est pas grave, c'est persévérer à tort qui est diabolique… ou plutôt automatique !

Et n'imaginez pas que ce soit fatigant de réfléchir : c'est chercher à « retrouver » ce que l'on sait qui est pénible, et non pas réfléchir. D'ailleurs, le préfrontal travaille tout le temps, même et notamment chez les dépressifs ; on peut le voir en imagerie cérébrale ! **Il suffit de s'ouvrir à la réflexion, à la recherche de compréhension, selon les critères de l'EEMM, pour constater que l'on se détend, même sur le paramètre de la réflexion rationnelle.** Comme quoi, il n'y a pas que la contemplation pour détendre… alors que le vrai travail crisperait ! Non, être intelligent (doué, dit-on en langage courant), c'est facile. Être brillant, c'est avoir « des facilités ». En fait, ce qui nous tend, c'est de penser que réfléchir est compliqué. Celui qui se croît cancre ne réfléchit pas (*cf.* les travaux de Houdé[1]) et il éprouve un sentiment fort désagréable d'effort inefficace qui le dissuade de continuer… à pseudo-réfléchir. Mais tout s'apprend ou se réapprend, à tous les âges, si l'on comprend du moins où était notre erreur.

---

1. O. Houdé, L. Zago, E. Mellet, S. Moutier, A. Pineau, B. Mazoyer, N. Tzourio-Mazoyer, *op. cit.* ; Olivier Houdé, Bernard Mazoyer, Nathalie Tzourio-Mazoyer, *Cerveau et psychologie*, PUF, 2002, p. 26.

Le cerveau intelligent analyse et crée en permanence des réponses plus ou moins sur mesure, de façon inconsciente et indolore. Il propose en fonction des événements, par le biais des pensées, des mots, des équations ou des actes. L'empirisme n'est qu'un mode mental suffisant pour reproduire ce qui marche déjà. C'est aussi un mode à abandonner à la moindre alerte de dysfonctionnement révélée par le stress. Il est d'autant plus judicieux de se servir de son intelligence en « routine » que, finalement, il est plus agréable d'être en mode intelligent (« doué ayant des facilités ») qu'en mode automatique (« cancre parfois laborieux et méritant, mais vraiment pas doué »). Le mode automatique semble donc être, en situation difficile, un véritable « boulet » que l'on traîne faute de pouvoir le jeter, un système bancal sur toute la ligne, puisqu'il génère des erreurs qu'il ne peut accepter ni gérer… **Chacun son rôle, le MMA, c'est fait pour ce qui marche déjà, le préfrontal pour ce qui ne marche plus ou pas encore. Ou pour ce qui est vraiment complexe.**

La réflexion c'est : qu'est-ce qui se passe ? Qu'est-ce qu'on me demande ? Que cela signifie-t-il vraiment ? Quels sont les causes et les effets ? Qu'est-ce qui produit vraiment l'effet ? À quel moment cela a-t-il vraiment commencé ? Et qu'est-ce qui a pu le provoquer ? Selon quelle séquence ? Quels enchaînements de causes et d'effets ? Quelles convergences ou divergences ?

C'est un plaisir de réfléchir et nous l'éprouvons tous, mais pas dans tous les domaines. Il est intéressant de faire l'expérience, de le généraliser. Laissez-vous entraîner là où vous n'aimez pas le faire. Les relations humaines vous agacent souvent ? Avez-vous pris le temps d'y réfléchir, de vous demander ce qui sous-tend une attitude, plutôt que de la juger ou de la fuir ? Si c'est la mécanique ou la techno qui vous effraie, prenez le temps de regarder, de comprendre ce qui se passe, ce qui provoque quoi ? Attention, là vous ne branchez pas le bon mode : vous êtes en attente de résultat. **Laissez-vous porter à comprendre un peu de cette inextricable réalité.** Rien qu'un peu. Et vous irez chercher votre informaticien après. Ou votre coach ou confident. **La réflexion logique, ça se cultive.** Il faut l'essayer et s'entraîner pour le sentir pleinement. Redisons que **la vraie réflexion se fait surtout inconsciemment et qu'elle produit souvent ses effets avec retard**, après que l'on a pensé à autre chose. Après une pause ou le sommeil, ou lors d'une conversation (l'intuition concernant aussi bien les arts que les sciences, ou même les sentiments).

Vous l'aurez compris, certains que l'on appelle « parleurs » et « conseilleurs » ne sont donc pas forcément sur le mode préfrontal ! L'« intellectualisme » peut être cynique, mais aussi dépressif, conséquence d'une incapacité, voire d'un refus, de décider un passage à l'action, avec tous les risques qu'une telle « décision » peut comporter. Ce qui nous amène avec brio à la prochaine étape.

Étape 6 : l'opinion personnelle

La réflexion logique n'est bien sûr pas un outil de réponse absolue sur ce qu'est l'univers. Elle ne fait que débrouiller un peu de l'écheveau que notre préfrontal semble se plaire à toujours embrouiller. Ce n'est qu'un outil d'adaptation de nos actions à nos perceptions/représentations approximatives et fragmentées de l'univers, qui nécessite une réadaptation permanente[1]. La logique ou rationalité, la capacité à identifier les causes cachées des effets visibles, a été sélectionnée par l'évolution des espèces pour nous permettre de mieux faire face aux nécessités de l'instant. Elle nous permet de sortir du cycle de l'échec par persévération (obstination) ou du risque considérable que représente le mode essai/erreur.

Pourtant, nous l'aurons compris, la sécurité totale n'est pas, loin s'en faut, possible, même par la réflexion logique. Et le problème n'est pas résolu par l'opinion des autres, de tous les autres, par le vote démocratique ou la tyrannie des croyances, elle(s) aussi sujette(s) à caution. Souvent, chacun est à sa place, et les autres voient notre situation « depuis leur porte ». Et les autres ne sont qu'humains : donc, comme nous, ils ne détiennent aucune vérité. Ce qu'ils connaissent de nous

---

1. Décrite, en systémique, par une boucle de rétrocontrôle.

est très limité, souvent plus limité encore que ce que nous connaissons de nous-mêmes ; ce qui est très peu…

La représentation des autres comme « un autre soi-même » est mieux que rien, mais largement inexacte, dans la mesure où l'autre n'est pas le double de nous-mêmes. Notre idée de l'autre est largement projective. Si l'on reste à l'écoute des autres, on découvre toujours que l'on a bien fait de le faire. Ce que nous croyons que les autres pensent de nous n'est même pas ce qu'ils pensent, c'est seulement ce que nous en devinons, retenons, déformons, ce que nous croyons voir de ce qu'ils disent ou montrent. Et quand on sait tout ce que chacun cache pour ne pas se dévoiler, vexer, paraître idiot, etc. De surcroît, et sans doute surtout, la préoccupation par le regard des autres est sous-tendue, en MMA, par la grégarité limbique, paramètre miroir de l'opinion personnelle sur l'EEMM. C'est sans doute pour cela que les questions que nous nous posons sur ce que les autres pensent de nous sont souvent bêtes : quand nous les posons, nous ne sommes pas câblés au mieux ! Ce paramètre réduit encore notre esprit critique, donc la validité de notre opinion (n'en jetez plus, la cour est déjà pleine !). **Plus nous nous demandons fébrilement ce que pensent les autres, plus cela signe le MMA… et le stress qui en résulte signe logiquement le désaccord de notre préfrontal avec ces pensées automatiques de l'instant.** Non, le drame ordinaire que nous vivons au quotidien ne vient pas tant de notre cruelle destinée qui nous affligerait (prenez la pose pour la postérité !), mais plutôt de l'affliction de notre intelligence inconsciente devant notre bêtise (cachez-vous, cela pourrait se savoir !).

Incertain et content de l'être

Cela pourrait être une bien mauvaise nouvelle, mais elle en cache une autre qui pourrait être meilleure : **oui, notre intelligence nous parle. Écoutons-la. Et que nous dit-elle ? Qu'elle sait gérer l'incertitude. Que la confiance en soi est une illusion.** Que la prise de risque est la seule réponse raisonnable à la non-maîtrise structurelle dans laquelle notre humaine condition nous plonge tous tout au long de notre vie.

Car l'indécision est une décision à part entière. Qui comporte des risques. Les avons-nous clairement évalués ?

Non, l'anxiété ne vient pas de l'incertitude Mais du refus que nous avons de l'assumer. Pour paraphraser Épictète, « *ce n'est pas tant parce que les choses sont difficiles que nous n'osons pas, mais parce que nous n'osons pas qu'elles sont difficiles* ». Voilà un raisonnement typiquement systémique et logique, une recherche attentive des causes et des effets (entre la prise de risque et le risque final réellement encouru) qui peut très bien résoudre un problème apparemment insoluble. S'abriter derrière les autres ou les dogmes est une erreur fondamentale. Nous ferons mieux d'admettre que chacun est seul devant sa vie, que nous sommes seul devant nos décisions. Il est plus intelligent de se faire une opinion, même tronquée – et elles le sont toutes –, et de savoir qu'il ne s'agit que d'une opinion, à réévaluer constamment.

En cas d'échec, la culpabilité anxieuse n'est pas un état lucide et intelligent. C'est une négation du risque qui permet de le condamner. Cette culpabilité irrationnelle est une caractéristique limbique, tandis que le mode préfrontal « *sait qu'il ne sait pas* », comme le disait Socrate. Cette « modestie » n'est pas une coquetterie sociale ni une obligation morale, elle naît de la conscience aiguë de nos limites, elle-même issue de sa capacité innée, structurelle, à se construire des représentations globales.

Si l'incertitude affole le mode limbique, la préfrontalité y puise de l'apaisement. Car l'enjeu d'un choix cesse d'être dramatique, d'ailleurs le choix réduit les risques et non l'inverse. Tout le monde peut se tromper… et se trompe, mais moins que celui qui ne fait rien, ne risque rien. Pourtant, sous l'impulsion des nécessités de l'image sociale en MMA, beaucoup cachent leurs erreurs ou, pour mieux se camoufler, pensent-ils (qu'on est bête dans cet état !), en accusent les autres. En mode préfrontal, nous savons « naturellement » qu'une décision est un choix entre des possibles et des prises de risque. Échouer est d'abord l'accomplissement d'un choix risqué qui a mal tourné, mais peut-être moins qu'un autre. La réussite n'est que

l'inverse, un état aléatoire et provisoire. D'ailleurs, de tout ce que nous avons et de tout ce que nous sommes, que sommes-nous sûr de ne jamais perdre ? Réfléchissez bien…

La question ne serait probablement pas de savoir si l'on risque de perdre, mais plutôt quand et où ! Ce n'est plus un risque mais une certitude, ou presque. Et cela concerne tout le monde, même les donneurs de leçons (en MMA *of course*). Vous êtes un peu perdu… pas de panique :

Résumons-nous

Session de rattrapage : le préfrontal pour les nuls
À faire :

- *Aller voir ailleurs (les voyages – dans tous les sens du terme – forment la jeunesse à tous les âges).*
- *Écouter l'interlocuteur jusqu'au bout et le questionner encore quand il s'arrête (pour bien comprendre comment il fonctionne).*
- *Profiter pleinement des critiques (jamais nos amis n'oseraient nous dire ce qui nous fâche ! Nos détracteurs sont donc précieux).*
- *Cultiver la modestie (si l'on est culotté) et l'aplomb (si l'on est complexé), car cela fait pousser les cheveux…*
- *Oublier ce que l'on voulait dire si l'on avait vraiment trop envie de le dire.*
- *Réfléchir vraiment de temps en temps (il fallait bien au moins un truc sérieux dans la série).*
- *Tirer à pile ou face une décision entre deux décisions intelligentes, parce que ça sera toujours mieux que de ne rien faire.*
- *Ne surtout pas demander ce qu'en pensent ceux qui ne veulent pas qu'on agisse, ceux aussi qui ont plus peur que nous.*

À ne pas faire ou dire :

- *C'est con, ça ne m'intéresse pas (avant d'avoir vu).*
- *Pousse-toi de là, tu pollues mon paysage.*
- *Je ne céderai jamais.*

- *Ça passe ou ça casse.*
- *Choisis ton camp.*
- *C'est la vérité.*
- *Je le ferai toujours.*
- *Je n'y arriverai pas.*
- *Je ne suis pas doué.*
- *C'est comme ça. C'est la meilleure façon de faire.*
- *Les gens sont méchants (ou gentils).*
- *J'en étais sûr, j'aurais mieux fait de me casser une jambe.*

Être léger et mature à la fois

La préfrontalité, c'est léger sans être insouciant. On se sent à la fois intelligent et ouvert, plutôt de bonne humeur, quoi qu'il arrive, avec une facilité relative à son degré de préfrontalité. Cette philosophie de la Gestion des Modes Mentaux peut bien sûr être rapprochée de certaines pratiques et conceptions spirituelles, non pas parce que l'on doit croire à « l'esprit », mais parce qu'il apparaît assez clairement que certaines approches traditionnelles ont « touché du doigt » ce fonctionnement mental. Et comme il est inconscient, cela peut avoir l'air magique... ou venu d'ailleurs. Ainsi en est-il de certaines facettes de l'approche des méditants du Tch'an, mais aussi de certaines approches philosophiques de la vie et de la pensée : Socrate, Montaigne, Spinoza... et beaucoup d'autres.

Dans la dimension préfrontale, la représentation scientifique est d'abord un outil pour mieux vivre. Car, paradoxalement, la distance entre le monde que nous observons dans notre espace-temps et l'action que nous aurons sur lui est plus réduite avec le préfrontal, même si, ou plutôt à cause du fait que, ce « cerveau » est plus complexe[1]. Car plus complexe signifie plus précis, plus à même aussi de déboguer les erreurs qui nous éloignent du réel ! En fait, **mieux comprendre permet, à terme, de simplifier vraiment le discours et** l'action, de les dépouiller du folklore des paramètres non actifs. Trouver la ou les « substances actives » rend l'action plus aisée et, du moins, plus efficace.

Nous avons vu que **le préfrontal est un système puissamment adaptatif, mais qui relativise les expériences, permet de changer d'axe, de reconstruire de nouvelles expériences dans un contexte mouvant, en temps réel et dans lequel rien n'est fixe.** En tant que tel, ce système n'est pas fragile abstraitement et… psychologiquement. On ne peut pas « briser », ni même ébranler, un mode préfrontal dans des conditions de vie normales, et parfois mêmes extraordinaires, si l'on en juge par la vie des Nelson Mandela, Alexandre Soljenitsyne et autres Andreï Sakharov, pour ne citer qu'eux.

La confiance en soi existe-t-elle ?
Confiance et méta-confiance

La confiance en nous la plus émotionnelle et basique résulte de l'accumulation de nos succès. C'est un capital confiance. À l'inverse, l'échec entame ce capital et l'on peut acquérir un passif (capital négatif ou dette), comme en finance : le manque de confiance en soi. Nous souffrons à notre égard, ou à l'égard d'un autre, d'un préjugé négatif.

Il se trouve également que la bataille entre la capitalisation des succès et celle des échecs n'est pas tout à fait symétrique, pas vraiment à armes égales. Rappelons-nous : pour des raisons biologiques, l'échec

---

1. Sur le fond, la science contemporaine se scinde en deux grandes tendances. L'une, celle des sciences fondamentales, s'éloigne de nos représentations mentales, modélise l'univers de façon « incompréhensible », non sensible (sur le plan sensorimoteur et néo-limbique du MMA, tout du moins) ; ces sciences fondamentales nous concernent surtout par certaines retombées technologiques, économiques, culturelles, qui nous parviennent. L'autre tendance est plus proche que jamais de nos questions et motivations humaines. Parmi elles, les connaissances de la biologie, de la médecine et des neurosciences, en plein développement, bouleversent notre vie et notre vision de nous-mêmes, ainsi que nos moyens pour nous réaliser, nous épanouir et guérir.

est beaucoup plus programmant que le succès. Combien faut-il d'échecs pour compromettre la vie ? Parfois, un seul. Combien faut-il de succès pour réussir sa vie ? Il en faut tous les jours. Ainsi, quelques échecs peuvent suffire à effondrer la confiance en soi émotionnelle, limbique. **Pour pouvoir rebondir de l'échec, la première chose à apprendre, ou plutôt à réapprendre constamment, c'est notre confiance en nos capacités d'apprentissage.**

Il y a un apprentissage de base, émotionnel, technique et sémantique, et un méta-apprentissage qui concerne notre capacité d'apprendre, notre méthodologie de l'adaptation. On peut développer cette compétence particulière et c'est elle notamment qui peut nous apporter une méta-confiance en nous qui « transcende » les événements, dont certains semblent détenteurs[1], mais que tout le monde peut acquérir. Il y a donc ce que l'on sait ou peut et ce que l'on comprendra ou fera, ce qui est en devenir… si l'on ne coupe pas le fil de l'apprentissage par le découragement.

Disons qu'apprendre à s'adapter, d'une certaine façon, c'est pouvoir se dire : je sais que je ne sais pas grand-chose, mais je pourrai découvrir, sentir, comprendre, changer bien des événements, situations, contextes qui me sont jusqu'ici inconnus. **Nous manquerons souvent de confiance en nous, ce qui… pourrait être bon signe, tant que ce « nous » concerne le mode automatique. Nous pouvons alors chercher la confiance au deuxième degré, cette méta-confiance en nous, en notre capacité d'adaptation…** et pour cela, il n'est jamais trop tard. Ce n'est pas l'espoir passif qui fait vivre, mais l'engagement de tout son être dans une renaissance quotidienne.

En fait, l'excursion peut se poursuivre. En allant plus loin, au-delà du Pack Aventure, de la possibilité de globaliser l'expérience à l'échelle d'une vie, d'un apprentissage, d'une esthétique, en trouvant du

---

1. Voir aussi notre livre *Manager selon les personnalités* (*op. cit.*), qui définit le rôle complémentaire que le tempérament joue dans notre résistance à l'échec et la capacité à en tirer parti.

bonheur et de l'utile dans les contre-expériences ; on entre alors dans les prairies célestes de la « préfrontalité débridée » – si l'on peut dire – où la notion même de confiance en soi se dissipe : confiance en quoi ? À quoi ça sert ? Pourquoi ne pas s'octroyer un droit imprescriptible à essayer jusqu'à ce que mort s'ensuive ?

Ne suffit-il pas de faire ce que l'on croit intelligent et adapté, de garder l'esprit critique sur soi et les autres, sur les décisions, les actes et les contenants, les siens et ceux des autres ? En gardant les yeux ouverts et l'esprit vif, en considérant que jamais rien n'est sûr ni acquis sans que cela soit un drame puisque ça ne peut pas être autrement, alors la notion de confiance apparaît comme une notion rigide… qui n'augure donc rien de bon, comme disait notre cher Knock. La notion de confiance en soi est issue de nos structures cérébrales automatiques, « inventée » ou, plutôt, exprimée par ceux qui ont un capital confiance émotionnel, ou fantasmée par ceux qui ne l'ont pas ou plus. Car peut-on avoir raisonnablement confiance en soi ? N'est-il pas préférable d'être simple, sans préjugé, du genre « on fait tout ce qu'on peut pour atteindre ce que l'on souhaite, puis on verra bien » ? À un certain niveau, la confiance en soi semble donc soit un aveuglement émotionnel dangereux, soit une projection faite par des gens angoissés (soumis, complexés, etc.). C'est notre cerveau limbique, néo et paléo confondus, qui souhaite pouvoir tout contrôler, échapper à ses mauvaises cases[1].

Mais la conception qui nous laisse le plus en paix, qui semble donc la plus préfronto-compatible, c'est : préparons, agissons, surveillons et on verra bien ! Et si l'on ne vit plus dans la nécessité de la confiance en soi ou dans les autres, alors on ne craint plus de la perdre ! En tout cas, à l'échelle de la vie, ce problème perd son sens : nous savons que nous allons tous mourir, que nous perdrons donc tout contrôle sur l'essentiel et sur le tout, à un moment ou à un autre, que cela se produira de l'une des multiples façons possibles, que nous ne cernerons pas forcément à l'avance, ceci quelles que soient les précautions

---

1. La mauvaise case est une situation où une antivaleur devient réalité.

que nous ayons pu prendre. C'est peut-être comme si nous étions dans une sorte de supermarché où nous savons que, quoi que nous prenions dans les rayons, nous ne sortirons pas sans nous être intégralement fait dépouiller de tout et de nous…

Donc, la notion de confiance en soi semble relever avant tout de l'image sociale (que va-t-on penser de moi ?) ou des craintes d'indignité de la soumission (ai-je le droit de faire, de réussir, d'être heureux ?). En MMP débridé, on préférera la notion d'art de vivre, individuel ou collectif. Il est plus important de savoir bien vivre n'importe quoi que de vouloir assurer quoi que ce soit (ou rassurer n'importe qui).

Suis-je le programme ou la télé ?

Antonio Damasio[1] parle d'une mémoire autobiographique. C'est la représentation de soi, un méta-apprentissage, une certaine idée que l'on se fait de soi ou de sa vision des choses. Mais cette représentation est à la fois complexe et évolutive. En ce sens elle fait appel à la préfrontalité. Et elle peut devenir rigide et s'ancrer alors davantage dans nos structures cérébrales automatiques.

Nous préférons donner l'image suivante, qui dissocie davantage l'idée de contenant et celle de contenu : je suis une télévision, je capte pour l'instant une chaîne, un programme qui déroule ce que je crois être moi. J'apprends alors que je peux zapper, découvrir qu'il existe d'autres chaînes que je n'ai jamais essayées… me prendre pour un autre. Nous ne parlons pas ici des états pathologiques dits de personnalités multiples. Nous évoquons plutôt l'expérience ludique de l'acteur de théâtre, du jeu de rôle. **L'action thérapeutique gagne à s'enrichir de cette exploration d'autres soi-même possibles**[2]. Et laquelle est la plus vraie ? **Pourquoi s'enfermer dans un contenu quand on comprend que l'on naît d'un contenant ?** Ce que Damasio

---

1. Antonio R. Damasio, *Le sentiment même de soi, op. cit.*
2. Voir, par exemple : Georges Kelly, *Personal Construct Theory,* Academic Press, 1980.

appelle « la conscience noyau ». Cette conscience-là préexiste à toute expérience, c'est celle que nous retrouvons à l'instant de l'éveil ou au sortir d'une anesthésie, d'un coma. **Notre mémoire autobiographique est une richesse si elle est une base de données, un contenu, mais elle peut être une prison si l'on se prend pour elle, on se sent enfermé par elle.**

Un exemple : en thérapie, il m'arrive souvent d'entendre des patients qui arrivent en séance en me disant : « J'étais très mal ce week-end, je ne savais plus quoi faire, je ne me souvenais plus des dernières séances. Et puis j'ai pensé à vous, je me suis demandé ce que vous auriez pu me dire ; là j'ai trouvé. Et je me suis senti(e) mieux. » Pas de miracle ni de transfert énergétique à mon insu, cela illustre simplement ce que nous venons de voir. Tant qu'un patient/client se prend pour lui, et qu'il me prend pour l'idée qu'il se fait de moi – thérapeute, scientifique –, il ne peut s'approprier pleinement ce qu'il comprend et construit en séance. Par contre, certains se donnent tout de même la liberté d'imaginer ce que je pourrais leur dire ou penser à leur place. Qu'ils pensent juste ou qu'ils se trompent par rapport à ce que je pense vraiment n'est pas le débat, ce qui est important c'est qu'une partie considérable de leur intelligence est entravée par l'idée que « c'est un autre qui penserait ça », alors que, jusqu'à preuve du contraire, tout ce qui se passe dans notre tête nous appartient. Bref, ce qui a parlé en eux est bien un morceau d'eux et non pas moi. Je décline toute responsabilité !

Oui, ces patients qui se calment en pensant à ce que leur thérapeute (ou conjoint, ami…) pourrait leur dire se calment en fait eux-mêmes. Mais ils ne peuvent se l'avouer. En s'enfermant dans une certaine idée d'eux-mêmes, ils ne peuvent s'approprier toute leur créativité, leur propre opinion, qu'ils ont ainsi besoin de faire porter par d'autres.

Qui ne suis-je pas ?

Faites ainsi le bilan de votre richesse intérieure : tout ce que vous pensez appartenir à Mozart, c'est vous (lui, il a écrit la musique, mais, vous, vous reconstruisez la beauté du concerto n° 20 dans votre tête, même si tout le monde ne l'aime pas – et peut-être, vous, lecteur, en l'occurrence) ; tout ce que vous aimez des littérateurs, architectes, philosophes, toutes les idées que vous avez en pensant à Nelson Mandela, Laborit ou Voltaire, c'est encore vous. **La richesse de chacun est d'abord celle de l'humanité.** Nous ne sommes créateurs que de bien peu de chose. Alors si nous nous interdisons de profiter de tout ce qui fait nous, nous ne pouvons être ni Montaigne, qui faisait son miel de tous les pollens de la connaissance, ni Mozart, qui faisait la musique qu'il aimait sans se soucier de qui il s'inspirait. Ce n'est pas du piratage intellectuel, c'est du bon sens préfrontal, les meilleures choses étant faites pour être partagées. Et pas comme des voleurs.

Tout ce que nous sécrétons comme images et représentations, l'idée que nous avons des œuvres et des génies que nous admirons, celle de nos amis, conjoints et autres personnalités que nous apprécions, tout cela, c'est encore nous. Ne plus se prendre pour soi, ou plutôt pour une certaine autobiographie enfermante, c'est se sentir libre de ne plus sortir d'un personnage de théâtre qui nous plaît, mais, si bon nous chante, d'en garder toute une partie dans la vraie vie. Quelle vraie vie d'ailleurs ? Le jeu n'en ferait pas partie ?

C'est ce que nous proposons en Thérapie neurocognitive et comportementale[1] (TNCC) dans nos exercices de théâtre (que nous avons nommés « art dédramatique ») : **se prendre, par exemple, pour Richard III, le devenir physiquement, à travers sa propre télé, sa** *« conscience noyau »* **dénoyautée ! Tout ce qu'un être humain peut faire ou ressentir, virtuellement nous pouvons l'explorer, le faire ou le ressentir. Ce n'est après qu'une question de choix.** Un bon acteur peut sans doute tenter de ressentir ce qu'*a priori*, il ne connaîtra jamais en « vrai » : un homme peut-il explorer ce que ressent une femme enceinte ? **Ne croyons pas d'emblée à nos incapacités, même « évidentes ». La seule façon de savoir, c'est d'essayer, longtemps,**

---

1. Approche de notre psychologie, psychopathologie et de thérapie, fondée sur nos connaissances actuelles du cerveau et de son fonctionnement, créée par le Dr Jacques Fradin à partir des années 1980.

vraiment, en se dépolluant de l'idée de soi, qui nous enferme dans un passé. Les amnésiques s'en trouvent de force débarrassés. Et certains ne s'en plaignent pas. Il leur est parfois difficile de retrouver leur vieille peau, ou plutôt leurs vieilles croyances. Et si on les aidait à ne garder que le « bon » de ces réminiscences ?

Tentons d'aller plus loin encore dans le décapsulage de notre préfrontal : nous avons vu que, même consciemment, nous sommes déjà beaucoup plus que l'idée que nous nous faisons de nous-mêmes puisque nos idées sur les autres sont encore une part de nous « non revendiquée ». Rappelons-nous aussi que notre préfrontal est essentiellement inconscient. Autrement dit, nous sommes encore beaucoup plus que l'idée que nous nous faisons de tous les hommes.

Mais qu'est-ce que notre télé si nous ne sommes pas le programme, si nous pouvons passer tous les programmes sans changer de télé ? Un chien n'a probablement pas une idée de la « chienneté », ni une idée de cette idée. Il est « chien » et pas humain, et en ce sens-là il est différent. C'est-à-dire que la « télé-chien » n'est pas tout à fait la même que la « télé humaine ». Quoique pas si différente : il est probable qu'un chien soit très proche de ce qu'un enfant peut ressentir à certains âges ; au cours de notre développement (ontogenèse), nous passons par des étapes presque « chien » dans notre mental, et même, au réveil, chaque jour, il y a des « instants chien ».

D'une certaine façon chaque humain détient donc la potentialité de tout être humain, c'est-à-dire, la potentialité de l'espèce. Quelle liberté se donne-t-il d'en profiter (là réside plus la question – nous semble-t-il – que de savoir si on le peut) ? D'ailleurs, se poser la question suppose de le concevoir. Un enseignant sait que celui qui pose les questions est bien parti. Or, partir ne garantit pas d'arriver… du moins là où l'on pensait arriver. Mêmes les génies ne savaient pas qu'ils le seraient. Et certains sont d'ailleurs morts sans le savoir ! **Autrement dit, ce qui nous différencie des autres n'est pas tant génétique qu'historique, clanique.** Nous croyons par exemple que nous avons besoin de racines. Nous pensons aussi parfois que nous ne pouvons pas trahir nos origines. Ou nous préférons les cacher.

En fait, à un instant donné, nous pouvons tous « connecter en nous » les structures cérébrales impliquées dans des émotions, motivations ou même représentations que nous ne nous représentons pas ordinairement. Ou apprendre à le faire. C'est cela que nous apprennent d'abord aujourd'hui les neurosciences, et notamment nos connaissances sur le préfrontal. Et d'ailleurs, qu'importe que nous ne soyons pas tous capables exactement des mêmes choses, c'est plutôt distrayant, l'important étant que nous sommes capables d'explorer ce que nous sentons, désirons, comprenons, ne comprenons pas, et qu'il y a ceux qui ont déjà la méta-culture de se l'autoriser et ceux qui croient que ce n'est pas pour eux. Mais qu'est-ce qui justifie objectivement cette croyance ? Car ce dont nous sommes peut-être le plus incapable, nous ne pouvons pas le désirer, ne pouvant pas le concevoir.

Nous parlons d'empathie plus loin, dans « La souffrance : un outil de restructuration cognitive et d'ouverture à l'autre ». C'est cette même capacité que nous utilisons lorsque nous devenons acteurs, littérateurs ou juges, voire philosophes, sociologues, psychologues : lorsque nous devenons capables de reconstruire les rouages intérieurs d'une autre culture, d'une autre personnalité. **Cette capacité à se représenter un autre peut donc nous servir à élargir notre idée de nous-mêmes.**

De la même façon, en thérapie nous allons solliciter cette capacité à changer de canal de représentation, à nous imaginer autre, à nous regarder de l'extérieur, à concevoir en fait que nous ne sommes vraiment ni notre culture, ni même notre histoire personnelle. **Nous ne sommes vraiment, au sens strict du terme, que l'humain, et non la culture, nous ne sommes que notre « état d'être » et non l'information que cet état traite.** Il suffit pour nous en convaincre d'expérimenter que nos émotions et nos représentations s'adaptent instantanément et profondément à la mise en œuvre d'autres représentations virtuellement issues d'autres cultures et d'autres histoires que les nôtres. Nous participons à un spectacle étrange et nouveau, et nos sensations, notre imaginaire s'envolent. Nous suivons l'expérience qu'un ami nous fait vivre et nous nous surprenons. Ce qui est étonnant, c'est que nous soyons surpris d'être surpris. **Ouvrons-nous sans**

limite de contenu. De toute façon, nos limites réelles se chargeront bien de nous limiter ! Nous n'avons pas plus besoin de savoir si nous pouvons réussir pour essayer que de savoir ce que quelqu'un va penser de nous pour l'aborder si nous en avons envie. Chacun son rôle. À nous de savoir ce que nous pensons de lui et à lui ce qu'il pense de nous.

Sortir de l'identité limbique et prétendre à l'universalité

Nous venons d'aborder nos limites liées à une certaine identification à nos contenus culturels, mais existe-t-il aussi des limites qui sont liées à l'idée que nous nous faisons de nos contenants ?

Nous abandonnerons l'image de la télévision pour passer à celle de l'ordinateur. On peut sous-exploiter les potentialités d'un ordinateur en ne traitant pas assez de données, ou en en verrouillant certaines comme nous venons de le voir. Mais on peut aussi se tromper de logiciel et/ou ne pas exploiter toutes les capacités de la machine. Quel est donc le rôle des contenants dans certaines erreurs d'appréciation sur nos capacités ou celles des autres ?

L'apprentissage ou l'exploitation d'un contenu sont profondément déterminés par le contenant qui les sous-tend. Ainsi, un élève qui sera trop en mode automatique pour apprendre à jouer d'un instrument de musique (qui veut bien faire et plaire à ses parents) ne pourra qu'échouer à en comprendre véritablement la logique. Ainsi, encore, certaines valeurs ou croyances culturelles sont parfois enracinées dans tel ou tel mode mental (néo ou paléo-limbique) ou sous-mode (tempéraments, caractères, comportements hypofonctionnels, etc.) et n'en sont que l'expression directe, ou du moins sollicitent plus particulièrement certains modes fonctionnels. Par exemple, telle culture rappelle étroitement la personnalité que nous appelons compétitrice. Telle autre s'ancre davantage dans la dominance paléo-limbique. En faisant allégeance à sa culture, se sentant un devoir d'y adhérer, ne risquerait-on pas de s'enfermer dans le destin correspondant, celui de tel ou tel mode ou sous-mode mental correspondant ? **Se désaliéner de sa culture, c'est aussi se donner le droit de changer de canal, de contenant. D'adopter le mode préfrontal.**

La culture est donc parfois moins culture qu'il n'y paraît et plus méta-culture, mais pas toujours dans le sens du préfrontal ! Ainsi, un apprentissage de la Gestion des Modes Mentaux (GMM) permet d'apprendre à recruter d'autres modes, d'autres structures cérébrales, permettant de ressentir tout aussi profondément d'autres façons d'être. D'une certaine façon, ce changement de mode mental nous permet de découvrir d'autres sensibilités, d'autres histoires, d'autres cultures, comme si nous les avions vécues « de toute éternité ». Car on n'apprend pas ou on ne désapprend pas les modes mentaux, ils sont instinctifs, tout au plus apprend-on à mieux en connaître les leviers, les gérer. Par exemple, passer de l'esprit de vengeance au pardon n'est pas tant cognitif que neurocognitif ; c'est le passage d'un contenant à un autre, du paléo-limbique au néo-limbique ou au préfrontal. À l'inverse, si l'on essaie de plaquer un « pardon » trop seulement cogni-tif et que l'on n'a pas réussi le changement d'état d'esprit sous-jacent, donc la bascule des contenants, la mutation n'a pas lieu et le pardon n'est pas réel. Ce qui veut dire que la rancune est là et qu'on pourra ré-exploser, « péter les plombs » à tout instant.

Bref, vous l'aurez compris, nous ne sommes pas de chauds partisans du « aux racines » (*cf.* grégarité) que prônent les nostalgiques du passé, pas plus que nous ne croyons, en l'état actuel de nos connaissances, à l'utilité d'une recherche à tout prix des causes historiques de nos trou-bles... Si l'on prend le train du passé, il n'est pas sûr que l'on fasse tout pour se rapprocher de la gare d'arrivée ! Surtout si la cause des problè-mes n'est pas dans les événements passés, mais dans notre façon de traiter ces souvenirs, ici et maintenant, ou dans nos croyances et comportements actuels...

Construire un futur libre n'est pas améliorer notre idée de nous-mêmes, nous laver d'un affront ou d'un abandon, tout cela est encore dans le mode mental qui génère la pathologie. Non seulement cela peut ne pas nous guérir, mais cela présente surtout le risque d'augmenter notre idée que nous devons avoir une identité, donc être limbique. Et même avec un limbique plus en ordre, ça ne nous fait pas changer de canal.

Ce n'est pas en nous affirmant, ni en « positivant », que nous nous affranchissons, c'est en reléguant ce qui nous gêne au rang d'objets cognitifs plus ou moins utiles ou gênants, qui en tous les cas ne sont pas nous mais en nous. Nous pensons plus utile de **prendre conscience de notre seule réalité intangible, celle d'un être humain (presque) universel, défini par ses contenants – et par l'usage qu'il en fait – qui exploite sans limite ses capacités et parie sur ses potentialités de façon ouverte, de façon habile et non réactive en temps réel.**

La Gestion des Modes Mentaux : un moyen de dépasser la souffrance

La GMM : une méta-compétence plutôt qu'une thérapie

La Gestion des Modes Mentaux est par définition une gestion d'état mental, une compétence dans la gestion de notre cerveau, c'est pourquoi elle constitue une méta-compétence ou méta-culture. Elle nous permet de recruter le mode mental adapté à la situation, comme le turbo préfrontal, la « grosse bécane » qui sait gérer les situations complexes ou difficiles, les échecs, et même les impasses ou l'agonie, comme nous allons le voir. Mais elle ne se prétend pas thérapie à part entière, elle ne prétend notamment pas agir de façon précise et structurée à l'intérieur du mode émotionnel limbique[1] (néo et paléo-limbique[2]).

Elle fonctionne de façon plus globale et presque détournée, constituant souvent un moyen tout à la fois symptomatique et pourtant,

---

1. Fradin Jacques, Fradin Fanny, *La Thérapie neurocognitive et comportementale, op. cit.*
2. Fradin Jacques, Fradin Fanny, *Personnalités et psychophysiopathologie, op. cit.*

dans la durée, réellement efficace, voire résolutif sur nombre de troubles sévères. **Elle permet en effet un contournement de l'émotionnel limbique, non pas en évitant l'objet qui le déclenche comme on le fait spontanément dans la vie, mais en « débranchant » en quelque sorte le MMA qui supporte le problème.** Alors, le combat intérieur que constitue la pathologie s'arrête… provisoirement, faute de combattants. On a changé d'étage cérébral, au sens anatomo-physiologique, la situation ou l'évocation initialement douloureuses ne le sont plus, car le préfrontal gère le plus souvent sans problème une situation bloquée de longue date. Une fois encore, il ne s'agit pas d'un évitement classique, mais d'un changement d'état mental, qui permet de gérer avec calme et pertinence, mais sans refouler, une situation qui nous était autrement et jusqu'ici ingérable.

Si la situation dure ou se reproduit souvent, la GMM appliquée avec persévérance permet alors de faire se réaliser, dans les étages inférieurs jusqu'ici en conflit/blocage, une nouvelle expérience émotionnelle, neutre ou agréable. **Nos plus vieux cerveaux peuvent alors « vérifier » qu'il existe des stratégies qui marchent, ce qui leur permet, souvent, d'amorcer une déprogrammation de certaines inhibitions isolées ou réciproques.** Ces dernières, les inhibitions réciproques, constituent ce que nous appelons en thérapie neurocognitive et comportementale des « sonnettes », à l'origine parfois d'attaques de panique.

La sonnette
En TNCC, on appelle sonnette un emboîtement entre deux intolérances contradictoires, voire incompatibles, comme deux phobies sociales (ou hypos) qui font que ce qui est permis pour l'une est interdit pour l'autre. Par exemple, je veux couper la parole, mais un interdit m'en empêche, cependant que le fait de laisser dire sans défendre quelqu'un qui est calomnié m'affronte à un autre. Cette situation impossible est pourvoyeuse de panique qu'il faut traiter « feuille à feuille », en intra-limbique, ce que ne fait pas la GMM.

Divers travaux en neurosciences cognitives ont confirmé que **le préfrontal remodèle en permanence nos connexions neuronales, circuits cérébraux, nous permettant de nous adapter. De nouvelles configurations se sédimentent ainsi de façon évolutive.**

La GMM : un facilitateur des processus cognitifs

En soutien à une véritable action thérapeutique, la GMM peut servir comme « adjuvant de combustion », c'est-à-dire facilitateur par exemple des processus cognitifs de prise de recul (en thérapie cognitive ou neurocognitive) ou émotionnels et comportementaux (en thérapie comportementale). Nuançons : elle ne permet pas toute seule de réaliser des diagnostics assez fins, quand nous devons déployer un processus thérapeutique plus approfondi pour identifier les causes profondes de nos problèmes psychologiques.

Par exemple :

• les schémas latents décrits par les thérapies cognitivo-comportementales (TCC) ;

• les tabous et mécanismes de défense formulés dans les modèles psychanalytiques ;

• les comportements hypofonctionnels, personnalités velléitaires ou refoulées, dominance et soumission que nous décrivons dans la facette thérapeutique de notre approche.

En thérapie neurocognitive et comportementale (TNCC), nous réalisons des diagnostics impliquant des contenants sensiblement plus diversifiés que les grandes trames décrites ici. Nous y associons des contenus précis, puis nous établissons une modélisation ou stratégie thérapeutique, étroitement co-évolutive avec la thérapie elle-même.

Cela, la GMM seule ne le permet pas, en tout cas pas de façon assez structurée pour gérer des problèmes de psychopathologie modérés ou graves. Mais **elle apporte une véritable légèreté à la thérapie, facilite tous les processus diagnostiques, de prise de recul et d'affrontement comportementaux.** Elle a aussi un rôle central dans l'autonomisation du patient en TNCC, car elle lui fournit des indicateurs d'erreur précieux, des leviers d'action efficace, même en l'absence de diagnostic précis. Bref, **elle constitue la parfaite boîte à outils du bricoleur thérapeute autogéré en attendant l'arrivée des secours !** Et comme il existe de géniaux bricoleurs, tous les espoirs sont permis[1].

La GMM : un chemin d'accès à la sérénité

Enfin, **la « version hard » de la GMM, c'est-à-dire une pratique soutenue, pourrait se rapprocher de la méditation.** Effectivement, si nous cherchons à nous maintenir le plus possible dans cet état, à ancrer cette sensibilité dans les rouages les plus profonds de nos automatismes, alors elle fait bien plus qu'une thérapie : elle ouvre au champ de la sérénité et de la facilité en tout. On devient « doué », tout semble couler avec aisance.

Contrairement à ce que certains artistes ont pu croire, on peut se livrer à ce genre d'exercice sans avoir fumé, cela fait aussi partie des libertés que nous permet le préfrontal, sans coût ni risque. Mais c'est aussi le même préfrontal qu'active le scientifique ou l'expert, le vrai, celui qui maîtrise à la fois ses connaissances et sait s'adapter à la situation. **Le préfrontal optimise nos compétences, les élargit par la réflexion** et sait aussi se canaliser dans le mode farfelu, humoriste ou sérieux, selon les enjeux. **On dit en neurosciences cognitives que le préfrontal sait contextualiser la connaissance.**

Un psychodrame ordinaire...

Mme H. X. vient nous voir pour dépression suite à une rupture sentimentale. Elle a trente-cinq ans, pas d'enfants. Son ami vient de la quitter, et cela semble sérieux. Celui-ci n'est pas en rupture de communication, au contraire il explique fort bien, du moins si l'on en juge par les propos que H. X. rapporte, pourquoi il a pris cette décision et pourquoi elle est définitive. Il reproche notamment à son ex-compagne une trop grande possessivité affective, une

---

1. En effet, tout le monde n'a pas besoin de psychothérapie, par contre la connaissance de soi concerne tout le monde.

certaine tendance au directivisme dans leur vie de couple, ce qu'il estime être un manque de respect de sa sensibilité, malgré sa recherche répétée de dialogue. Donc, les sommations d'usage sont désormais terminées pour lui, non c'est non. Et il ne se laissera plus attendrir par les larmes. Il attendait des actes depuis longtemps, il a prévenu, il ne les a pas eus. C'est fini. Mais il n'est pas fâché et il est prêt à gérer proprement la séparation. Quant à avoir des relations amicales par la suite, assurément pas maintenant, car il pense que le problème sera le même en moins aigu. Donc c'est plutôt non, mais l'avenir le dira.

H. X. est effondrée. Elle tenait à son ami comme à la prunelle de ses yeux embués et si elle était tellement envahissante, elle le reconnaît, c'est parce qu'elle l'aimait. Bref, que faire maintenant ? Elle n'a plus envie de rien. Doit-elle prendre un antidépresseur ? Faire une psychothérapie ? Chercher un autre ami... (mais elle n'en a aucune envie) ? Attendre ? Voici un extrait de séances quelque peu compacté :

Elle : *Je m'en veux terriblement. C'est vraiment ma faute. Je ne sais pas me gérer. J'ai envie de me battre...*

Le thérapeute : *Pourquoi ?*

Elle : *Mais c'est évident ! Il m'a prévenue x fois, me disait que j'étais insupportable pour lui, étouffante. Qu'il m'aimait mais que je l'étouffais trop souvent. Pourquoi n'ai-je pas fait ce qu'il me demandait ? Je pouvais bien faire ça pour lui !*

Le thérapeute : *Pourquoi vous battre ?*

Elle : *Parce que je le mérite !*

Le thérapeute : *Vous l'avez fait exprès pour le chasser ?*

Elle : *Pfft... non bien sûr !*

Le thérapeute : *Pourquoi vous battre ?*

Elle : *Je ne sais plus, moi, parce que ça me défoulerait, je ne sais plus quoi faire et je ne tiens plus en place, ou alors je n'ai plus envie de rien.*

Le thérapeute : *Pourquoi faire quelque chose maintenant ?*

Elle : *Mais parce que ça me fait mal, que je ne supporte pas. Je ne supporte pas de souffrir.*

Le thérapeute : *Pourquoi ?*

Elle : *Je ne sais pas, moi, tout ça. Je ne sais pas pourquoi je fais les choses, justement, c'est bien ça le problème.*

Le thérapeute : *On va faire un arrêt sur image. Comment souffrez-vous, tout de suite ? Plus ou moins qu'il y a deux minutes ?*

Elle : *Beaucoup plus !*

Le thérapeute : *Si vous souffrez autant, et en relation avec ce que je vous ai expliqué tout à l'heure, c'est parce que votre propre intelligence n'est sans doute pas d'accord avec ce que vous dites, ce que vous pensez.*

Elle : *Ça tombe bien, on est deux à me trouver stupide.*

Le thérapeute : *Non, elle juge stupide cela, justement.*

Elle : *Ah bon ? Mais que veut-elle alors ? Que je reste gourde comme je suis, à chasser tous les mecs bien que je rencontre ?*

Le thérapeute : *Je ne sais pas. On va la faire parler...*

Elle : *Vous faites tourner les tables ?*

Le thérapeute : *Pas encore, je n'y arrive pas encore. Mais je m'obstine, on ne sait jamais.*

Elle : *Comment vous pouvez la faire parler ?*

Le thérapeute : *On va commencer par faire taire ce qui la dérange. Chaque fois que vous énoncez quelque chose qui aggrave votre douleur, elle n'est pas d'accord avec vos propos ou les pensées qu'il y a derrière.*

Elle : *Vous voulez dire qu'elle n'est pas d'accord avec mes remords ? Mon envie de me punir ?*

Le thérapeute : *C'est tout à fait ça !*

Elle : *Mais si je suis une imbécile, il faut bien des moyens adaptés aux idiots pour me faire comprendre, comme des coups de bâton sur la truffe de mes spontanéités étouffantes ?*

Le thérapeute : *Elle n'a pas l'air d'accord, ça vous charge. Ce n'est pas moi qui vous le dis, mais elle...*

Elle : *Et que ferait-elle, elle ?*

Le thérapeute : *On va regarder à nouveau une échelle de modes mentaux, vous allez la passer maintenant, et on va voir. On va voir si vous êtes connectée sur le canal qui la laisse s'exprimer ou celui qui l'étouffe.*

Elle : *N'employez plus ce mot, il me fait étouf... suffoquer...*

Le thérapeute : *Désolé. Je comprends (silence)... Donc, êtes-vous d'accord pour remplir rapidement une EEMM ?*

Elle : *Oui.*

Le thérapeute : *Vous allez évaluer votre état d'esprit sur le sujet : je mérite d'être punie.*

Elle : *Je ne comprends pas « curiosité » ni « refus » dans ce contexte.*

Le thérapeute : *Effectivement, il serait plus facile d'évaluer : comment me gérer ? Je mérite d'être punie est une réponse particulière à ce problème.*

Elle : *C'est plus clair.*

Paramètres du mode automatique	1	2	3	4	5	6	7	8	9	Paramètres du mode préfrontal
Stressabilité			x							Sérénité
Routine	x									Curiosité sensorielle
Refus	x									Acceptation
Dichotomie		x								Nuance
Certitudes						x				Relativité
Empirisme						x				Réflexion logique
Image sociale			x							Opinion personnelle

Elle : *Effectivement, ça ne brille pas par la préfrontalité.*

Le thérapeute : *Non.*

Elle : *Et qu'est-ce qu'on fait de ça maintenant, si ce n'est que cela objective ma bêtise. Je vais envoyer une copie à mon ex pour lui confirmer qu'il a bien eu raison de partir !*

Le thérapeute : *Et là, maintenant, comment vous sentez-vous ?*

Elle : *Ça ne s'arrange pas.*

Le thérapeute : *Pourquoi ?*

Elle : *Euh… parce que c'est encore plus bête ?*

Le thérapeute : *Gagné !*

Elle : *Mais que faire ? Je peux encore me taire, mais ne plus penser ! C'est infernal votre machin, ça vous renvoie dans vos cordes ! C'est encore pire que moi.*

Le thérapeute : *Oui, mais ça peut ouvrir des portes. On va essayer… Je vous propose de commenter cette échelle… Vous n'avez pas de curiosité à l'égard de votre façon de vous gérer. On oublie… (silence gêné) euh… pardon, on essaie d'oublier le passé, et on se pose la question : c'est quoi, être curieux dans ce domaine ?*

Elle : *… En parler avec des amies ? À mon psy !*

Le thérapeute : *Bien ! Quoi encore ?*

Elle : *M'intéresser à la psychologie, aux comportements… mais ça m'ennuie.*

Le thérapeute : *…*

Elle : *Bon, bon, j'ai compris, je vais essayer.*

Le thérapeute : *Quoi encore ?*

Elle : *Dialoguer avec mes amis, mes petits amis sur le sujet. C'est vrai que ça n'est jamais moi qui aborde les choses comme ça. Il me reprochait même parfois de m'endormir dans ce genre de discussion. Passionnante la nana !*

Le thérapeute : *Comment vous sentez-vous maintenant ?*

Elle : *Mieux !*

Le thérapeute : *Testez pour voir, repensez à ce qui vous faisait mal ?*

Elle : *Effectivement, c'est plutôt mieux.*

Le thérapeute : *Bien, alors nous allons changer de niveau…*

Elle : *Oh, ça, je sens que je ne vais pas suivre !*

Le thérapeute : *On va essayer.*

Elle : *OK.*

Le thérapeute : *Jusqu'ici, nous avons mêlé ce que j'appelle le contenant, autrement dit l'état d'esprit, l'état mental (et les structures cérébrales que cela implique), et le contenu, autrement dit les événements. Est-ce clair ?*

Elle : *Pour l'instant, je suis.*

Le thérapeute : *Parfait. Maintenant, nous allons essayer de ne travailler que sur les contenants.*

Elle : *Là je ne vois plus… Je n'ai pas d'expérience en matière de lévitation et je ne me sens pas spécialement douée pour l'abstrait. On est bien !*

Le thérapeute : *Comment ça vous met, ça ?*

Elle : *Pas terrible du tout ! On ne peut même plus plaisanter. Mon cerbère intérieur n'apprécie pas… Je vous écoute…*

Le thérapeute : *Donc, je vous propose d'essayer de cultiver l'état d'esprit préfrontal, à droite sur l'échelle, à vide, c'est-à-dire sans objet particulier, sans idée précise.*

Elle : *Mais ma tête n'est jamais vide !*

Le thérapeute : *Il n'est pas nécessaire qu'elle soit vide, simplement l'exercice ne cherche pas à s'appliquer à ces pensées. Vous travaillez l'état d'esprit de chaque paramètre préfrontal successivement, comme on se prépare à faire la fête, partir en vacances ou aller au spectacle.*

Elle : *Ça me parle bien !*

Le thérapeute : *Allez-y.*

Elle se concentre sur l'exercice pendant quelques minutes : *Ça y est. C'est un fait que je ne suis ni morte ni folle. Ça m'a détendue.*

Le thérapeute : *Évaluez-vous à nouveau.*

Paramètres du mode automatique	1	2	3	4	5	6	7	8	9	Paramètres du mode préfrontal
Stressabilité					x					Sérénité
Routine				x						Curiosité sensorielle
Refus		x								Acceptation
Dichotomie						x				Nuance
Certitudes							x			Relativité
Empirisme							x			Réflexion logique
Image sociale			x							Opinion personnelle

Elle : *Étonnant !*

Le thérapeute : *Testez-vous maintenant sur du contenu, c'est-à-dire sur vos soucis.*

Elle : *Mieux... Mais ça reste sensible, en grattant... Quand même, c'est moins chaud.*

Le thérapeute : *Normal. Mais ce que vous venez de sentir, c'est que votre cerveau automatique n'a pas pu empêcher la situation de se dégrader, malgré les avertissements, pas plus qu'il ne peut gérer la situation de rupture brutale. Il lui faut donc passer la main à son grand frère préfrontal. Et cette échelle peut vous y aider. C'est du rodéo au début, et, surtout, on trouve toujours des raisons de ne pas le faire.*

Elle : *Sûrement. J'y vois cependant un peu plus clair. Je pense pourtant que mes bêtises vont revenir, je les sens qui n'attendent que de vous quitter.*

Le thérapeute : *Essayez par vous-même. Vous avez vu qu'on peut travailler sans texte ni idée, ça simplifie les dialogues avec soi-même et c'est toujours possible.*

Elle : *Avec vous la psychologie s'est vraiment simplifiée... dénudée... elle est même transparente !*

Le thérapeute : *C'est une facette, mais c'est bien pour amorcer.*

La souffrance : un outil de restructuration cognitive et d'ouverture à l'autre

Un grand nombre de médecins se sont posé la question depuis des millénaires quant au rôle et à l'utilité de la souffrance du corps-psyché humain, assurément pas en tant qu'épreuve ou punition au sens chrétien. **Serions-nous, sur le plan de l'évolution des espèces, construits pour vivre dans un équilibre entre le plaisir et la souffrance ? Le plaisir seul, ou l'absence totale de souffrance, nous mettrait-il dans une position non adaptative, au sens darwinien ?** Si le plaisir et la souffrance (ou le manque) sont indispensables, l'un comme l'autre, pour déterminer notre relation au monde, serait-il non adaptatif de réduire notre souffrance le plus possible ? Pas nécessairement, car cet équilibre entre plaisir et souffrance est plus qualitatif que quantitatif.

En fait, **c'est surtout la négation de la souffrance, les attitudes de déni, d'échappement ou d'évitement qui enferment dans un déséquilibre structurel**, une représentation « unijambiste », amputée de la moitié du réel. Par contre, regarder avec lucidité certaines difficultés, présentes ou à venir, nous permet de leur échapper plus réellement ; parce que nous les percevons, parce que nous pensons pouvoir leur apporter une réponse, au lieu de nous cacher derrière des mots ou des non-actes. Affrontés de cette façon, la souffrance et, notamment, le stress servent comme indicateurs qui nous permettent et nous poussent à comprendre et apprendre. Ils deviennent ainsi des outils de structuration cognitive. La souffrance est un élément clé de la remise en cause de nos systèmes, donc, d'une certaine façon, de l'ouverture au préfrontal. Si nous ne souffrions pas, il est vraisemblable que le mode mental automatique deviendrait encore davantage dominant…

Être trop systématiquement privé de souffrance et de remise en cause dans son enfance engendre-t-il des « enfants gâtés » qui ne parviennent pas à s'extraire, à émerger de leurs structures cérébrales anciennes[1] ? Il ne s'agit pas ici de juger ni condamner quiconque, mais, bien au contraire, d'imaginer comment le déficit de souffrance et contraintes personnelles (entre autres causalités) ne leur a peut-être pas permis de s'ouvrir suffisamment aux autres, les a insuffisamment sensibilisés, pas assez préfrontalisés. Par contraste, qui n'a observé que la souffrance permet bien souvent de progresser en termes de conscience ? Il

---

1. Anciennes dans la phylogénèse (l'évolution des espèces).

semble toutefois nécessaire que **certaines autres conditions soient réunies, notamment culturelles et métaculturelles, néo-limbiques et/ou préfrontalisantes ; des conditions qui aident la personne à « monter » d'un ou plusieurs niveaux neurocognitifs** : du paléo-limbique (rapports de force) au néo-limbique (valeurs et antivaleurs, méritocratie), et même au préfrontal (ouverture, vraie démocratie). Car le manque et la souffrance en soi n'ouvrent pas toujours à la maturité, loin s'en faut, sinon le monde ne serait pas ce qu'il est. Les troubles de la soumission[1], de la paranoïa, de la dépression et les troubles post-traumatiques montrent l'étroit chemin de la maturation préfrontale entre révolte et dépression, soumission et paranoïa.

De l'individualisme à l'individualisation

Si la souffrance est l'occasion de remettre en cause nos systèmes de valeurs, nos schémas cognitifs, elle permet des rencontres fondamentalement nouvelles. Quelle expérience considérable, alors, de découvrir un autre être humain dans sa différence et sa complexité, là où « habituellement » le mental automatique tend à se refermer sur son expérience, la reproduire, ou se fermer sur son échec. Cette ouverture à l'autre est bien sûr, d'abord, un acte de plaisir, parce que l'on peut échanger sensations et expériences, mais c'est également et surtout un enrichissement cognitif, une ouverture à d'autres mondes.

Qui plus est, il semble que la représentation des autres, que nous nous faisons, naît dans une large mesure du manque, de la frustration, ou même de la souffrance que les autres induisent dans notre perception de nous-mêmes et des autres. Et que c'est l'opposition qu'ils peuvent représenter par rapport à nos désirs qui pourrait nous aider à nous représenter, par contraste : nous-mêmes comme différents de l'autre.

En quoi cette différence et cette individualité assumées sont-elles différentes de l'individualisme issu des vieilles structures limbiques ou reptiliennes ? **En préfrontal, je m'individualise, moi, et j'individua-**

---

1. Fradin & Lemoullec, *Manager selon les personnalités, op. cit.*

lise les autres, comme d'autres moi-même, semblables et différents. **J'individualise mon interlocuteur**. Ainsi, en amour, *I love* plus que *I like*. Cette individualisation « plurielle » est l'un des symptômes les plus immédiatement visibles pour **différencier l'individualisme reptilien ou paléo-limbique de l'individualisation préfrontale**. L'individualisation préfrontale ne se fait pas au détriment de la perception des autres, ou en l'absence de la perception des autres pour être plus exact. Au contraire ! **L'individualisation préfrontale se fait dans une représentation conjointe kaléidoscopique de soi et des autres.**

Bien sûr, notre représentation des autres, fût-elle préfrontale, est plus aléatoire, elle est plus ténue, elle repose sur des données moins nombreuses, moins avérées, parce qu'on a moins d'informations directes sur l'autre que sur soi. Mais plus le temps passe et au fur et à mesure qu'on connaît mieux ses partenaires, plus elle s'affine et permet le tact. Cette habileté sociale, cette adaptation au contexte et à l'interlocuteur particulier permet d'anticiper largement ses réactions, selon des mécanismes bien plus subtils que quelques règles sociales. La représentation de l'autre s'appuie sur les mêmes structures neuronales préfrontales que celle de soi, et implique sans doute ce que l'on appelle les « neurones miroirs »[1]. **L'une est en quelque sorte une duplication cognitive de l'autre.**

Toutefois, nous gagnons à soumettre souvent à l'épreuve des faits notre représentation de l'autre. Ce pourrait être fait, par exemple, en remplissant à sa place un questionnaire de personnalité… Le décalage entre sa version de lui-même et la nôtre est ordinairement édifiant sur notre degré de précision ou de projection, donc pédagogique. C'est aussi cette confrontation des tests d'auto-évaluation et d'hétéro-évaluation qu'aborde, dans un cadre plus managérial, l'outil dit des « 360° ». On peut l'utiliser dans les deux sens : savoir comment on est

---

1. G. Rizzolatti, "The mirror neuron system and its function in humans", *Anatomy and Embryology*, 2005, 210(5-6), p. 419-421 ; D. Lohmar "Mirror neurons and the phenomenology of intersubjectivity", *Phenomenology and the Cognitive Sciences, 5,* 2006, p. 5-16.

vu et vérifier ce que l'on croit savoir de l'autre. Plus les deux images sont convergentes, plus notre connaissance de l'autre ou sa connaissance de nous est bonne. La communication que nous établissons alors est nécessairement plus lisible, constructive et facile. **C'est cette connaissance réciproque de l'autre, ou plutôt la réduction de notre indifférence ou ignorance projective, qui permet de réduire notre capacité de nuisance relationnelle réciproque, sciemment et inconsciemment.**

Les stades de l'individualisation de l'autre

L'individualisation de l'autre se fait sans doute par étapes. Ainsi, **ce que nous nommons pensée stabilisée se définit d'abord comme une réversibilité**, du genre « je ne ferai pas à un autre ce que je ne voudrais pas qu'il me fasse ». On la retrouve aux sources de la morale, comme dans de nombreux textes religieux, dans des sociétés où émergent des valeurs le respect de l'autre. Dans un tel contexte de société, on veut par exemple faire le bien de ses enfants en leur donnant l'éducation que l'on aimerait avoir eue. Mais n'est-ce pas cela justement qui nous a parfois déçu ou perturbé ?

L'individualisation se poursuit probablement par l'empathie, la mise à la place de l'autre. Et comment pouvoir vivre de l'empathie et de la compassion quand on n'a pas soi-même souffert ? Cette individualité-là reste néanmoins encore largement projective. Cela étant, elle constitue une étape importante de l'individualisation de l'autre, puisqu'au niveau fonctionnel attribuable aux structures paléo-limbiques ou reptiliennes, l'autre n'est qu'un concurrent, un objet de prédation ou de pulsion sexuelle.

Mais la préfrontalisation nous permet d'aller encore plus loin. **Elle nous permet de comprendre que ce que l'autre nous renvoie ne coïncide pas forcément avec ce qu'il vit et ressent.** « J'ai été généreux avec lui et il m'agresse, il ne me voit pas, il me renvoie quelque chose que je ne comprends pas. » En psychologie spontanée, projective, je le juge : « Il est ingrat, méchant. » À partir de cet instant, ma propre souffrance cognitive peut me faire l'agresser à mon tour en le traitant d'ingrat… À moins que mon préfrontal ne me glisse à l'oreille : « Je ne sais peut-être pas ce qu'il est, je ne sais pas le gérer. » Je commence alors à concevoir que l'autre est différent de moi, je ne peux pas me le représenter réellement, et seule l'ouverture me permettra, progressivement, par le dialogue et l'observation patiente, de le découvrir… un peu.

« L'autre individualisé » devient progressivement une « entité » en moi, un personnage imaginaire, avec son espace, sa vie, son passé, son futur. Il devient continu dans le temps et dans l'espace. Pourtant, il reste capable de me surprendre, voire me choquer. C'est donc que je ne me représente pas encore suffisamment sa continuité, car personne, à l'instar de soi-même, n'agit sans raison, même si toutes ne sont pas rationnelles. Celles-ci s'enracinent profondément dans notre être cognitif, social, émotionnel, fondamentalement hétérogène, constitué de… contenus et contenants, structures cérébrales et expériences.

Et tout cela peut aboutir à quoi ? Peut-être pourrait-on constater que l'on devient de plus en plus capable d'anticiper les actes et propos d'un autre, de croire saisir l'intimité de sa logique interne, comme un « bon » acteur ou un metteur en scène. Nos phrases, nos gestes sonnent justes, ils sont reconnus comme pertinents, valides par la personne considérée. Si je dis à Hélène : « Voilà ce que je pense que tu voulais dire l'autre jour quand tu as fait ceci et voilà comment j'ai compris tes arrière-pensées derrière les mots que tu as utilisés. Voilà pourquoi je n'ai pas pris tes mots parfois blessants totalement pour moi. Voilà aussi pourquoi, si je ne me trompe toujours pas, si tu ne me démens pas, tu me dis maintenant ce que tu viens de dire et même pourquoi, enfin, tu souris quand je te dis tout ça… » Si l'autre me répond : « Toi alors, tu es moi ou quoi ? », j'ai gagné une manche, surtout si c'est souvent et durablement le cas. Sinon, **sans cesse sur le métier, on remet son ouvrage, « armé » par la curiosité, la fluidité et autres vertus préfrontales. C'est ainsi que l'on réduit ses « fausses intuitions » projectives, par le tâtonnement et l'erreur, la communication et la méta-communication** (comme dans l'exemple précédent), **la prise du risque de dire ce que l'on a compris ou pas, à condition bien sûr d'écouter tout ce que l'autre nous dit ou nous répond, par les mots, les gestes ou les silences.**

Souffrance et processus d'adaptation : une source possible d'apprentissage

Si la souffrance est en quelque sorte la conséquence de l'échec des stratégies que nous avons utilisées, on peut décrire deux sortes de développements :

- Le premier développement est négatif, c'est **la décompensation.** La personne voit son monde intérieur qui s'effondre, ses espoirs, ses motivations, son intégration sociale et individuelle. C'est le classique état dépressif qui découle de ces difficultés d'adaptation, et souvent un travail psychologique commence dans des conditions de ce genre. Bien entendu, le cas où la psychothérapie commence n'est sans doute pas le pire, le pire étant évidemment la personne qui se désinsère du monde social, de ses objectifs, ses idéaux, et sombre parfois dans un chaos individuel et social, voire médical. Quand on voit ce que peut donner l'état dépressif ou ce que peuvent donner certains états paranoïaques, mélancoliques, et les situations d'échec social, **il est clair que la souffrance dans ces cas-là est dangereuse et pas forcément productive de solutions.**

- Le second scénario, avec tous les intermédiaires, bien sûr, plus positif, est celui de **l'adaptation.** La personne mise en difficulté va parfois, dans un premier temps, se trouver confrontée à la nécessité de s'adapter. A ce moment-là, de nombreux mécanismes peuvent expliquer – sur les plans cognitif, phénoménologique et observable, et physiologique – pourquoi la souffrance a été bénéfique dans un second temps : un système qui pouvait se révéler, en fait, problématique depuis longtemps, mais qui survivait de façon « sub-létale » (quasi mortelle), si l'on peut dire, a été mis en échec. Il en résultait qu'avant la crise, la personne n'était pas encore véritablement en échec, mais parfois en difficulté prolongée, par exemple en rupture sociale progressive. L'échec, en quelque sorte, vient sonner le glas de ce scénario.

Dans ce cas positif, la personne parvient à concevoir qu'elle est peut-être pour quelque chose dans cette histoire. Qu'elle n'est pas coupable mais (co)responsable, c'est-à-dire plus ou moins porteuse ou co-porteuse de la chose, sans le savoir et, en tout cas, sans le vouloir. Elle parvient à concevoir que ses comportements sont susceptibles d'avoir partiellement ou totalement engendré son échec. Et dans ce cas-là, la réorganisation, pas nécessairement dans un cadre thérapeutique, mais spontanée, comporte partie ou totalité de la solution à son problème.

Ainsi, **ce qui au départ n'a été qu'une adaptation circonstanciée à un événement particulier ou à un contexte particulier peut inciter au développement d'une méta-capacité. Le problème a (co)généré et la solution du problème présent et, en quelque sorte, l'amorce d'un mécanisme de résolution plus générique !** Dans ce cas, on peut dire que la personne ayant surmonté au moins une fois un échec est en train d'apprendre que l'échec peut être une source d'apprentissage. C'est un peu comme une société qui découvrirait qu'elle a besoin de sauveteurs, pompiers, médecins, psychologues, policiers, juges, assurances, dépollueurs, cellules de prévention et gestion de crises, et pas seulement d'agriculteurs, maçons, enseignants, industriels et ingénieurs.

C'est bien entendu la biologie qui a, la première, inventé ces fonctions métas, qui ralentissent le vieillissement et préviennent ou permettent de guérir naturellement nombre de maladies : les systèmes antioxydants, la réparation tissulaire et génétique, l'immunité... et le système nerveux lui-même !

Avec la capacité à tirer psychologiquement parti de l'échec, on assiste à l'émergence d'une immunisation cognitive, d'une vaccination envers les problèmes ; **on pourrait dire que notre intelligence développe en quelque sorte des anticorps contre les antigènes de l'échec.** Ici, on est vraiment en train de passer de l'échec douloureux à une situation d'échec source d'adaptation, salutaire, qui, au-delà de la perte initiale de bénéfices, de relations, de loisir, de plaisir ou de santé, se transcrit progressivement dans une capacité à générer de nouvelles solutions, de nouveaux plaisirs, de nouvelles relations, de nouvelles facettes à leur richesse. La personne peut ainsi devenir, en quelque sorte, capable de vivre autrement ; car ce n'est pas tellement le fait qu'elle remplace une vie par une autre que le fait qu'elle devient capable d'élargir son champ des possibles. En physique, on dirait que la densité de l'infini de ses possibilités augmente.

On l'imagine, il y a bien sûr un substrat anatomophysiologique à ces capacités, à ce changement de plan et, encore une fois, c'est précisément le passage du mode automatique vers le mode préfrontal. **Dès que l'on parle d'adaptation, d'apprentissage et, plus encore, de réapprentissage, de capacité à modifier un programme, le préfrontal est seul en lice.** Même lorsque le MMA est efficace, il n'offre pas de sorties de secours. Il n'y a pas de canots de sauvetage à bord du Titanic limbique. En effet, le mode automatique, limbique et sensori-moteur est un mode pour qui, structurellement, réussite (bonne case) et échec (mauvaise case) ont un sens opposé. Il ne conçoit pas de pouvoir tirer du plus à partir du moins ! Le mode préfrontal, quant à lui, est plus proche du concept « usine marée motrice », telle celle qu'Électricité de France a construite sur la Rance : lorsque la marée monte, l'usine produit de l'électricité et quand elle descend, elle en produit encore.

Donc le préfrontal ne fonctionne pas sur le scénario « bon/mauvais » ou, du moins, pas durablement. Bien entendu, sur un plan biologique, il y a bien un bon (manger quand on a faim, dormir quand on a sommeil, trouver la bonne température, avoir des amis sur qui compter, etc.) et un mauvais (la famine, le trop chaud et trop froid, la privation de liberté, etc.). Mais **le préfrontal a la puissance neuronale, car c'est bien de cela qu'il s'agit, pour être en mesure de décupler le besoin des stratégies que l'on peut mettre en œuvre. C'est donc un mode qui est par nature adaptatif, s'intéresse à la nouveauté, à la complexité et aime bien résoudre tout ça.** Et pas seulement curativement, mais aussi préventivement : *errare prefrontalum est sed perseverare limbicum* ! (se tromper est préfrontal mais persévérer est limbique).

Même si l'on peut imaginer qu'un « préfrontal jeune » n'aime pas vraiment souffrir ni échouer, on s'aperçoit qu'un « préfrontal expérimenté » peut finir par prendre plaisir à redresser les entreprises en faillite, faire des exploits impossibles, résoudre des problèmes que depuis 2 500 ans on ne sait pas résoudre et s'intéresser à ce qui s'est passé il y a 15 milliards d'années à l'autre bout de l'univers. Il peut donc développer des passions pour toutes sortes de choses qu'on ne résoudra jamais, ni à l'échelle de notre vie, ni sans doute même à l'échelle humaine.

Un apprentissage source de plaisir

Toute fonction biopsychologique est sous-tendue par son incitateur spécifique, le plaisir qui nous pousse à agir ; le préfrontal n'échappe pas à cette loi naturelle. Il est une véritable « machine à résoudre », et donc à nous donner du plaisir, là où tous les autres modes mentaux réunis ne trouvent qu'ennui (en préventif), douleur ou angoisse (en confrontation). Il est donc le grand sauveur universel de l'humain souffrant, si tant est qu'on puisse le recruter ! Il sort de la dualité, de la logique punition/récompense, bien/mal, plaisir/souffrance, pour passer dans une logique d'apprentissage à tous crins.

L'apprentissage préfrontal est selon nous un potentiel structurel, c'est-à-dire que ce cerveau est prédisposé naturellement à apprendre à apprendre. Et cela se passe indépendamment de notre apprentissage conscient, culturel et individuel. C'est pourquoi ignorer le préfrontal génère souvent un conflit inconscient avec notre conscient automatique, quand il considère que ce dernier est trop primitif et inapte à nous gérer dans quelques dédales de la vie. À l'inverse, découvrir son existence cachée (empiriquement ou, mieux encore, scientifiquement) pour lui « passer la main » l'apaise… et nous apaise par la même occasion. C'est pourquoi, selon nous, le simple recrutement du mode préfrontal apporte de la sérénité, indépendamment de la résolution du problème qu'il apporte tout de suite ou plus tard. Notre longue expérience clinique en application de ce modèle (Fradin & Fradin[1]) et des validations scientifiques que nous en réalisons (Fradin et al.[2]) nous permet de l'affirmer.

Ainsi, lorsque nous recrutons le mode préfrontal, ou plutôt que nous ouvrons notre conscient limbique à l'influence préfrontale, les notions de bien et de mal, de punition/récompense et de souffrance morale tendent à se dissoudre, et peuvent même pratiquement disparaître en situation extrême. On peut dire qu'au-delà de 7 sur 9 sur notre échelle d'évaluation des modes mentaux, dans l'expérience que nous en avons jusqu'à aujourd'hui, aucune gêne ni souffrance morale ne survive. Par exemple, nos tabous sociaux (ou hypos) disparaissent purement et simplement pendant le temps où nous nous trouvons en mode préfrontalisé (> 7/9) ; c'est l'expérience concrète que nous faisons faire depuis quinze ans pendant nos stages longs en GMM. C'est-à-dire que ce qui était précédemment infaisable devient aisé et agréable. Mais… tout redevient comme avant quand on en sort. Du moins au début, car un affrontement répété des tabous en MMP a tout à fait un effet curatif définitif, comme un affrontement comportemental classique en mode « malaise ».

Notre préfrontal nous permet donc de concevoir, préventivement comme curativement, qu'il existe une quasi-infinité de façons d'être heureux et que seules nos évidences automatiques trompeuses nous empêchent de les voir et de les mettre en œuvre. En MMP, il n'existe pas ou plus de tabous, dévalorisation, ridiculisation, mais des stratégies plus ou moins efficaces, réversibles et respectueuses de soi et des autres. C'est l'objectif de la satisfaction du (vrai) besoin biologique qui compte, pas la stratégie pour y parvenir. Le mode préfrontal est capable, de façon fluide, de tous les plaisirs et, avec méta-apprentissage, de se passionner dans toutes les situations. Il est donc capable de

---

1. Jacques Fradin, Fanny Fradin, *La thérapie neurocognitive et comportementale, op. cit.*, p. 119.
2. J. Fradin, C. Lefrançois, F. El Massioui, « Des neurosciences à la gestion du stress devant l'assiette ! », *op. cit.*

tirer partie de l'échec, et même d'en faire une spécialité. N'est-ce pas le métier de psy par exemple ? Et si les souffrances physiques restent perçues désagréablement par le préfrontal, celui-ci sait malgré tout les gérer au mieux, par exemple en en cherchant les causes (c'est la médecine) et en accompagnant les symptômes, par l'acceptation, la prise de recul et la complexification d'attention. Même sur la souffrance physique, cela réduit ordinairement la sensation douloureuse, celle du dentiste ou de l'accouchement par exemple.

En mode préfrontalisé, on est donc aux antipodes de l'attaque de panique, où l'on refuse le mal et, simultanément, où l'on est obsédé par lui. Ici, on accepte tout d'avance (la part de réel inévitable) et l'on décentre l'attention, en attendant, éventuellement, de pouvoir résoudre… ou se faire aider.

Mais, comme nous parlons du « mal », revenons au Pack Valeur/Antivaleur ou Pack-Aventure (PA), un des ensembles d'exercices de la GMM qui permettent de découvrir que le réel est continu, c'est-à-dire qu'il n'y a pas de discontinuité entre le plus et le moins, mais un gradient. Parfois le positif et le négatif se mêlent si intimement qu'il est impossible de les démêler.

L'exercice des avantages et inconvénients avec le Pack-Aventure

Nous disons en Pack Aventure : « Il m'arrive ceci, OK. »

Alors, bilan :

* *Il m'arrive ceci, bilan des avantages.*
* *Il m'arrive ceci, bilan des inconvénients.*

Tentez de poser toutes vos problématiques ainsi, et vous verrez que c'est une arborescence sans fin, car tout avantage du premier niveau a lui-même des avantages et des inconvénients, et ainsi de suite jusqu'à l'infini. Et la même chose avec les désavantages, niveau un…

Cela se complexifie encore considérablement si l'on y rajoute les risques. Le modèle devient alors le suivant :

* Il m'arrive ceci, bilan des avantages.
* Il m'arrive ceci, bilan des inconvénients.
* Il m'arrive ceci, bilan des risques positifs.

• Il m'arrive ceci, bilan des risques négatifs.

Cela comporte en effet des risques, qui sont eux-mêmes positifs et négatifs, autrement dit qui ont un potentiel d'évolution favorable et défavorable.

Le cas de A. X., ou l'accompagnement au mourant

M. A. X. est atteint d'une maladie grave, une hépatite chronique active, découverte à l'âge de 17 ans. Sans doute est-il atteint depuis son enfance par une hépatite B passée inaperçue. Dès la trentaine, son foie devient cirrhotique, et il éprouve une intense fatigue chronique, qui l'empêche de mener une vie normale, au point de le clouer dans un fauteuil presque toute la journée, et le contraint ainsi à une invalidité professionnelle. C'est à ce stade, au début des années 1990, il a alors un peu plus de 40 ans, que nous commençons à aborder l'apprentissage de la GMM qui en est alors à ses débuts. Premier sujet abordé, majeur : une angoisse devant la maladie et la mort, devant la souffrance aussi. Un refus aussi de son infirmité et de sa vie gâchée.

Nous commençons par une présentation interactive sur les modes mentaux supérieurs et sur le rôle que je pensais alors (de façon bien solitaire) être celui d'un préfrontal intelligent refoulé : le stress est l'indicateur de son refoulement, sans doute structurel, et le calme de son accord avec notre pensée consciente. Je lui présente une Échelle d'Évaluation des Modes Mentaux et lui explique que plus on y est à gauche, vers les valeurs du MMA, plus on est stressé ou stressable, plus on y est à droite, plus on est calme et serein, même si tout va mal. Il est à la fois intéressé et sceptique !

Il découvre alors que son état mental est à gauche de l'EEMM (qui, à l'époque, n'avait que cinq paramètres : refus/acceptation, dichotomie/nuance, sentiment de réalité/sentiment de relativité, empirisme/rationalité, grégarité/individualité), concernant tout ce qui touche à sa santé ou à sa vie privée. Il est en revanche à droite, c'est-à-dire en MMP, pour tout ce qui touche à son métier, aux sciences (il était professeur de physique dans un lycée). Effectivement, il constate que les seconds sujets sont moins « chauds » que les premiers, à difficulté ou échec égaux. Son intérêt est éveillé.

Nous entamons alors un travail de prise de conscience des pensées associées au stress intense qu'il ressent vis-à-vis de sa santé et de « sa vie ratée » (selon ses mots). Du point de vue du contenu, tout paraît raisonnable : « Je suis mal dans ma peau parce que je n'ai pas de chance… J'ai toujours été malade, je n'ai donc pas pu profiter de la vie… Je me sens démuni et fragile, je ne m'en sortirai jamais. Je sais que ma maladie est incurable et que mon état va s'aggraver. Je sais que je mourrai jeune. » Personnalité très raisonnable, athée, il n'a, dit-il, « rien pour se raccrocher », il partage l'avis de Jacob et Monod, prix Nobel pour leurs travaux sur la génétique, qui disaient que « *l'homme est un hasard dans un univers hostile* ».

Intuitivement, il se croyait sur un mode intelligent en pensant ainsi. Et son angoisse lui paraissait bien légitime ! À moi aussi... et pourtant, ses propos me rappelaient étonnamment les miens, quelques années auparavant. J'étais moi-même de formation scientifique et médicale, athée par tradition familiale forte, et cela m'avait valu, jusqu'à 30 ans, les mêmes angoisses envahissantes, alors même que je n'avais pas sa maladie !

Côté contenant, il découvre rapidement que sa façon de penser à la maladie, la souffrance et la mort est non seulement associée au stress, mais qu'elle le génère ou, du moins, l'accentue. Normalement, une simple pensée « constat » n'aggrave pas l'état émotionnel. Là au contraire, plus il y pensait, plus son état d'angoisse s'accentuait. En descendant les lignes de l'EEMM, il inscrivait les valeurs suivantes (de 0 à 9 de gauche à droite) :

Paramètres du mode automatique	1	2	3	4	5	6	7	8	9	Paramètres du mode préfrontal
Stressabilité			x							Sérénité
Refus	x									Acceptation
Dichotomie		x								Nuance
Certitudes		x								Relativité
Empirisme						x				Réflexion logique
Image sociale					x					Opinion personnelle

Nous entreprenons de comprendre ce que signifiait « refus de sa maladie et de la mort (cotation 1/9) ». Voici une reconstitution sommaire d'une longue conversation (neurocognitivo-pédagogique) en pointillé, qui a duré au total plusieurs heures, étalées sur quelques mois :

J'essaie de le tester sur le paramètre acceptation, puisque le problème est clairement centré sur le refus.

Il me dit : *C'est inacceptable. Je ne peux me résigner au destin humain en général d'être mortel, ni, bien moins encore, à mon destin : je suis frappé trop jeune et trop sévèrement – je ne peux rien faire et je suis mal tout le temps. Ce n'est pas une vie.*

Je lui demande : *Et si vous acceptiez, qu'est-ce que cela changerait ?*

Lui (avec, sur la dernière phrase, le seul sourire de la conversation) : *Rien, mais je ne peux m'y résigner. Je veux au moins pouvoir garder la liberté d'être un rebelle !*

Moi : *Mais qu'est-ce que cela vous apporte de vous rebeller ?*

Lui : *Ça me donne le sentiment de ne pas être tout à fait une larve.*

Moi : *Êtes-vous tout de même d'accord pour essayer de changer de mode mental ?*

Lui : *Je n'ai rien à perdre et peut-être rien à gagner, mais on va essayer.*

Moi : *OK ! Alors, prenez le temps de sentir ce qui se passe en vous si vous essayez d'accepter votre destin.*

Lui (après quelques minutes de concentration) : *Rien.*

Moi : *Êtes-vous parvenu à accepter un peu plus que d'habitude ?*

Lui : *Non.*

Je change provisoirement de stratégie, j'aborde un autre paramètre, attitude que j'incite souvent à adopter lorsque l'approche se révèle trop difficile, d'emblée, par le « canal » choisi. Du fait de sa culture matheuse et rationaliste, je l'aborde maintenant par le paramètre rationalité, qui semble être le plus « perméable » sur le sujet (cotation 6/9), et plus encore en général.

Moi : *Est-ce rationnel de refuser son destin ?*

Lui : *Bof ! Pas trop*

Moi : *Qu'en pensez-vous ?*

Lui : *Mais qu'est-ce que ça change ?*

Moi : *Ça change que ça vous met en MMA : refus de relativité, ça peut coûter cher !*

Il sourit : *Combien ?*

Moi : *Du stress, autrement dit, de la Fuite, de la Lutte ou de l'Inhibition. De l'anxiété, de l'agressivité ou de la dépression.*

Lui : *Je crois que j'ai les trois.*

Moi : *Donc, est-ce que vous pourriez essayer de rationaliser votre pensée sur le sujet ?*

Lui : *Pourquoi pas… ? Bon, accepter ne résout objectivement rien… Refuser semble me défouler… Mais vous semblez dire que ça peut être trompeur, que ça pourrait en fait m'aggraver ?*

Moi : *Faites l'essai !*

Lui : *Bien. Si j'essaie d'accepter, je fais quoi ?*

Moi : *Pour l'instant, je ne vous propose plus d'accepter, mais de raisonner sur l'acceptation et le refus. Essayez de voir si refuser est rationnel ou non.*

Lui : *C'est idiot, objectivement. Ça ne sert à rien, et je le sais bien. J'avais juste l'impression que je pouvais me le permettre, comme une ultime liberté.*

Moi : *Ça peut vous coûter cher en stress et en déficit d'intelligence adaptative, autrement dit en difficulté à raisonner, ressentir, vous adapter.*

Lui : *OK, j'essaie pour voir. Je ne veux pas mourir idiot.*

Moi : *Alors, est-ce rationnel de refuser son destin ?*

Lui : *Se révolter, peut-être, mais, pour moi, on ne peut plus rien, du moins d'après ce que je sais. Refuser est enfantin, sur le fond.*

Moi : *Comment vous sentez-vous ?*

Lui : *Mieux. C'est curieux… tout de même.*

Moi : *Cherchez bien à penser à la maladie, votre maladie, votre situation, la mort, la souffrance, tout ce qui vous angoisse, vous semble insupportable, douloureux…*

Lui : *Ah, je ne me sens pas bien à nouveau ! Ça ne peut pas me soulager, je suis trop atteint ! Ça ne peut marcher qu'avec des gens normaux qui ont des angoisses. Moi, c'est du vrai de vrai !*

Moi : *Où êtes-vous maintenant sur l'Échelle ?*

Lui, prenant le temps de la scruter : *À gauche toute, c'est pire que tout à l'heure.*

Moi : *Et les conséquences ?*

Lui : *Elles sont pires que tout à l'heure !*

Moi : *Logique ?*

Lui : *Logique !*

Moi : *On recommence ?*

Lui : *Je fais quoi ?*

Moi : *Est-ce bien logique de refuser des faits ?*

Lui : *Non.*

Moi : *Que faire alors ?*

Lui : *Les accepter.*

Moi : *Et maintenant, comment vous évaluez-vous sur l'EEMM ?*

Lui : *Je vire un peu à droite !*

Moi : *Reprenons. Que faites-vous ou que faisiez-vous, en tant que prof, face à un fait dérangeant, comme une manip qui ne se passe pas bien devant des élèves ?*

Lui : *Je me pose et je cherche les causes. Si je résous, on reprend l'action, sinon, je suspends la manip. Ça m'arrivait de temps en temps. On ne peut pas tout comprendre ou résoudre tout de suite. J'avalais mon amour-propre, et puis voilà.*

Moi : *OK. Maintenant que vous êtes convaincu par la réflexion que les faits sont les faits, même en médecine, même pour votre propre santé, pouvez-vous imaginer ce que serait une attitude intelligente, pour vous, dans votre situation comme elle est, ou même lorsqu'elle s'aggravera.*

Lui : *J'accepterais tout comme c'est, peut-être même qu'il faudrait que je fasse de la méditation ou un truc comme ça pour m'occuper, puisque je ne peux plus rien faire d'autre…*

Moi : *Bonne idée, vous en avez d'autres ?*

Lui : *Pas encore...* Et, après un long silence : *Ou peut-être que si : je peux quand même faire des choses passives comme écouter de la musique, lire (un peu plus, mais ça me fatigue vite), regarder la télé, mais ça me déprime plutôt jusqu'à présent. Je trouve ça nul.*

Moi : *Et si vous étiez votre meilleur ami, que pourriez-vous vous conseiller ?*

Lui : *De me louer des cassettes vidéo, qui me plaisent ; de sortir parfois en fauteuil roulant, mais... je n'assume pas encore ; de partir davantage en voyage, mais j'ai toujours des raisons d'être de mauvaise humeur, de trouver que c'est compliqué et fatigant... je pourrais tout de même faire un effort, car, après tout, j'ai le temps et je peux me le permettre, car je ne dépense plus rien.*

Moi : *Comment vous sentez-vous ?*

Lui : *Sensiblement plus détendu. Il y a longtemps que je ne m'étais pas senti comme ça.*

Moi, observant son état et voulant lui faire ressentir le caractère subjectif de sa souffrance antérieure (il faut battre le fer tant qu'il est chaud) : *N'oubliez quand même pas que vous êtes malade, très épuisé quoique jeune, victime d'une injustice du sort, pauvre mortel voué à la souffrance !*

Lui, très détendu : *Là vous exagérez tout de même !*

Moi : *Sérieusement, tentez de ressentir à nouveau votre souffrance, grattez la plaie, car vous n'êtes pas guéri ni n'avez plus d'espoir de l'être ?*

Lui : *Non, je sais... mais c'est vrai que ça me touche moins !*

Moi : *Ça vous touche même 55 % de moins !*

Lui : *Quoi, vous n'allez pas faire le gourou !*

Moi : *Non, je lis ce que vous avez écrit sur votre dernière EEMM : vous êtes passé d'une cotation à 3/9 pour le stress à 6,2/9 environ !*

Paramètres du mode automatique	1	2	3	4	5	6	7	8	9	Paramètres du mode préfrontal
Stressabilité						x				Sérénité
Refus				x						Acceptation
Dichotomie				x						Nuance
Certitude						x				Relativité
Empirisme								x		Réflexion logique
Image sociale								x		Opinion personnelle

Lui : *Ça n'est pas faux ; moralement, ça va sensiblement mieux.* Puis, après un long moment à méditer en silence sur ce chambardement neurocognitif : *Ça va durer ?*

Moi : *Non.*

Lui : *Mais… pourquoi ?*

Moi : *Parce que la bascule entre les modes est un état fonctionnel instable. Comme vous tentez d'adopter une nouvelle posture sur ce sujet, ça va revenir à la case départ dans les heures qui viennent, ou pendant la nuit.*

Lui : *Et je dois recommencer tous les jours ?*

Moi : *Oui.*

Lui : *Combien de temps ?*

Moi : *Tous les jours. Durablement.*

Lui : *Mais je vais finir par faire de la récitation.*

Moi : *Non, vous allez vous concentrer périodiquement, chaque fois que vous le voulez, pouvez ou surtout lorsque vous êtes mal. Vous essayez d'adopter un état d'esprit préfrontalisant, un art de vivre préfrontalisant…*

Lui : *Mais c'est un pensum !*

Moi : *Vous disiez que vous vous ennuyiez !*

Lui : *Effectivement ça va m'occuper.*

Moi : *En fait, ce n'est pas un acquis, c'est un état, ça se cultive. Mais beaucoup d'activités humaines ne se maintiennent que si on les pratique activement.*

Lui : *Vu sous cet angle…*

Moi : *Alors, je vais tout de même vous rassurer un peu en vous disant qu'il existe un certain nombre de variantes dans les exercices ; certains sont cognitifs, comme celui que nous venons de faire ensemble, d'autres sont plus directement neuroco-gnitifs, c'est-à-dire uniquement centrés sur un état d'esprit : j'essaie de cultiver mon ouverture d'esprit, comme on pourrait méditer, ou ma souplesse, comme si j'étais idéalement prêt à tout accepter, comme un surfeur sur sa planche qui se prépare à toutes les vagues, même celles qui le mettent à l'eau. Et qui l'accepte, qui s'entraîne pour y faire face et finit toujours par constater avec bonheur qu'il progresse. Il existe encore d'autres manières de solliciter sa préfrontalité, en GMM, ce sont des jeux, des exercices comportementaux ou sensoriels. En fait, tout ce qui fait que l'on passe d'une perception et d'une représentation simple et connue à une ouverture vers le complexe et l'inconnu fait l'affaire. C'est un art de vivre, ou un art tout court. On peut travailler ça comme le piano ou la méditation, sans fin, sans lassitude. Mais tout le monde ne parvient pas à se passionner. Alors certains arrêtent, même quand ça leur convient. Il y a toujours des chanceux et des moins chanceux, comme partout.*

Lui : *OK, je vais essayer. La patience n'est pas mon fort, mais il est sans doute temps, effectivement, que je la cultive. Je sens que ça va me faire du bien.*

Quelques années plus tard, et quelques séances de GMM et TNCC plus tard, alors que sa vie se passe globalement mieux et que, surtout, son état psychologique est bien meilleur, A. X. apprend que son hépatite chronique active vient de dégénérer en cancer du foie. Le pronostic est d'emblée mauvais. Il n'en a plus que pour quelques mois. Après un court abattement, sans doute relativement modéré comparativement à ce qu'il aurait pu vivre sans le travail personnel accompli, et suite à une discussion entre nous, il décide d'intensifier sa préparation psychologique à la mort. Il veut adoucir autant que possible ce moment difficile, qu'il avait tant redouté.

Il réalise une véritable méditation de plusieurs heures par jour sur les critères de la préfrontalité, sur l'acceptation, bien sûr, mais pas seulement : sur tous les paramètres. Ceci ressemblait à cela :

- *J'imagine que je suis idéalement curieux de ce qui m'arrive, qui arrivera à tous. C'est l'occasion de me donner à fond dans cette expérience et une façon de transformer un calvaire en aventure, en dépassement de soi.*

- *Je donne carte blanche à la vie, elle fait ce qu'elle veut de moi, je suis une brindille sur un torrent ou un amant maso d'un sado véritable. Je ne résiste pas, je fais le nageur pris dans le tourbillon et, tant que je le peux, je m'abandonne et économise ainsi mon énergie. Et je me calme en acceptant d'avance toute issue.*

- *Je cueille au passage tout ce qui peut être plaisant, ce que je sais que j'aime, comme un rayon de soleil, ce que je crois ne pas aimer, on ne sait jamais. Je vais imaginer que je ne sais plus ce qui est plaisant ou déplaisant, désirable ou inquiétant. Tout est si complexe. Après tout, mon caractère est meilleur, et, en attendant de mourir, en cet instant, ma vie est plutôt mieux qu'il y a cinq ans.*

- *Mourir un peu plus tôt ou un peu plus tard, là n'est pas la question. Ça ne doit pas changer grand-chose si l'on n'est pas prêt. Je vais être prêt. Sans cette foutue maladie, je n'aurais jamais fait cette expérience étonnante.*

- *C'est vrai que je suis étonnamment calme et serein, même à l'idée de ma fin prochaine. Est-ce que ça peut durer jusqu'au bout ? Après tout, je ne perds rien à essayer. Et ça m'occupe, ça fait des objectifs à mes journées, même maintenant que je ne peux plus bouger, que j'ai de l'ascite et des douleurs qui apparaissent.*

- *C'est le destin humain, celui de toute femme et tout homme, c'est un moment que je veux vivre en adulte, en préfrontal, c'est l'occasion de voir si ce que je pense, ce que je crois est vrai, si j'en suis vraiment arrivé là. C'est tout de même curieux comme je ne ressens plus d'angoisse.*

A. X. m'appelle un jour au téléphone. Il est hospitalisé, en fin de vie, en soins palliatifs sans doute. Il a réussi à obtenir de pouvoir me parler quelques minutes. Voici approximativement les derniers mots que j'ai pu échanger avec lui :

Lui, voix très faible au téléphone : *Jacques, je t'appelle pour te dire que je suis au bout. Je pense que je vais mourir aujourd'hui ou demain... Je voulais te remercier, car je n'éprouve aucune angoisse particulière la plupart du temps et j'en viens facilement à bout quand ça survient...* Il est très essoufflé... Il ajoute : *C'est incroyable. Je n'en reviens pas. J'en arrive à me dire que j'ai de la chance de terminer si bien ! On réussit ce qu'on peut. Moi, c'est la sortie !* Il rit un peu, puis tousse. Il termine dans un souffle : *Merci encore, du fond du cœur.*

Dans un cas très comparable, une patiente atteinte d'une leucémie a fait expédier un courrier posthume à ses amis et ex-relations de stages GMM pour partager, avec humour, cet apaisement.

Ce ne sont pas des cas uniques, même s'il n'est bien sûr pas facile d'atteindre à une telle sérénité. Mais, paradoxalement, c'est parfois dans les problèmes les plus bénins et quotidiens que les résultats sont les moins bons. En effet, la mobilisation que l'on peut souvent observer dans les cas difficiles peut aisément expliquer cela. Par ailleurs, rappelons que les études que nous avons réalisées sur le sujet montrent une étroite corrélation (0,9/1) entre MMP et sérénité, d'une part, et MMA et stressabilité (autrement dit tendance à souffrir moralement en situation que l'on juge soi-même difficile), d'autre part. Cela signifie que **la douleur morale varie de façon strictement parallèle, presque linéaire, avec le mode mental recruté. En d'autres termes, être en MMP est un véritable bouclier anti-souffrance morale.**

Et l'impact de cette baisse de stress sur la souffrance physique est loin d'être négligeable ; pour tout dire, il est particulièrement net chez les sujets stressés (au sens large, comme toujours dans cet écrit, c'est-à-dire : angoissés, agressifs et déprimés). Ce qui signifie, en pratique, **qu'il y a une forte synergie entre douleur physique et morale. Et, à l'inverse, on obtient la même synergie entre sérénité et apaisement des douleurs physiques.** C'est cette synergie qui est mise à profit dans l'accouchement sans douleur.

Chapitre 5

Le cerveau intelligent en action

Coaching et formation : l'apport des neurosciences

La GMM est un dopant autorisé et non détectable. C'est doublement rassurant, surtout quand on est prêt à prendre tous les risques pour réussir, par exemple apprendre à échouer.

Le cas de G. X. ou le coaching sportif

M. G. X est un sportif de haut niveau. Il a été champion du monde dans sa catégorie et il est, depuis des années, un des compétiteurs nationaux les plus réguliers dans les épreuves internationales. Nous avons construit ensemble un coaching qui s'est déroulé sur plusieurs années, avec deux objectifs : améliorer ses performances et résoudre un problème chronique et relativement gênant de stress. Nous avons aussi formé à la GMM son coach psychologique et son entraîneur. Nous n'entrerons pas bien sûr dans tous les détails de son coaching, mais nous citerons un épisode particulièrement illustratif d'une autre facette de la GMM, plus technique, orientée sur la résolution de problèmes.

À cette époque, nous sommes à quelques semaines du départ pour une Coupe du Monde. Le résultat aux précédents jeux Olympiques ayant été décevant, G. X. est tout de même un peu « sur les dents ». Il vient pour faire le point. Nous prenons le temps, nous faisons en effet certaines séances de 3, voire 5 heures lorsqu'un événement important est à l'horizon. Là, nous allons préparer une épreuve qui se joue à plusieurs. Il fait *a priori* partie des cinq meilleurs sportifs mondiaux, et chacun d'entre eux et quelques autres peuvent gagner. En fait, tout se joue le plus souvent au moral et à la stratégie. Le plus difficile est donc de ne pas perdre des points bêtement dans les moments difficiles. Il faut aussi, et presque surtout, résister à la pression psychologique de l'entourage sportif, aussi bien de ceux qui le soutiennent que de ceux qui le jalousent, de ceux qui veulent bien faire mais lui prodiguent des conseils aussi contradictoires qu'impérieux, de ceux enfin qui disent des banalités bien intentionnées et aimables mais paradoxalement stressantes, parce qu'inapplicables, du genre : « Ne te mets pas la pression, détends-toi ! » ou « Il faut que tu gagnes, on compte sur toi ! On est tous avec toi ! »

Pour se préparer à faire face à ce genre de difficultés, beaucoup d'abords GMM sont possibles, mais nous avons d'un commun accord misé sur le schéma suivant :

Lui : *Je crains les situations où je pars mal, même si je sais que personne n'est à l'abri, et qu'il faut donc rester en embuscade, profiter de la moindre opportunité. En fait, ceux qui gagnent sont ceux qui parviennent à cela. Le savoir m'améliore, mais ça ne suffit pas. Je ne m'effondre pas, mais je peux fléchir un peu. C'est ce qui s'est passé aux JO.*

Moi : *Précise-moi ta difficulté en termes de « contenant GMM » ?*

Lui : *En fait, à la fois je suis speed et, en fait, je m'ennuie quand j'ai l'impression que je commence à être hors jeu. C'est en partie pour ça que je me démobilise. Stress et ennui. Les deux me scotchent, m'engluent un peu. Et à ce niveau, c'est déterminant.*

Je vais essayer de voir comment lui faire mobiliser sa curiosité, même et surtout quand elle n'est pas au rendez-vous.

Moi : *Tu t'ennuies... Mais qu'est-ce qui peut éveiller le plus ta curiosité dans ta discipline, en général ?*

Lui : *Oh, beaucoup de choses, même si la routine tend un peu à s'installer avec les années. Et puis, c'est vrai que quand on a déjà été le meilleur du monde, on n'a plus rien à gagner. Si, il me manque des JO à gagner. Mais une fois tous les quatre ans, c'est long pour s'exciter tout le temps. Et regagner les championnats du monde me mobilise moins que la première fois, c'est clair.*

Moi : *Mais qu'est-ce qui te mobilise encore ?*

Lui : *J'aime la performance, évidemment, sinon je ne serais pas là, me dépasser. Mais, dans la vie de l'entraînement courant, il y a beaucoup de choses : par exemple, adopter une posture, l'optimiser, polir le geste, étirer jusqu'à l'extrême son rendement et son élégance. Ça, j'adore.*

Moi : *Et quoi encore ?*

Lui : *J'aime les défis, évidemment, sinon, etc. Donc, j'arrive souvent à me donner des objectifs impossibles et à les réussir. Il ne faut pas se laisser impressionner. Je me souviens aussi de cette phrase d'Épictète que tu me citais : « Ça n'est pas tant parce que les choses sont difficiles que nous n'osons pas, c'est parce que nous n'osons pas qu'elles sont difficiles. » Voilà, alors j'essaie d'appliquer.*

Moi : *Mais quoi d'autre encore peut exciter ta curiosité à l'entraînement, ou lors d'autres compétitions ?*

Lui : *Développer mon sang-froid. J'essaie de passer à travers les obstacles externes comme internes, de glisser dessus. Ou de me laisser submerger pour mieux ressurgir. Tu vois, j'ai bien appris ma leçon ? Et c'est vrai que j'aime bien cultiver cela, ça peut être grisant. Alors, perdre la partie sans en être affecté, c'est sûrement pas mal aussi. Mais j'ai encore quelques progrès à faire.*

On a ainsi continué un long moment et la pêche a été bonne. Alors, on passe au plan d'action :

Moi : *Voilà le programme que je propose : on va faire comme en cyclisme, pour le Tour de France. Il y a plusieurs maillots et plusieurs récompenses possibles. Bien sûr, il y a le maillot jaune général, que tout le monde convoite. Mais il y a aussi le maillot du meilleur grimpeur…*

Lui : *Je te vois venir.*

Moi : *Il y a aussi celui du gagneur de l'étape, il y a peut-être aussi celui du meilleur sprinteur, du meilleur descendeur, ou alors on pourrait les inventer…*

Lui : *Donc je vais viser plusieurs maillots auto-décernés !*

Moi : *Pas bête !*

Lui : *Effectivement…*

Moi : *Prenons la première situation difficile que tu as citée : tu restes dans la course, mais tu as perdu quelques manches. Le leader devient difficile à rattraper s'il ne faute pas lui-même. Que peux-tu te donner comme nouveau challenge ?*

Lui : *Celui du meilleur remonteur… J'imagine que je suis un jockey et que je fais une course avec handicap. C'est même en général parce que l'on a été trop bon qu'on reçoit un handicap.*

Moi : *Est-ce que ça peut marcher en vrai ?*

Lui : *Mmm ! Peut-être ! Pas tout à fait sûr…*

Moi : *Quoi d'autre alors ?*

Lui : *Je pense que je peux essayer si je suis bien. Je peux me dire que j'ai un incroyable exploit à réaliser, fou, et que s'en approcher est déjà inouï !*

Moi : *Et sinon ?*

Lui : *Sinon, je peux me battre pour le maillot de la meilleure attitude. J'imagine qu'on me filme pour des élèves, ils sont attentifs, et moi je leur montre ce qu'est un geste parfait, c'est ce geste qui compte, il n'y a ni avant ni après, il suffit que je l'immortalise. Donc chaque instant permet de tout recommencer.*

Moi : *C'est effectivement une excellente façon de récupérer du préfrontal en sortant de l'objectif de résultat. Car développer la curiosité et la motivation dans la* durée, chez un sportif qui a déjà tout gagné et ne peut plus que perdre, est difficile, presque paradoxal. Comme tu le dis très bien...

Lui : ... L'objectif de résultat à tout prix peut me mettre en mode limbique. Je l'ai déjà bien senti.

Moi : *Tout juste. Alors, si tu te sens un peu crispé par un challenge de résultat, quel qu'il soit, il est bon de « rétrograder » sur un exercice qui se situe dans l'instant, et qui travaille la souplesse, la globalité de l'attitude. Cet exercice de la recherche du geste élégant et optimum a toutes les chances de te remettre le pied à l'étrier dans les moments difficiles.*

Lui : *Oui, ça, je sens bien...*

Moi : *Donc on résume...*

Lui : *Je cours le maillot jaune quand je suis en position de le faire. Sinon, je joue la carte du meilleur remonteur. Si je ne la sens pas, je joue celle du geste, de l'attitude idéalisée, comme un danseur, pour la beauté du geste.*

Moi : *Et si, malgré tout, c'est mauvais, je veux dire en termes sportifs, tu décroches, comme aux JO ?*

Lui : *Mmmm... ben euh ! J'insiste... Non, ça me fout à gauche sur l'EEMM.*

Moi : *Alors, quoi d'autre ?*

Lui : *Je cultive mon flegme. C'est ça, je deviens brise-glace de la pression psychologique que je vais rencontrer le soir, en croisant les regards, car c'est en pensant à ça que ça me débranche le plus. Tout seul, pendant l'épreuve, ça va encore.*

Moi : *Et, intuitivement, ça marche ?*

Lui : *Ça, c'est encore moyen. Il faudra reprendre le sujet tout à l'heure.*

Moi : *Et en compétition, le camion balai du savoir-échouer sans sombrer, ça fonctionne ?*

Lui : *Oui, de toute façon, pour ça, j'ai une motivation personnelle, je ne veux pas devenir une épave après ma retraite de sportif international. Je veux faire de ma vie autre chose. Il faut donc que j'apprenne à rebondir et dépasser les creux. Ça va me motiver, je sens.*

Les résultats ont, semble-t-il, été plutôt bons. G. X. a terminé quatrième, au pied du podium, en très net progrès par rapport aux précédentes compétitions, notamment aux JO. Il était content, il avait effectivement utilisé toutes les stratégies mises au point, avec bénéfice, pensait-il. Son stress avait nettement baissé et il était parvenu à bien remonter, pas loin de l'exploit, dans une compétition plutôt mal partie.

Coaching professionnel ou développement personnel ?

Le coaching n'est pas une thérapie, ni même un développement personnel. C'est un accompagnement purement méthodologique, où **l'on aide la personne à s'organiser dans les problématiques qu'elle a elle-même définies, à les résoudre d'une façon ou d'une autre, en l'aidant à l'occasion à sortir du cadre... mais sans l'influencer sur le fond.**

Le développement personnel commence de la même façon, mais, d'un commun accord avec le client, on s'autorise à intervenir dans le déroulement de la réflexion, par le biais d'outils psycho-comportementaux que l'on peut lui faire partager. En fait, cela se rapproche parfois d'une thérapie, si ce n'est que le motif de l'exercice est l'amélioration d'un malaise ou, à l'inverse, d'une qualité de vie, plus que la résolution des troubles sous-jacents.

Par contraste, la thérapie, vous l'aurez déduit, s'enquiert avant tout de la recherche des causes cachées sous les symptômes immédiatement visibles. En thérapie, il y a certes un binôme, mais le thérapeute est censé disposer de connaissances et compétences sérieuses en matière de psychologie et/ou psychiatrie, ce qui ne le dispense pas pour autant d'être, comme un coach, disponible, à l'écoute, interactif, de faire preuve de tact, d'éthique, de respecter les capacités réelles de progression du patient, etc.

Les apports du neuro-coaching

Quelle est la différence entre le coaching et le neuro-coaching ? Qu'est-ce que les neurosciences changent au débat pour identifier si, oui ou non, le neuro-coaching reste un coaching ou s'il devient un développement personnel ? Le débat n'est pas seulement théorique entre professionnels (même s'il est vif sur le sujet), il est d'abord pratique : ne pas apporter la bonne réponse à la demande du client, c'est d'abord le tromper, parfois le démotiver, l'engager dans une démarche qu'il n'a pas choisie en connaissance de cause... et, surtout, c'est l'écarter de ses objectifs concrets à court terme, de son budget temps/argent.

Alors, les neurosciences changent-elles la nature du débat ? Et si oui, la GMM est-elle un ou le bon outil pour faire du neuro-coaching ? Donnons notre point de vue sur le cahier des charges minimal.

Selon nous, le coaching doit être :

- concret, orienté résultat ;
- rapide, tenir dans le budget temps/argent ;
- applicable immédiatement aux problématiques concrètes apportées par le client ;
- surtout, l'autonomiser, c'est-à-dire lui apprendre à trouver tout seul des solutions ; donc, si on lui donne trop de méthode plaquée en surface, ça ne résout pas son éventuel déficit de proactivité/créativité ;
- ne nécessiter aucune connaissance préalable, ni imposer un apprentissage qui coûte plus de temps qu'il n'en ferait gagner.

Le neuro-coaching respecte-t-il ces exigences et, surtout, apporte-t-il une plus-value sur ce terrain ?

- Oui si une meilleure connaissance de son cerveau peut aider le client à mieux :
  - atteindre des résultats concrets,
  - tenir dans le budget temps/argent ou le réduire à résultat égal,
  - s'appliquer rapidement aux problématiques concrètes apportées par le client, ce qui signifie que le gain de temps est presque immédiatement supérieur au méta-apprentissage nécessaire,
  - l'autonomiser, c'est-à-dire lui apprendre à trouver tout seul des solutions, ce qui sera le cas s'il sait mieux et plus sûrement recruter les bons circuits cérébraux, comprendre le pourquoi neurocognitif de son échec,

- laisser l'essentiel du temps pour la pratique, où toute situation devient matière à pratiquer l'acquis, à résoudre les problèmes, et ainsi à acquérir une capacité à transposer la démarche – c'est d'ailleurs la nature de ce modèle, qui agit en amont du contenu culturel,

- résoudre ainsi l'éventuel déficit de proactivité/créativité ;

- Non, ou prudemment oui, si :

- le client se débrouille très bien sans la GMM pour résoudre ses problèmes (a déjà une bonne méta-culture),

- le client en tirerait bénéfice, selon nous, mais ne le souhaite pas après une brève explication,

- on pressent que le déficit méta-culturel du client rend improbable une acquisition satisfaisante de l'outil dans le délai imparti sans nuire à l'objectif de résultat.

En pratique, **si l'option est retenue d'un commun accord avec le client, la GMM ou tout autre outil neurocognitif n'intervient qu'en fonction des problématiques rencontrées, selon une économie de moyens : le plus léger possible pour atteindre le résultat**. Et il vaut mieux être clair : il faut le dire si l'on pense que le client relèverait d'un travail de développement personnel ou de thérapie pour résoudre son problème (on ne peut atteindre dans ce cas l'objectif fixé par l'une quelconque des stratégies pré-énoncées).

Créer en prise directe sur le préfrontal

Se doper pour créer, c'est dépassé ! Pour libérer sa capacité créative cachée, mieux vaut solliciter en direct son préfrontal. On peut même corser le mélange en couplant son MMP avec sa ou ses personnalités. Nous avons traité du sujet de la personnalité dans un précédent ouvrage[1] et nous allons ici développer quelques lignes directrices de la

---

1. Jacques Fradin et Frédéric Le Moullec, *op. cit.*

mise en synergie de ces concepts avec la GMM développée dans cet ouvrage.

Rappelons tout d'abord l'essentiel sur le modèle de personnalités que nous développons à l'IME. La personnalité est constituée de traits de personnalité qui sont :

- pour les uns, définitifs, c'est-à-dire ineffaçables, issus de notre génétique[1] et de notre empreinte post-natale[2] ; **on les nomme tempéraments ;**

- pour les autres, acquis tout au long de la vie par un processus de mémoire émotionnelle, néo-limbique, dénommé de conditionnement par les comportementalistes. Ces derniers sont théoriquement réversibles, mais ils tendent cependant à se figer par la force de l'habitude et celle des expériences négatives qui réduisent progressivement notre champ d'exploration. **On les nomme caractères.**

Nous allons étudier ici la façon de recruter notre préfrontal pour développer notre capacité créative, tout en intégrant des éléments de notre tempérament, puisqu'il fournit une sensibilité et une motivation intéressantes pour le faire.

Une GMM orientée créativité

La créativité étant ordinairement plutôt axée sur l'exploration (nous ne traitons pas ici de la créativité intellectuelle qui gagne à solliciter davantage le paramètre « réflexion logique »), nous proposons en général d'axer l'action GMM sur les deux ou trois premiers paramètres, ceux qui gèrent l'entrée de l'information et le début du traitement, autrement dit l'exploration et sa légèreté, sa proactivité, son audace, sa diversification, ses ramifications, sa déformation progressive jusqu'à produire, selon les cas, des objets, textes, personnages de

---

1. C. Robert Cloninger & *al.,* "Mapping genes for human personality", *Nature Genetics,* 1996, 12, 3.
2. Jean-Pierre Changeux, *L'homme neuronal,* Fayard, 1983 ; Gerald M. Edelman, *The Remembered Present. À Biological Theory of Consciousness,* Basic Books, 1989.

théâtre, ou préparer l'improvisation en prise de parole en public, faire du brainstorming en publicité… ou faire une déclaration d'amour originale.

Un exercice de GMM orientée créativité

Pour activer la curiosité, l'acceptation et la complexification, notre petit parcours initiatique vous propose pour commencer, cher lecteur, de re-écouter comme pour une première fois une symphonie des bruits ordinaires. En musique contemporaine, c'est déjà fait, me direz-vous. Oui mais, comme à Hollywood on imite la réalité dans des décors, ici on prend la réalité et on adopte une attitude de mélomane.

Voilà, installez-vous profondément dans votre siège, respirez bien, détendez-vous, le concert va bientôt commencer. Fermez les yeux, car vous allez encore mieux vous laisser prendre par les sons. Les musiciens accordent leurs instruments. On écoute, en solo, la radio du voisin, bien nette, on comprend presque les infos. Passage de voitures dans la rue, la climatisation qui vibre, travaillant ainsi un léger son aigu de frottement instable modulant son souffle régulier, un objet est tombé à côté, relevé par un cri rapidement étouffé, qui a introduit une rythmique syncopée, presque jazz. Mais les bruits de l'orchestre des bruits de la ville poursuivent leur basse continue… Ne cherchez surtout pas à focaliser sur un bruit à l'exclusion des autres, vous passeriez en MMA. Restez bien branché sur « l'effet symphonique », vous percevez tout en même temps, et c'est cette perception, cet état d'esprit « mélomane », qui branche le MMP, notamment sur ses paramètres nuance et curiosité.

Au fur et à mesure que vous atteignez à l'état préfrontalisé, vous pouvez détacher vos ceintures et vous promener dans l'avion préfrontal. Vous avez atteint un état de calme d'autant plus intense que vous avez réussi à entrer dans l'exercice. Vous flottez alors dans l'étage mental supérieur, et les aspérités du mode automatique (le plancher des vaches émotionnel de votre mental) ne sont plus perceptibles. Simple effet distractif penserez-vous ? Ou rôle de la relaxation associée ? Testez. Essayez par exemple de penser à vos soucis : étonnamment, ils sont devenus plus ténus, abordables. Vous avez en fait également connecté les autres paramètres, car le MMP étant un mode, il y a un effet d'entraînement entre les paramètres, de façon d'autant plus nette que l'effet est intense sur le paramètre sollicité.

Ça ne dure pas ? Sans doute au bout d'un quart d'heure ou trois heures, ça va partir. Alors recommencez. Après tout, ce n'est pas contraignant, c'est agréable, c'est un art de vivre. C'est la façon de vivre de certains, d'ailleurs, qui sont plus attentifs à l'environnement, à cette perception multicanaux ou multimédia. Une question de personnalité, que nous allons développer *infra*.

Deuxième étape de notre petit parcours de « démo », gardez toujours les yeux fermés, restez branché sur l'effet symphonique sonore et commencez en plus à sentir votre corps, tout votre corps en même temps, le contact des vêtements sur la peau, celui du siège sur lequel vous êtes assis ou du sol sous vos pieds, sentez aussi l'air sur le visage et les mains : même s'il est immobile, vous sentirez au moins sa température, son degré d'humidité... Puis adoptez l'attitude d'un danseur qui va entrer en scène. Il perçoit tout son corps, immobile et/ou en mouvement, tout est perçu tout le temps, cela donne un peu le sentiment d'être un félin, et ce corps sent et bouge dans un espace sonore. Tout coexiste maintenant. Étendez l'effet symphonique au spectacle total, sonore, épidermique, kinesthésique[1] et, maintenant, visuel. Entrouvrez les yeux, levez-vous et marchez simplement, ne dansez pas, ou pas encore, faites des gestes ordinaires, le plus conscient possible de tous les détails sensoriels de vos mouvements.

Arrêtons là arbitrairement ce petit galop d'essai. Ou, plutôt, poursuivez-le, il s'arrêtera (malheureusement) tout seul, à votre insu. Mais, autant que possible, continuez pendant que vous allez vous exercer à créer, par le médium de votre choix (dessin, peinture, modelage, écriture, improvisation, chant, etc.) ou sur des sujets de la vie courante (situation ou dossier professionnels, dialogue et relation, etc.). Ou écoutez une musique/regardez des tableaux ou des revues que vous n'aimez pas... jusqu'à maintenant. Quelle différence ?

Nous venons de voir à l'œuvre la GMM, grande fille, autonome, célibataire. Elle gère seule ses innombrables et plus ou moins indisciplinés neurones. Évoquons et illustrons maintenant comment elle peut aussi se marier avec les personnalités néo-limbiques :

Huit tempéraments ou personnalités primaires occupent la scène[2] :

- quatre extravertis : philosophe-épicurien, animateur-explorateur, stratège-esthète, participatif-sentimental ;

---

1. En physiologie, la kinesthésie est l'ensemble des sensations corporelles profondes (comme la tension des muscles, leur relâchement, le mouvement des articulations, les positions relatives des différentes parties du corps, la direction, la dynamique, le ralenti, l'arrêt, l'équilibre, etc.). Ces sensations sont transmises au cerveau par les capteurs sensoriels situés dans le système nerveux.
2. Jacques Fradin, Frédéric Le Moullec, *op. cit.* p. 96.

- quatre introvertis : novateur-concepteur, gestionnaire-collectionneur, compétiteur-provocateur, altruiste-zen.

Chacune de ces personnalités active de façon privilégiée certains paramètres préfrontaux, et, réciproquement, leur activation facilite l'expression du tempérament considéré. Entendons-nous bien, nous ne voulons pas dire que les tempéraments limitent l'expression pleine et entière de la préfrontalité chez ceux qui n'ont pas le « bon » tempérament pour cela. Tout le monde gagne à utiliser, développer sa capacité à recruter tous les paramètres. Mais vous observerez sans doute que certains fonctionnent mieux, plus spontanément, chez vous que d'autres, ou sur certains sujets. Certes, votre culture, ou votre histoire personnelle, a pu favoriser cela, mais peut-être aussi votre tempérament a-t-il pu vous permettre de tirer toute la substance de votre culture (et méta-culture) sur ce point, sans doute aussi vous a-t-il rendu plus proactif, et donc à même d'avoir créé les opportunités que vous croyez « hasardeuses ».

Évoquons donc à ce titre les paramètres les plus faciles (qui vont dans le sens du vent) à cultiver prioritairement selon ces huit biotypes mentionnés ci-dessus, de façon à amplifier rapidement vos capacités naturelles :

- philosophe-épicurien : curiosité/nuance ;
- animateur-explorateur : curiosité/acceptation ;
- stratège-esthète : nuance/relativité ;
- participatif-sentimental : acceptation/nuance ;
- novateur-concepteur : réflexion logique/opinion personnelle ;
- gestionnaire-collectionneur : nuance/réflexion logique ;
- compétiteur-provocateur : relativisation/réflexion logique ;
- altruiste-zen : relativisation/opinion personnelle.

Au fur et à mesure que ces paramètres sont recrutés avec aisance, on peut étendre vers les autres, en terminant par les plus difficiles (par exemple, la réflexion logique et l'opinion personnelle, pour la plupart des états extravertis, et la curiosité sensorielle et l'acceptation, pour la plupart des états introvertis).

La conscience limbique, un obstacle à l'émergence préfrontale

Jusqu'ici, nous avons largement développé la façon de faciliter l'accès du préfrontal à la conscience et, pour ce faire, nous avons plaidé la cause du MMP, tenté de sensibiliser le MMA à sa juste et noble cause. Nous allons maintenant présenter une tout autre stratégie, celle qui consiste à détourner l'attention de la conscience automatique, en l'occupant en quelque sorte à quelque menue tâche, pour que le MMP puisse alors agir à sa guise, à la barbe et au nez du MMA. Du Molière en quelque sorte ou du de Funès.

Pourquoi tenter de contourner la conscience

La communication neuronale entre le préfrontal et les aires prémotrices (bilatérales, juste en arrière du préfrontal) ou avec l'aire de Broca (juste en arrière du préfrontal, sur l'hémisphère gauche), et son homologue controlatéral (position symétrique à la précédente, située sur l'hémisphère droit), est, nous l'avons vu, anatomiquement directe. Ces territoires sont contigus et en parfaite continuité en termes de « connectique » neuronale. Il n'y a pas non plus de scissure significative entre ces territoires.

Du point de vue embryogénétique (c'est-à-dire du développement embryonnaire et fœtal), ces territoires sont également de même nature, ils appartiennent tous deux au néocortex à six couches et aux territoires antérieurs impliqués dans les processus complexes et adaptatifs, comme le montre l'imagerie cérébrale. Certaines études ont d'ailleurs montré qu'il existe une synergie fonctionnelle entre l'activation des aires dites prémotrices, qui prennent les décisions d'action, en amont des aires motrices, et des aires préfrontales, ou entre les aires de Broca et son territoire homologue droit, et ces mêmes aires préfrontales.

•••

•••

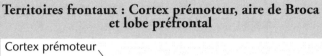

**Territoires frontaux : Cortex prémoteur, aire de Broca
et lobe préfrontal**

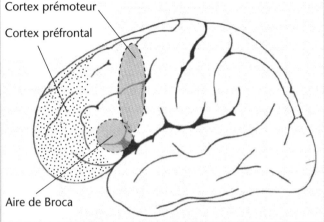

Par opposition, les territoires conscients sont anatomiquement plus éloignés, soit au niveau des aires sensori-motrices du néocortex médian et postérieur, soit au niveau du vieux cortex inter-hémisphérique, ou gyrus cingulaire, identifiable au territoire néo-limbique et support de la « conscience noyau », selon Damàsio. De surcroît il existe un certain nombre d'obstacles à la connexion inter-neuronale directe, notamment une certaine rupture anatomique, comme la scissure profonde qui sépare le vieux du nouveau cortex.

Il existe également une différence de nature embryogénétique entre les territoires néocorticaux, comme le préfrontal, et ceux du vieux cortex, comme le gyrus cingulaire. Cette différence constitue sans doute un obstacle sérieux pour notre conscience quant à sa capacité de se représenter la « pensée préfrontale ». En effet, les territoires plus anciens du gyrus cingulaire sont constitués par un cortex à quatre couches de neurones au lieu de six pour les nouveaux. Ils sont donc moins performants. Le préfrontal est également beaucoup plus vaste que le gyrus cingulaire et il est mieux connecté à l'ensemble du cortex, disposant ainsi d'informations plus globales et plus fines.

Pour toutes ces raisons, on peut déduire que notre conscience ne dispose que d'une représentation dégradée et décalée dans le temps de l'activité préfrontale. Cela ajoute au fait que le Mode Automatique a

•••

•••

des méta-valeurs fonctionnelles point par point opposées à celles du préfrontal (*cf.* les six bipôles de l'EEMM).

Enfin, comme le préfrontal ne participe pas directement, ou peu, aux mécanismes de la conscience, on comprend à quel point son activité peut être marginalisée dans l'activité mentale humaine, sauf par le reptilien et le stress endogène qu'il produit. Il peut même être massivement mis hors circuit lorsqu'on ne dispose pas d'une méta-culture, d'une façon d'apprendre, favorable à l'expression de cette activité préfrontale.

Le gyrus cingulaire

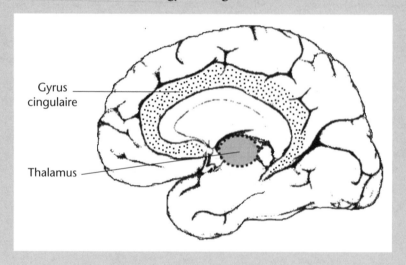

Nous pensons que la production préfrontale est dégradée lors de la représentation consciente, simplifiée, pour ne pas dire détournée, occultée, démembrée, recomposée, bref, dénaturée par les mécanismes conscients, sous-tendus par les émotions et les sensations. De plus, les mécanismes de transfert entre les structures préfrontales et celles de la conscience sont volontiers décrits comme lents dans la littérature scientifique.

Selon nous, **la lenteur de la réponse adaptative ou créative souvent observée cliniquement n'est pas ou pas seulement une lenteur liée à** la production préfrontale elle-même (même si créer est assurément plus complexe que de répondre par un automatisme), **mais aussi, et peut-être surtout, une lenteur du transfert de sa production aux structures conscientes. Ou encore une lenteur de la reconstruction d'une représentation consciente à partir des informations d'origine préfrontale.** Nous en voulons pour preuve l'extrême rapidité des réactions ou productions verbales et comportementales issues d'une expression directe court-circuitant la conscience, que nous observons lors des exercices précédemment décrits.

C'est aussi, d'ailleurs, ce que l'on observe dans de nombreuses conditions complexes et imprévues, en situations réelles, comme des dangers immédiats survenant sur la route : ce que nous nommons ordinairement réflexe, et qui permet souvent d'éviter l'accident, relève en effet d'un enchaînement souvent extraordinairement rapide d'actes parfois complexes et remarquablement coordonnés, sous-tendus par une stratégie performante. Cela signe l'intervention préfrontale et laisse ordinairement le sentiment que la conscience n'a pas participé à sa gestion directe, mais en a simplement constitué le spectateur, le plus souvent incapable d'en décrire le déroulement exact et plus encore de le reproduire.

C'est également ce que décrivent de nombreux sportifs ou leurs coachs lorsqu'ils parlent de *flow* ou « flot »[1], cet état d'extrême fluidité des comportements individuels ou collectifs qui permettent d'atteindre à l'extrême précision et coordination des gestes dans un état intérieur un peu « flou » – à mi-distance entre vigilance globale et permissivité –, propice à l'improvisation gestuelle. On peut encore penser à l'attitude de l'artiste plasticien devant sa toile ou sa sculpture, au musicien, au danseur ou au chanteur qui improvisent ou créent leurs œuvres. **Tous parlent d'un état mental particulier, mêlant absence de contrôle, liberté gestuelle et état mental contemplatif, évoquant des états modifiés de conscience** induits par quelques substances psychotropes ou certaines méditations.

---

1. *Cf.* Christian Target, *op. cit.,* p. 100.

C'est pourquoi certaines techniques GMM tentent non pas, comme la majorité, de faciliter l'accès du préfrontal à la conscience, mais purement et simplement de court-circuiter la conscience.

Faire appel à la créativité par un détournement de la conscience

Tromper la conscience certes, c'est bien facile à dire, mais comment, puisqu'il n'est pas possible de la congédier ?

Les plus grosses farces se jouent sous le nez des niais ou des simplets dont elles se moquent. Nous avons donc imaginé et expérimenté des exercices où la conscience se focalise sur la production préfrontale, sans en comprendre le sens (pire que d'habitude), le nez sur le guidon, obsessionnellement, de telle sorte qu'elle ne s'occupe pas de ce qui se passe en amont. **C'est le cas, par exemple, d'exercices où l'on travaille l'improvisation en s'écoutant parler ou se regardant agir. Par divers procédés, on occupe attentivement la conscience à l'observation de ce qui « sort », pour mieux laisser le champ libre, « sans filtre conscient », au trio préfrontal, aire du langage parlé (Broca) et son symétrique droit qui gère le rythme du langage, pour ne pas dire au quatuor si l'on y ajoute la gestuelle (aires prémotrices) dont la synergie est démontrée.**

La puissance de préfrontalisation de ce type d'exercice, déjà grande si l'on en juge par sa capacité d'apaisement, l'est bien plus encore si l'on considère sa performance en termes de créativité/aisance verbale et gestuelle. On comprend pourquoi les acteurs utilisent des exercices de même nature pour s'échauffer. Mais ce serait aussi bien utile à tous les orateurs… et à tous ceux, nombreux, qui doivent mêler créativité, pensée globale, sortie du cadre, capacité d'à propos, de contextualisation, d'interaction complexe avec un groupe. Plus surprenant par rapport à l'idée que l'on se fait d'ordinaire de la créativité, ce type d'exercice permet aussi l'innovation rationnelle, la rigueur, l'inventivité fulgurante. Mais, finalement, c'est logique puisqu'il s'agit précisément du périmètre des capacités préfrontales.

Théâtre et littérature, reflets de la transmutation neurocognitive

Comme la psychologie, la littérature a sédimenté les strates de l'évolution (méta)culturelle des sociétés humaines et de la transmutation neurocognitive, lente, parfois chaotique, de leurs modes de fonctionnement.

On peut prendre l'exemple des écritures projectives : leur sommet nous semble se situer dans la littérature dramaturgique. **Le drame classique nous paraît être typiquement ce qu'un « individu néo-limbique » projette sur les autres.** Selon nous, un individu néo-limbique « typique » (reconstitué !) sait, ou plutôt croit savoir, distinguer le bien du mal, le faux du vrai, il a une vision bien tranchée, pense que toute la réalité se trouve dans ses perceptions sensorielles ; c'est un héros du théâtre classique français : « Je ne crois que ce que je vois. » Il ne s'intéresse qu'au concret, aux résultats immédiats, a une aversion naturelle pour la réflexion et attache beaucoup d'importance à sa position dans la société, dans un groupe.

Tout ce qu'il ne comprend ou, plutôt, ne connaît pas relève du mal, du paganisme, d'où l'expression « ce n'est pas catholique » pour indiquer qu'il faut se méfier des pires horreurs si ce n'est pas connu. Autrement dit, de ce tout qu'on pourrait qualifier en culture préfrontalisante de différence : différence des sexes, couleur de peau, personnalités, cultures, expériences, disciplines, générations, bref tout ce qui nous échappe, qui ne rentre pas dans notre propre grille d'analyse.

Peut-être le néo-limbique voit-il poindre dans la différence le spectre de la barbarie du paléo-limbique[1], mû seulement par le rapport de

---

1. Rappelons que la structure que nous appelons paléo-limbique détermine le positionnement hiérarchique, aussi bien dans un troupeau de mammifères que dans une société dite « primitive », où un ou quelques dominants « règnent » sur la masse des « soumis ». On doit y ajouter quelques « axiaux » qui se sentent habités par l'« esprit » des herbes et des étoiles et, du côté opposé des exclus, des marginaux à des degrés divers. Voir nos écrits cités : *Manager selon les personnalités* et *Personnalités et Psychophysiopathologie*. (*op. cit.* p. 96).

force et la violence ? À l'évidence, la guerre des modes mentaux a agité l'histoire humaine des derniers millénaires. La barbarie du paléo-limbique existe toujours, mais il est vrai que la culture néo-limbique la voit partout[1].

Sur un plan neuropsychologique, le théâtre de Racine ou Corneille représente l'apogée du théâtre classique en France, autrement dit l'idéal néo-limbique fait culture. Mais les personnages qu'il décrit, par leur caractère monolithique, n'existent pas vraiment ; ils ne sont sans doute que les fantasmes néo-limbiques des auteurs et de la culture qu'ils incarnent. D'un point de vue neurocognitif – qui ne s'occupe pas de ce qu'on appelle une « valeur littéraire » –, les tragédies de Racine ont vieilli parce qu'elles ne décrivent qu'une fraction néo-limbique de notre tragédie humaine.

Molière joue de la psychologie des personnalités, certains de ses personnages ont du recul et prennent avec légèreté, voire espièglerie, le drame ou les tabous des autres. Il parvient à mettre en scène un monde plus polymorphe, quoique de façon encore projective, et il est vrai qu'il y a encore des bons et des mauvais, des malins et des balourds…

Comparativement, de notre point de vue neuropsychologique, Shakespeare nous parle de tout. Il entre de plain-pied dans la complexité. En ce sens-là, c'est un auteur moderne et nous pensons que **de nombreux personnages de Shakespeare sont des personnalités plausibles, complexes, neuropsycho-compatibles !**

En théâtre thérapeutique, et particulièrement dans notre approche particulière du comportementalisme dénommée Art Dé-dramatique, quand nous utilisons les personnages pour faire jouer des attitudes émotionnellement difficiles (par exemple des comportements hypo-fonctionnels), nous utilisons volontiers Shakespeare, tandis que nous n'arrivons que rarement à exploiter le bestiaire psychologique des clas-

---

1. Le néo-limbique est selon nous le substrat probable de la société méritocrate, celle des valeurs, mais aussi des intolérances et du rejet de la différence.

siques français. **La littérature romantique et post-romantique devient quant à elle très psychologique, c'est vraiment elle qui investit l'individualisation, se construit sur le « réalisme psychologique ». La littérature de la complexité, de la représentation de l'autre en tant qu'autre est née.** Dans l'exploration des antivaleurs, du romantisme aux antihéros contemporains, chez Modiano, par exemple, dans sa description de collaborateurs ordinaires pendant la dernière guerre mondiale, la littérature a sans doute contribué à vulgariser la pensée et la psychologie complexe, comme Montaigne ou Voltaire ont pu le faire en philosophie.

Ce sujet est toutefois très complexe et la GMM ne suffit pas à en aborder certains enjeux.

Les antivaleurs, par exemple, impliquent le sujet des personnalités secondaires, développé dans notre précédent ouvrage, *Manager selon les personnalités.*

La dimension plus pathologique que constituent… :

• ce que nous avons nommé les « comportements automatiques d'évitement social » ou « comportements hypofonctionnels » (voir supra, p. 136),

• les troubles de l'affirmation de soi, troubles du « positionnement grégaire », selon notre terminologie…

… sera largement développée dans un prochain livre sur la dimension thérapeutique de notre approche, la Thérapie NeuroCognitive et Comportementale (TNCC). Dans ce livre, nous décrirons en détail comment dans l'Art Dé-Dramatique, approche à la fois ludique et rigoureuse, nous traitons l'évitement social. Comme nous l'avons vu déjà, la GMM peut jouer un rôle important dans la préparation de l'affrontement comportemental, c'est-à-dire dans la résolution des résistances à cet affrontement. Nous décrirons aussi comment, dans notre approche comportementale pour changer le positionnement grégaire, la GMM est une étape finale très importante qui aide à prendre du recul par rapport aux forces primitives et à mener une vie plus intelligente, c'est-à-dire plus préfrontalisée.

Je ne parlerai qu'en présence de mon préfrontal !

Et voilà, vous avez bouclé cette lecture, et les auteurs espèrent qu'elle a pu vous faire partager ce qu'ils pressentent comme fondamentalement nouveau dans notre histoire humaine commune : les neurosciences amorcent une prise en main véritable de notre destin individuel et collectif, par une meilleure connaissance de ce qui fait notre pensée, non pas dans son contenu individuel et unique, mais dans sa texture, son contenant, universel.

Notre mode mental est-il en adéquation ou non avec les situations que nous devons gérer ? Nous offre-t-il les capacités dont nous avons besoin à un instant donné pour mener à bien notre action, communiquer ou gérer un rébus ? Notre état de stress ou de détente nous renseigne sur tout cela, et en temps réel. Son intensité est directement liée à la gravité de ce décalage et à celle des enjeux qui en découlent. Nous pouvons donc désormais poser un regard sur nous-mêmes qui soit, à la fois, extérieur, tout objectivable, car le stress est aisément perceptible par nous-mêmes, et observable par les autres, et interne, en provenance du plus profond de nous, d'un « plus nous » que nous[1].

Il existe donc en pratique une véritable « ligne de feu » que trace le stress entre la bonne cinétique de notre mode mental préfrontal, asso-

---

1. R. Davidson, D. Jackson, N. Kalin, "Emotion, plasticity, context, and regulation : perspectives from affective neuroscience", *op. cit.*

ciée au calme et à la sérénité, et l'obstination (ou persévération inadaptée à la situation) du mode automatique, qui génère une psychorigidité, potentiellement préjudiciable pour nous et les autres. Voir ou percevoir le stress ainsi permet de nous distancer vis-à-vis de nos méfiances ou susceptibilités à l'égard des critiques et de relativiser les complexes qui gênent notre liberté de penser face au point de vue des autres.

Assurément, ici, la critique que véhicule le stress (ce veto du sphinx préfrontal) est d'origine interne et provient de notre propre intelligence supérieure. Celle-ci est au courant de « tout », bien plus que notre conscience ordinaire, puisqu'elle est au centre de tous les circuits de l'information neuronaux, alors nous avons peu de raison de nous méfier. C'est donc une critique qui « porte », dès lors que nous entrons dans le jeu.

Nous pouvons aussi, plus aisément, amener un interlocuteur à changer de point de vue, du moins si nous constatons que son stress et ses modes mentaux traduisent une dissonance interne : sa propre intelligence est en désaccord sérieux avec son discours. Mais que faire pour l'amener peut-être à quelque dialogue et remise en cause ? Nous assurer, bien sûr, de notre propre mode mental, de notre calme. Puis tenter de l'amener, par un questionnement dit préfrontalisant, à nuancer ses positions, considérer les points de vue des autres vis-à-vis de ses propres positions et les problèmes que cela pourrait lui poser pour atteindre ses propres objectifs, construire ou même anticiper des « plans B » si le A ne fonctionne pas, argumenter les relations entre les causes et les effets, envisager les risques pris par toute décision… et indécision, etc. Il n'est donc plus autant besoin de batailler sur le fond, du moins pas tout de suite, le changement de mode mental suffisant le plus souvent à ébrécher les certitudes bien plus sûrement que la démonstration du contraire. Et à ouvrir un vrai dialogue constructif et convivial.

Qu'attendre d'autre de cette pratique philosophique, de cette métaphysique de poche comportementale ?

En fait, nous venons d'embaucher un ange gardien 24 heures sur 24 et 7 jours sur 7. Intégrons dans nos sensations la musicalité du mode créatif, apprenons à en palper la texture et l'art de vivre qui va avec, surtout n'oublions pas d'en revisiter l'utilité dans des situations très diverses. Les erreurs des autres sont très éclairantes pour cela, de façon décalée, puisque nous aurons tout loisir de les observer sans être soumis à notre propre stress.

Car c'est bien là l'intérêt majeur de l'exercice, il ne s'agit pas seulement de surligner une fois de plus l'intérêt individuel et la plus-value sociale de l'intelligence rationnelle, l'ouverture d'esprit, la tolérance ou la sagesse, le sens des responsabilités, de l'altérité ou des grands senti-ments. Non, car cette culture-là, nous la partageons largement déjà, depuis l'Antiquité grecque, la Renaissance, la démocratie et l'éduca-tion pour tous, etc.

Ici, en neuropsychologie du préfrontal, nous découvrons que le « devoir » de préfrontalité ne s'adresse pas qu'aux autres (ça, nous le savions déjà, au moins en théorie), qu'il ne concerne pas que les domaines qui nous « arrangent », pour lesquels nous sommes déjà culturellement formatés… ou même un rien trop catégoriques dans notre « bien-pensance » pour être complètement d'équerre ?

En Gestion des Modes Mentaux, nous sommes confrontés à chaque instant à un censeur libre, plus libre-penseur que notre conscience ordinaire, assurément, et imparable, car relayé par le stress reptilien, qui n'est pas éducable, donc incorruptible ! Dure mais profitable école. Sans biais conceptuel ni déviance perverse, semble-t-il. Dure d'abord, mais dès que nous arrivons à être plus curieux, fluide, nuancé, dès que nous savons mieux relativiser, réfléchir et prendre le risque d'être vraiment nous-mêmes, nous savons gré au « maître stress » de cette discipline.

Alors les frontières habituelles de notre esprit critique peuvent tomber : nous emportons-nous pour défendre les droits de l'homme… de la femme ou même de l'enfant ? La cause est noble, mais l'avocat est trop enflammé. Dommage. Où est le bug ? Cherchez bien, nous trouverons, et cela nous calmera. Repassons alors une Échelle d'Évaluation des Modes Mentaux, et nous aurons glissé à droite (sur l'échelle du côté préfrontal, pas forcément en politique, *of course* !).

Ou sommes-nous découragés par notre conjoint ou le zéro de conduite de notre fils aîné ? Ils ont sûrement de graves problèmes, et nous ne savons plus comment les gérer, mais d'où vient notre propre état d'Inhibition, qui s'accentue en y pensant ? Pas de doute, cela vient bien de nous. Et nous avons vu que notre stress nous appartient (presque) toujours. Donc, pourquoi ne pas nous engager à considérer, pour simplifier, que c'est tout le temps le cas ? Nous n'en serons probablement pas déçus, car le vrai piège, c'est de nous laisser encore croire à notre moulin à alibis, inventé spécialement pour nous empêcher de comprendre ce qui dérange... notre mode limbique. « Oui je suis stressé parce que mon problème est sérieux... Il y a bien de quoi ? » Non, il n'y a pas de quoi. Ou « parce que tu m'agresses ». Même dans des situations où la survie est vraiment menacée, par exemple un pilote d'avion en détresse ou un agonisant, on peut largement moduler la part de stress qui nous appartient.

Ce modèle nous invite alors à réaliser, quand nous y penserons, l'expérience d'un jeu sans défausse, sans alibis : stress = erreur de mode mental immédiat sur le sujet qui stresse. Cela pour voir jusqu'où notre vie pourrait changer, à commencer bien sûr par une augmentation de sérénité, même en situation difficile. Cependant, ce n'est pas seulement pour le calme, pourtant bien réel, que cela peut procurer, mais pour l'intelligence qu'il révèle, accompagne et permet, au sens le plus large du terme : l'intelligence où le cœur et la raison se rencontrent [1].

Pourtant, ce nouveau monde mental n'est pas vraiment nouveau, c'est lui qui fait les génies, scientifiques ou techniciens, philosophes ou méditants, créatifs ou altruistes. La présente grille de lecture des modes mentaux et de leurs paramètres nous permet désormais la

---

1. Antonio Damasio, *L'erreur de Descartes, op. cit.,* p. 31.

rigueur du danseur et du musicien, elle donne la partition, ou plutôt met la gamme dans l'oreille, permet de reconnaître les fausses notes, en temps réel et « à coup sûr ». Rien de neuf, disions-nous, quant au fond et au discours, c'est celui de l'ouverture, la démocratie, la science, l'éthique ou l'art de vivre. Seule la méthode est nouvelle. Sa rigueur et son objectivité permettent d'accélérer le processus de changement, de prise de conscience. Ils permettront de sortir d'idéaux devenus parfois velléitaires, filandreux, incantatoires ou, à l'inverse, peu accessibles, peu transmissibles. Du moralisme religieux au politiquement correct laïc, nous sommes souvent gavés de discours trop seulement gentils, naïfs ou mélodramatiques sur les « valeurs », nos valeurs. Mais que valent nos valeurs si elles sont exprimées en mode automatique, naturellement intolérant et associé au stress ?

À consommer sans modération : ne nous gênons pas, tout le monde en profitera si nous souhaitons authentiquement comprendre comment accéder à cette richesse intérieure, comment la trouver et retrouver *ad libitum*, sans risque d'abus ni de dépendance, comment la garder ou la communiquer, par l'exemple ou la pédagogie. Perfectionnisme avec un zest de maniaquerie que tout cela, penserez-vous ? Sait-on jamais. Tout est possible et son contraire. Mais nous pouvons nous assurer que le mode mental sur lequel nous appuyons cette légitime quête est bien préfrontal dans son contenant et émotionnellement apaisant.

Espérons que la pratique naissante de ce neurocognitivisme ne sera pas réservée aux seuls spécialistes (et inversement). De la mise en œuvre élargie de telles connaissances[1] et pratiques, bien au-delà de la sphère psychopathologique, pourrait dépendre le tarissement accéléré des barbaries humaines, des inerties, aussi, qui pourraient nous coûter si cher en matière de développement durable si nous ne savons pas muter vite et bien (c'est-à-dire préfrontalement).

---

1. Steven C. Hayes, Victoria M. Follette & Marsha M. Linehan (Eds). *Mindfulness and Acceptance : Expanding the Cognitive-Behavioral Tradition*, The Guilford Press, 2004.

C'est pourquoi les connaissances nouvelles sur le cerveau gagneront à être rapidement vulgarisées par de nombreux ouvrages et autres supports, à être partagées, plus encore, appliquées… et, enfin, enseignées dans les écoles et universités du monde entier ! Cela ne vous paraît-il pas largement mériter la place d'une matière principale ? Savoir compter, c'est bien, mais savoir compter sur notre cerveau, sachant que c'est lui qui nous permet d'apprendre et comprendre tout le reste…

Les auteurs espèrent que l'expérience timide ou solide de la Gestion des Modes Mentaux que ce livre vous apportera, peut-être, saura vous mettre le pied à l'étrier, faire naître le désir d'un changement profond.

Et si nous doutons de notre motivation ou capacité pour y parvenir ? Nous pourrons mettre en œuvre le plan GMM-ORSEC : stress = erreur, relire quelques passages de la seconde partie du livre et, ensuite, repasser l'EEMM (matériellement ou dans notre tête). Où notre mode automatique « accroche-t-il » encore à cet instant même ? Il peut être bonifié, alors, par quelque exercice du *Pack Aventure* ou autre, si le changement d'état d'esprit de l'EEMM ne suffit pas à débloquer notre capacité à recruter notre préfrontal sur ce sujet et à cet instant même. Y a-t-il raison de douter que notre préfrontal sera très motivé pour trouver une solution ?

Glossaire

Amygdales limbiques : partie des territoires limbiques, elles sont situées dans la profondeur du cerveau ; nous leur attribuons les relations sociales hiérarchiques (voir aussi positionnement grégaire). À ne pas confondre avec les amygdales (lymphoïdes) situées dans la gorge.

Antivaleur : ce que l'on n'aime pas, voire ne supporte pas, et essaye d'éviter. Elle est basée sur la mémorisation néo-limbique (voir ce terme) des expériences désagréables.

Caractère : voir personnalité secondaire.

Cerveau : c'est l'ensemble des neurones regroupés en organe et leurs interconnexions. Chez l'humain, on entend ordinairement par cerveau le système nerveux central contenu dans la boîte crânienne. Cependant, nous employons parfois ce terme dans un sens beaucoup plus restrictif et simplificateur pour désigner des « territoires cérébraux » disposant d'une relative identité (anatomique et fonctionnelle) issue de l'évolution des espèces. C'est Paul D. MacLean qui a le premier proposé une telle vision relativement discontinue du cerveau. Il l'a qualifié de tri-unique, comme s'il était la résultante d'un empilement de structures successives, complémentaires, mais aussi parfois conflictuelles. Bien que cette vision ait été un temps largement contestée, les résultats récents de l'imagerie cérébrale et nos propres travaux redonnent du crédit à la notion de territoires spécialisés, voire conflictuels.

Cognitif : qui se rapporte à la faculté de connaître et de penser. Les approches cognitives s'intéressent à l'individu en tant qu'être qui pense, et sont ainsi dénommées par opposition aux approches comportementales qui ne s'occupent que du comportement observable.

Contenant : étymologiquement, le contenant est le récipient qui retient un contenu, comme un liquide. Ici, le terme sert à illustrer un concept abstrait : le contenant décrit une fonction, au sens mathématique, qui traite une variable. Dans ce cas particulier, c'est la façon singulière et spécifique dont l'information est traitée (voire déformée) par telle ou telle structure cérébrale. Par exemple, une discussion contradictoire vécue en contenant préfrontal (voir ce terme) curieux et ouvert sera passionnante. En contenant néo-limbique (voir ce terme), elle risque au contraire d'être plutôt pénible ou conflictuelle. Les contenants sont génétiquement et structurellement prédéfinis, ils permettent en cela de les identifier.

Contenu : c'est le complément du précédent, à savoir l'information traitée par un contenant ou mode mental. Le contenu constitue une large partie de notre culture et expérience individuelle, virtuellement infinie, qui fait de nous des êtres uniques. La véritable invention de l'intelligence, c'est ce qui n'est pas prédéfini par... les contenants.

Cortex sensori-moteur : surface du cortex cérébral regroupant les aires corticales sensitives qui traitent des informations sensorielles (aire visuelle, auditive...) et celles motrices essentielles dans la réalisation de mouvements. Le cortex sensori-moteur comprend le lobe occipital, le lobe pariétal, le lobe temporal et les aires motrices du lobe frontal.

En association avec le « cerveau néo-limbique », le cortex sensori-moteur constitue le « mode automatique » décrit par Posner, au cœur de la conscience et de l'apprentissage « sensible ». D'où notre besoin d'illustrer, de visualiser, rendre sensible et désirable le monde pour le comprendre et agir. Ou pour transcrire la pensée préfrontale, abstraite et créatrice, lorsqu'elle émerge de l'inconscient.

Échelle Évaluation des Modes Mentaux (EEMM) : nous avons proposé cette échelle, qui synthétise en six dimensions les connaissances acquises sur le préfrontal, afin de mettre en évidence les liens qui existent entre le MMA (Mode Mental Automatique) et la stressabilité, d'une part, le MMP (Mode Mental Préfrontal) et la sérénité, d'autre part.

Émotion verbalisée : ressenti issu de la mémorisation limbique des expériences agréables et désagréables passées, souvent et sans le savoir abusivement transcrit en préceptes. En pratique, elles alimentent la dimension passionnelle des vécus et conversations.

États d'urgence de l'instinct : les trois réponses au stress décrites par Henri Laborit : Fuite, Lutte ou Inhibition. Aussi dénommées pulsions de survie. Voir aussi : stress.

Gestion des Modes Mentaux inférieurs (**GMMi**) : ensemble de techniques permettant de diminuer l'emprise du paléo-limbique sur le néo-limbique, et ainsi de renforcer une certaine stabilité dans le Mode Mental Automatique et de faciliter la GMMs. Stabiliser sa pensée est une pratique de la GMMi

Gestion des Modes Mentaux supérieurs (**GMMs**) : techniques et pratiques développées par l'IME pour faciliter la bascule du Mode Mental Automatique vers le Mode Mental Préfrontal, ou, plus exactement l'expression directe des ressources préfrontales. On pourrait dire également que c'est une « gymnastique du cerveau ». Ces techniques empruntent plusieurs canaux ; parmi eux :
– le canal cognitif : exercices permettant de travailler sa pensée sur les six leviers préfrontaux ;
– le canal sensoriel : exercices permettant de libérer le préfrontal en élargissant sa conscience à plusieurs sensations, voire sens corporels simultanés.
Selon sa personnalité, certains exercices sont plus aisés et plaisants que d'autres, il s'agit de les essayer et de choisir d'abord ceux qui conviennent le mieux.

Gyrus cingulaire : une des circonvolutions de la face médiane de l'hémisphère cérébral, faisant partie du système limbique impliqué dans les émotions, à l'apprentissage et la mémoire. Siège de notre conscience, il intervient aussi au niveau du fonctionnement exécutif.

Hypo (abréviation pour comportement hypofonctionnel) : ce comportement est associé à un tabou social, qui déclenche une gêne, sensation de ridicule, de honte, ou une réaction d'agacement, de mépris. Ce processus particulier, lié au Mode Mental Automatique ou MMA (néo-limbique), lui permet d'exclure ainsi certains comportements pour des raisons grégaires, normatives, ce qui est conforme à sa « mission ».

Hypo méta (ou complexe) : forme atténuée de comportement hypofonctionnel, générant une résonance émotionnelle en « admiration avec les larmes aux yeux » vis-à-vis de ceux qui parviennent à s'affranchir avec « élégance » de l'interdit social. Nous y voyons une hybridation entre interdit (« c'est ridicule ou honteux de faire cela ») et un début de sensibilisation « esthétique » à la liberté de ceux qui se sont affranchis (« c'est sublime et désirable… mais pas – encore – pour moi »).

Hypothalamus : zone située au centre du cerveau, dont il représente moins de 1 % du volume total, l'hypothalamus se trouve au-dessus de l'hypophyse, avec laquelle il est relié par une tige, la tige pituitaire. Il assure un double rôle de contrôle des sécrétions hormonales de la glande hypophyse (considérée comme le « chef d'orchestre » des autres glandes de l'organisme) et de régulation de l'homéostasie (maintien des paramètres biologiques de l'organisme). Il intervient également dans le comportement sexuel et les émotions. Il fait partie du système limbique.

Imagerie cérébrale fonctionnelle (IRMf) : un des outils de l'imagerie cérébrale les plus utilisés pour « voir le cerveau qui pense ». Il mesure les variations du flux vasculaire dans le cerveau, mettant ainsi en évidence les régions du cerveau qui sont plus particulièrement activées. En général, on demande à une personne d'accomplir une tâche cognitive et l'on mesure le signal produit par l'activité cérébrale.

Intelligence émotionnelle : c'est l'habilité à percevoir et à exprimer les émotions, à les intégrer pour faciliter la pensée, à comprendre et à raisonner avec les émotions, ainsi qu'à réguler les émotions chez soi et chez les autres. Le livre (optimiste) de Daniel Goleman[1] a rendu ce sujet très populaire.

Intralimbique : signifie à l'intérieur du cerveau limbique. En TNCC, on parle d'un changement de mode infra-limbique (ou GMMi), par exemple pour indiquer une bascule du paléo-limbique vers le néo-limbique ou l'affrontement comportemental d'un hypo (voir ce terme).

IRMf : voir Imagerie cérébrale fonctionnelle.

Kinesthésique : en physiologie, la kinesthésie est l'ensemble des sensations corporelles profondes (comme la tension des muscles, leur relâchement, le mouvement des articulations, les positions relatives des différentes parties du corps, la direction, la dynamique, le ralenti, l'arrêt, l'équilibre, etc.).

Limbique : partie du cerveau située autour de la partie médiane (au dessus et en dessous du corps calleux, ce faisceau de fibres nerveuses qui relie les deux hémisphères). Elle mémorise les expériences sensibles (plaisirs/déplaisirs) et les « stocke » sous forme d'émotions (désirs/appréhensions), puis de motivations plus stables (personnalités). Voir aussi : néo-limbique et paléo-limbique.

Mauvaise case : une situation où une antivaleur devient réalité, où l'on se trouve confronté à ce que l'on redoute.

Méta : ce qui dépasse ou englobe. Par exemple, le MMP (Mode Mental Préfrontal) est méta par rapport au MMA (Mode Mental Automatique), en ce sens où il l'englobe. Ci-dessous quelques autres exemples, particulièrement pertinents en GMM et TNCC.

Méta-cognitif : concerne les cognitions portant sur des cognitions, des idées (visions, commentaires), sur des pensées. En pratique, ce sont les commentaires que l'on (se) fait : « Je suis nulle… Tout est relatif, c'est mon opinion, je ne prétends pas avoir raison… Il me semble que tu pourrais perdre confiance en toi en de telles circonstances si tu ne te prépares pas à recevoir des critiques… »

---

1. Daniel Goleman, *L'intelligence émotionnelle*, t. 1 et 2, J'ai Lu, 2003.

Méta-communication : communication sur la communication. Par exemple : « Comme je vois que tout le monde s'agite sur le sujet et moi pas, je ne voudrais pas que tu penses que je m'en fous. Je fais ceci et cela et te tiens au courant… »

Méta-compétence : compétence qui permet d'autres compétences, par exemple celle de mieux se connaître.

Méta-culture : connaissance collective qui permet de valoriser et enseigner des capacités de gestion de soi, de ses émotions, comportements et apprentissages. Ainsi, dire à son enfant : « Tu es un grand garçon, tu vas voir, la douleur va tomber tout à l'heure… En colère, on dit des grosses bêtises, on dépasse sa pensée véritable, on s'emporte. Toi et moi, comme tout le monde. C'est normal. Maintenant, réconcilions-nous ! Oublions la colère et reprenons notre discussion. »

Méta-motivation : c'est une méta-compétence apprise permettant de réaliser une action sans le soutien de la motivation naturelle. On peut parler suivant les cas de mise en œuvre de la « volonté » et/ou de la « raison ».

Méta-psychologie : c'est la dimension méta de la psychologie, celle de la prise de distance, de l'analyse des mécanismes psychologiques : « J'ai l'impression que je deviens susceptible si l'on remet en cause mon sens de la responsabilité. »

Mode mental : mode de fonctionnement particulier du cerveau, sous-tendu par (et caractéristique de) la mise en œuvre de structures cérébrales identifiables. Par exemple, il a été défini deux modes de fonctionnement supérieurs, l'un dit adaptatif qui met en jeu le cortex préfrontal, l'autre dit automatique, qui implique tout le reste de l'encéphale. En TNCC, nous parlons aussi de mode néo-limbique ou de mode paléo-limbique.

Mode Mental Automatique : le mode « économique » pour gérer le basique, le connu et le quotidien ; il fixe les apprentissages. Il est sous-tendu par le néo-cortex sensori-moteur et le cerveau néo-limbique.

Ses paramètres sont la routine, le refus, la dichotomie, la certitude, l'empirisme, l'image sociale.

Mode Mental Préfrontal : le mode adaptatif pour gérer le nouveau et/ou le complexe. Ses paramètres sont la curiosité sensorielle, l'acceptation, la nuance, la relativité, la réflexion logique et l'opinion personnelle. Voir aussi : préfrontal, préfrontalité.

Néo-limbique : structure cérébrale qui sous-tend un « état d'esprit » relativement fermé à ce qui est nouveau, qui craint l'imprévu, a généralement une vision dualiste, tranchée (bien/mal, vrai/faux), qui a le sentiment que nos perceptions sensorielles sont « toute la réalité », est attiré par les seuls résultats, prête une grande importance à la position hiérarchique dans la société. C'est la partie la plus récente des territoires limbiques, située juste au-dessus du corps calleux, dans la fente inter-hémisphérique.

Neuro-coaching : coaching en partie basé sur une meilleure connaissance de son cerveau : recruter les bons circuits cérébraux, comprendre le pourquoi neurocognitif de son échec.

Neurocognitif : concerne le lien entre façon de penser et structure cérébrale. Par exemple : passer de l'esprit de vengeance au pardon n'est pas tant cognitif que neurocognitif ; c'est le passage d'un contenant à un autre, du paléo-limbique au néo-limbique ou au préfrontal. Si l'on essaie de plaquer un « pardon » trop seulement cognitif, et que l'on n'a pas réussi le changement d'état d'esprit sous-jacent, c'est-à-dire la bascule des contenants, la mutation n'a pas lieu et le pardon n'est pas réel.

Neuropsychologie : l'étude des liens entre les fonctions mentales et les structures cérébrales. Elle se base surtout sur les observations des patients avec des lésions cérébrales.

Neurosciences cognitives : une sous-discipline de la neuropsychologie qui cherche à établir les liens entre le système nerveux et la cognition.

Pack Aventure ou Pack Valeur/Antivaleur : une pratique de la GMMs qui aide à nuancer succès et échec, et à réaliser qu'un échec peut amener à une réalisation plus profonde de la valeur.

Paléo-limbique : partie la plus ancienne du « cerveau limbique » située juste au-dessous du corps calleux (l'ensemble des « deux limbiques », ancien et nouveau, constituant autour de lui un anneau). Il comprend notamment les amygdales limbiques, situées dans la profondeur du cerveau (à ne pas confondre avec les amygdales situées dans la gorge), auxquelles nous attribuons les relations sociales hiérarchiques (voir aussi positionnement grégaire).

Période de l'apprentissage adulte : un terme très imparfait pour tout l'apprentissage qui suit... l'empreinte périnatale (jusqu'à trois mois après la naissance). En effet, les mécanismes neuronaux qui sous-tendent l'apprentissage adulte sont les mêmes tout au long de la vie « post-empreinte », depuis trois mois jusqu'à la mort. C'est dans la période post-empreinte, jusqu'à 18 ans, que les personnalités secondaires se forment.

Période de l'empreinte : période périnatale, commençant un peu avant la naissance et surtout se poursuivant massivement jusqu'à trois mois où a lieu une mémorisation des états reptiliens qui semblent avoir amené à une réponse positive de l'environnement. Il s'agit donc d'un apprentissage indélébile, comme taillé dans le marbre. C'est la période où les personnalités primaires se forment.

Personnalités primaires : personnalités issues de la génétique et/ou de la période dite de l'empreinte périnatale (jusqu'à trois mois après la naissance, voir ce terme). Dans notre modèle, elles sont définitives, en quelque sorte indestructibles. Elles alimentent pour cette raison des motivations positives peu dépendantes du résultat. En d'autres termes, elles permettent une bonne persévérance face aux difficultés durables et à l'échec. Ce terme est synonyme de celui de tempérament.

Personnalités secondaires : personnalités qui se construisent tout au long de la vie dès la fin de l'empreinte (voir ce terme). Elles se caractérisent par le fait que leur motivation positive dépend avant tout du résultat, donc de la continuité des succès. Cela explique qu'avec le temps, les motivations négatives de ces personnalités secondaires finissent par l'emporter. Ce terme est synonyme de celui de caractère.

Phylogenèse : l'évolution des espèces.

Positionnement grégaire : terme que nous utilisons pour décrire l'attitude sociale « primitive » induite par le fonctionnement de la partie paléo-limbique de notre cerveau. Il est au cœur des mécanismes irrationnels de la confiance en soi et en les autres. Notre « positionnement » décrit quelle place (relativement stable) nous occupons entre des positions extrêmes prédéfinies, définissant l'affirmation hiérarchique, d'une part, et le degré d'aisance dans le groupe, d'autre part.

Préfrontal : partie la plus récente et intelligente du cerveau, située juste derrière le front. De par son importance (près de 20 % de la masse cérébrale qui ne sert qu'à penser et anticiper) et l'étendue de ses interconnexions, elle réalise la synthèse entre les besoins biologiques immédiats, les expériences émotionnelles et l'adaptation « en temps réel » à l'environnement. Elle permet de gérer le nouveau, l'inconnu, de prendre en compte la complexité de notre environnement et d'introduire de nouveaux apprentissages. Son caractère inconscient peut surprendre (on a cru longtemps qu'elle était au cœur de la conscience). Il explique sans doute le caractère encore largement imprévisible de l'intelligence humaine.

Préfrontalité : l'état mental « issu du cerveau préfrontal ». C'est notre perception du caractère inconnu, complexe, ou pour le moins non contrôlé d'une situation qui recrute l'activité préfrontale. Toutefois, comme cette dernière ne semble pas ou peu consciente, cela explique sans doute que nos capacités d'adaptation et de créativité puissent paraître aléatoires. Le système social associé à la préfrontalité est celui de l'innovation, la mobilité sociale et professionnelle, l'échange interculturel, l'éthique plutôt que la morale, l'individualisation.

Pyramide Moyens/Exigences : une pratique du GMMs. Il s'agit d'un apprentissage qui, entre autres, nous permet d'identifier nos moyens et nos exigences. Elle vise à augmenter les premiers et à diminuer les dernières.

Reptilien : partie la plus ancienne du cerveau, celle qui transcrit nos besoins biologiques en « pulsions », de vie (respirer, manger, boire, dormir, se reproduire, se cacher ou se mettre au frais, selon les conditions climatiques…) ou de survie (fuir, lutter, s'inhiber). Nous sommes souvent sous dépendance reptilienne lorsque nous agissons par impulsions ou réactions « épidermiques », à la recherche de satisfactions ou soulagements immédiats.

Sonnette : en TNCC, on appelle « sonnette » un emboîtement entre deux intolérances contradictoires, voire incompatibles. Par exemple, je veux couper la parole, mais un interdit m'en empêche (sentiment de ridicule ou de honte), en même temps que le fait de laisser calomnier quelqu'un sans défense me fait affronter un autre interdit (le manque de courage est une antivaleur pour moi). Cette situation impossible est pourvoyeuse de stress, et même de panique (auto-allumage comparable à l'effet Larsen), qu'il faut traiter « feuille à feuille », en intra-limbique…

Stress : (ou plutôt stress-réponse) : réaction reptilienne au danger de survie. En fait, le stress n'est pas un, mais il développe trois programmes qui se succèdent en fonction des événements, et notamment du succès ou de l'échec du précédent pour éloigner le danger perçu. Ce sont les états dits de Fuite, Lutte et Inhibition, qui sous-tendent respectivement les vécus d'anxiété, d'agressivité et de découragement. Le stress reptilien est un indicateur de l'instant car il n'a pas de mémoire. C'est précisément ce qui en fait la sensibilité et la fiabilité en temps réel.

Stressabilité : la tendance à se stresser en situation négative, réelle ou simplement évoquée, sur un sujet donné. Par exemple, je suis stressable sur l'infidélité dans le couple, même si le mien va bien, en ce sens que la simple évocation de ce sujet me stresse durablement (jusqu'à ce que je pense à autre chose).

TCC : les thérapies cognitivo-comportementales. Elles constituent l'une des sources de la TNCC, notamment à travers la description du triangle pensée/émotion/comportement et, plus particulièrement, la mise en évidence du fait que 90 % des causes de stress sont liées à l'irrationalité.

Tempérament : voir personnalité primaire.

Thalamus : zone de forme ovoïde, constituée d'une paire de noyaux gris centraux, située dans la partie profonde et ancienne du cerveau (de part et d'autre du troisième ventricule). Le thalamus possède de nombreuses fonctions. Essentiellement, il constitue le relais des voies de la sensibilité consciente, et particulièrement des voies optiques. C'est également le centre de réflexes émotionnels, c'est-à-dire pouvant se manifester sans que le cortex cérébral (système nerveux volontaire) intervienne.

TNCC : approche de la psychologie, psychopathologie et thérapie, fondée sur des connaissances actuelles du cerveau et de son fonctionnement, créée par le Dr Jacques Fradin dans le courant des années 1980.

Valeur : ce que l'on aime, idéalise et essaye de réaliser. Elle est basée sur la mémorisation néo-limbique (voir ce terme) des expériences agréables.

Bibliographie

Ouvrages

ANDRÉ (Christophe), *Imparfaits, libres et heureux*, Odile Jacob, 2006.

ASKENAZY (Philippe), *Les désordres du travail. Enquête sur le nouveau productivisme*, Le Seuil, 2004.

BECK (Aaron T.), *Cognitive Therapy and The Emotional Disorders*, Penguin Books, 1989.

CHANGEUX (Jean-Pierre), *L'homme neuronal*, Fayard, 1983.

CSIKSZENTMIHALYI (Mihaly), *Beyond Boredom and Anxiety*, Jossey-Bass, San Francisco, 1975.

CYRULNIK (Boris), *Les nourritures affectives*, Odile Jacob, 1993.

DAMASIO (Antonio), *L'erreur de Descartes*, Odile Jacob, 1997.

DAMASIO (Antonio), *Le sentiment même de soi. Corps, émotion, conscience*, Odile Jacob, 1999.

EDELMAN (Gerald M.), *The Remembered Present. À Biological Theory of Consciousness*, Basic Books, 1989.

FAURE (Sophie), *Sagesse chinoise. Mettez du chat dans votre management*, Eyrolles, 2007.

FRADIN (Jacques), FRADIN (Fanny), *La thérapie neurocognitive et comportementale (ex-Psychophysio-Analyse), une nouvelle vision du psychisme issue des sciences du système nerveux et du comportement*, Publibook, 2004 (précédentes éditions : 1990, 1992).

FRADIN (Jacques), FRADIN (Fanny), *Personnalités et psychophysiopathologie*, Publibook, 2006.

FRADIN (Jacques), FUSTEC (Alan), *L'entreprise neuronale*, Éditions d'Organisation, 2001.

FRADIN (Jacques), LE MOULLEC (Frédéric), *Manager selon les personnalités*, Éditions d'Organisation, 2006.

GOLEMAN (Daniel), *L'intelligence émotionnelle*, t. 1 et 2, J'ai Lu, 2003.

GRAY (Jeffray A.), *The Psychology of Fear and Stress*, Weidenfield and Nicolson, 1971.

HAYES (Steven C.), FOLLETTE (Victoria M.), LINEHAN (Marsha M.) (Eds), *Mindfulness and Acceptance : Expanding the Cognitive-Behavioral Tradition*, The Guilford Press, 2004.

HOUDÉ (Olivier), MAZOYER (Bernard), TZOURIO-MAZOYER (Nathalie), *Cerveau et psychologie*, PUF, 2002.

KELLY (Georges), *Personal Construct Theory*, Academic Press, 1980.

LABORIT (Henri), *Éloge de la fuite*, Gallimard, 1981.

LE MOULLEC (Frédéric), FRADIN (Jacques), *Paradoxes de la violence contemporaine*, IME, 2004.

MACLEAN (Paul D.), GUILLOT (Roland), *Les trois cerveaux de l'homme*, Robert Laffont, 1990.

POSNER (Michael L.), RAICHLE (Marcus E.), *L'esprit en images*, de Boeck Université, 1998.

TARGUET (Christian), *Manuel de préparation mentale. Tous les savoir-faire et stratégies de la confiance et de la réussite*, Chiron, 2003.

VAN DER LINDEN (M.), SERON (X.), LE GALL (D.), ANDRÈS (P.), *Neuropsychologie des lobes frontaux*, Solal, 1999.

WALFORD (Roy), *Un régime de longue vie*, Robert Laffont, 1987.

WATZLAWICK (Paul), WEAKLAND (John H.), FISH (Richard), *Changements : paradoxes et psychothérapie*, Le Seuil, 1981.

Articles

CLONINGER (C. Robert) & *al.*, "Mapping genes for human personality", *Nature Genetics*, 1996, 12, 3.

DAVIDSON (R.), PUTNAM (K.), LARSON (C.), "Dysfunction in the Neural Circuitry of Emotion Regulation. A Possible Prelude to Violence", *Science*, vol. 289, 2000, p. 591-594.

DAVIDSON (R.), JACKSON (D.), KALIN (N.), "Emotion, Plasticity, Context, and Regulation : Perspectives from Affective Neuroscience", *Psychological Bulletin*, 2000, 126 (n° 6), p. 890-909.

DUNCAN (J.), SEITZ (R. J.), KOLODNY (J.), BOR (D.), HERZOG (H.), AHMED (A.), NEWELL (F. N.), EMSLIE (H.), "A Neural Basis of General Intelligence", *Science*, vol. 289, 2000.

EKMAN (P.), FRIESEN (W. V.), SIMONS (R. C.), "Is The Startle Reaction an Emotion ?", in Paul EKMAN & Erika L. ROSENBERG (Eds), *What Face Reveals*, Oxford University Press, 1997, p. 21-35.

EKMAN (P.), DAVIDSON (R.), RICHARD (M.), WALLACE (B. A.), "Buddhist and Psychological Perspectives on Emotions and Well-Being. Current Directions", *Psychological Science*, 2005, 14 (n° 2), p. 59-63.

FRADIN (J.), « Gestion du stress et suivi nutritionnel », *Médecine et Nutrition*, 2003, 39, 1, p. 29-33.

FRADIN (J), LEFRANÇOIS (C.), EL MASSIOUI (F.), « Des neurosciences à la gestion du stress devant l'assiette ! », *Médecine et Nutrition*, 2006, vol. 42, n° 2.

HOUDÉ (O.), ZAGO (L.), MELLET (E.), MOUTIER (S.), PINEAU (A.), MAZOYER (B.), TZOURIO-MAZOYER (N.), "Shifting from The Perceptual Brain to The Logical Brain : The Neural Impact of Cognitive Inhibition Training", *Journal of Cognitive Neurosciences*, 2000, 12, p. 721-728.

LOHMAR (D.), "Mirror neurons and the phenomenology of intersubjectivity", *Phenomenology and the Cognitive Sciences*, 2006, 5, p. 5-16.

LUTZ (A.), GREISCHAR (L.), RAWLINGS (N.), RICHARD (M.), DAVIDSON (R. J.), "Long-Term Meditators Self-Induce High-Amplitude Gamma Synchrony During Mental Practice", *The Proceedings of the National Academy of Sciences USA*, 2004, 101(46), p. 16369-16373.

OCHSNER (K.), GROSS (J.), "The Cognitive Control of Emotion", *Trends in Cognitive Sciences*, 2005, vol. 9, n° 5, p. 242-249.

RICHARD (J-F.), « L'intelligence comme plasticité à l'environnement », in Jacques LAUTREY et Jean-François RICHARD, *L'intelligence*, Hermes-Lavoisier, 2005, p. 75-89.

RIZZOLATTI (G.), "The mirror neuron system and its function in humans", *Anatomy and Embryology*, 2005, 210(5-6), p. 419-421.

Le stress : signal d'alerte d'origine préfrontale ?

Auteurs

Camille Lefrancois[1], Jacques Fradin[2], Marie-Pierre Fornette[3], René Amalberti[4], Farid El Massioui[5].

Résumé

De nombreuses études, relevant des disciplines de la neuropsychologie, de la psychologie cognitive ou encore de la pharmaco-psychologie, évoquent la réaction stressante comme la manifestation d'une inadaptation ponctuelle et d'un dépassement des ressources de l'individu. Ces disciplines considèrent généralement deux modes de traitement de l'information : un mode automatique, peu coûteux en termes de charge cognitive, adapté et efficace lors de

---

1. Institut de médecine environnementale, Laboratoire de psychologie et neurosciences (157, rue de Grenelle, 75007 Paris) ; Laboratoire de psychologie, psychopathologie et neurosciences cognitives, université Paris 8 Vincennes Saint-Denis (2, rue de la Liberté, 93526 Saint-Denis Cedex).
2. Institut de médecine environnementale, Laboratoire de psychologie et neurosciences (157, rue de Grenelle, 75007 Paris).
3. Institut de médecine aérospatiale du service de santé des armées, Département sciences cognitives (BP 73, 91223 Brétigny-sur-Orge Cedex) ; Laboratoire de psychologie, psychopathologie et neurosciences cognitives, université Paris 8 Vincennes Saint-Denis (2, rue de la Liberté, 93526 Saint-Denis Cedex).
4. Institut de médecine aérospatiale du service de santé des armées, Département sciences cognitives (BP 73, 91223 Brétigny-sur-Orge Cedex).
5. Laboratoire de psychologie, psychopathologie et neurosciences cognitives, université Paris 8 Vincennes Saint-Denis (2, rue de la Liberté, 93526 Saint-Denis Cedex)

situations simples et routinières ; et un mode plus « adaptatif », plus coûteux, permettant la mise en place de stratégies cognitives nouvelles lors de situations inhabituelles ou complexes. La plupart des théories actuelles portant sur le stress, quelle que soit leur discipline, tendent à dire que la réaction de stress résulte d'un sentiment de non-contrôle de la situation. Le dépassement des ressources de l'individu proviendrait de la mise en œuvre inopportune de processus automatiques lors de situations nouvelles et/ou complexes, au détriment de processus adaptatifs. Cependant, ces modèles laissent de nombreuses questions sans réponses sur les causes de ce dysfonctionnement. Nous avons tenté d'y répondre au travers d'un nouveau modèle du stress qui le définit comme le symptôme d'alarme signalant un conflit entre un préfrontal adaptatif, dont l'accès à la conscience est difficile, et un mode automatique, au centre des mécanismes de la conscience et souvent persévérant. Les fondements théoriques de ce modèle reposent sur l'étude transversale de travaux effectués en psychologie cognitive, en neuropsychologie, à l'aide, entre autres, de techniques de neuro-imagerie, sur des patients ou sur des sujets sains.

Introduction

Le phénomène du stress a été défini pour la première fois par le physiologiste Cannon (1935) comme une réponse de l'organisme activée par toute sollicitation excessive. Depuis, les différentes théories (Beck, 1984 ; Lazarus & Folkman, 1984 ; Abramson & *al.*, 1989 ; Neuberg & Newsom, 1993 ; Kruglanski & Webster, 1996 ; Bagozzi & *al.*, 1998 ; Bar-Tal & *al.*, 1999) ont interprété le stress comme un écart entre demande et ressources disponibles résultant dans une mise en œuvre de processus cognitifs et comportementaux inadaptés à la situation.

L'inadaptation de la réponse serait due à son caractère automatique, routinier et facilement disponible. Ces réponses automatiques résulteraient de l'expérience acquise, de la répétition des situations, et des événements qui les ont renforcées. Ces réponses s'avèrent efficaces lors de situations simples ou routinières. En revanche, lors de situations nouvelles et/ou complexes, ces réponses seraient encore émises en premier par facilité, mais seraient souvent inadaptées. Ces réponses automatiques sont en général peu performantes pour les situations complexes, particulièrement sur le plan cognitif (fixité fonctionnelle, *cf.* Duncker, 1945). Et cette performance est souvent encore plus dégradée par la réaction physiologique qui accompagne l'état de stress (Selye, 1936) et qui va renforcer la fixité fonctionnelle, tout en libérant de l'énergie destinée à des réponses motrices très primitives mais souvent peu utiles dans

les activités finalisées humaines (réaction adrénergique et de l'axe hypotha-
lamo-hypophysaire).

Ce constat, maintes fois répété, conduit cependant à deux interprétations
possibles sur le statut et la finalité du stress :

On peut considérer le stress, en écho du point de vue classique, comme la
prise de conscience d'un manque de ressources pour s'adapter à la situation.

On peut aussi considérer le stress comme le résultat d'un conflit de mobilisation de ressources difficiles d'accès ; dans ce cas, les bonnes ressources ne
manqueraient pas nécessairement, mais elles seraient difficiles à débloquer,
victimes d'une résistance fonctionnelle du système cognitif. La sensation de
stress résulterait de l'émergence d'un conflit entre la mise en œuvre d'une
réponse spontanée facile d'accès et sécurisante – car mobilisant un répertoire
bien maîtrisé –, et la prise de conscience progressive de l'insuffisance de cette
réponse pour traiter la situation. La cognition devrait alors soit mobiliser des
modes supérieurs de pensées pour s'en sortir au prix d'un effort significatif,
soit accepter de s'enfermer dans des solutions faciles, mais imparfaites et
sujettes à frustration. L'intensité du conflit se manifesterait par la production
d'un signal d'alarme proportionnel par le préfrontal.

De nombreux résultats expérimentaux renforcent progressivement cette
deuxième approche. Plusieurs travaux de neurosciences désignent le cortex
préfrontal comme une zone régulatrice des émotions. Il serait responsable de
l'alarme d'inadaptation, mais pas nécessairement de la mise en jeu directe du
répertoire de réponse observé et de ses aspects cognitifs et psycho-physiologi-
ques.

Cet article fait une synthèse d'un ensemble de résultats expérimentaux trans-
versaux à différents courants des sciences cognitives et neurosciences, pour
soutenir cette vision alternative du rôle du stress et de sa régulation par le cortex préfrontal.

Il est divisé en quatre parties : un recueil des évidences de la psychologie
cognitive en matière de stress et de (dés)adaptation à la situation, un recueil
des avancées des neurosciences sur les substrats neurologiques de régulation
de l'émotion et de l'adaptation, une discussion sur les liens entre préfrontal et
niveau de conscience lors de la régulation du stress et, finalement, une proposition d'un modèle fonctionnel de survenue et de régulation du stress intégrant les concepts décrits dans les sections précédentes.

I. Psychologie cognitive, stress et (dés)adaptation

1.1. Plusieurs déclencheurs du stress : le stress ne survient pas uniquement en cas de situation dépassant les ressources cognitives de l'individu

La plupart des théories et modèles du stress (Beck, 1984 ; Lazarus & Folkman, 1984 ; Abramson & *al.*, 1989 ; Neuberg & Newsom, 1993 ; Kruglanski & Webster, 1996 ; Bagozzi & *al.*, 1998 ; Bar-Tal & *al.*, 1999) évoquent la réponse stressante comme une réaction à une situation nouvelle et/ou complexe pour le sujet, et évaluée comme dépassant les ressources et/ou menaçant l'homéostasie du sujet.

Pourtant, une analyse plus fine des modalités de déclenchement du stress a remis sérieusement en cause ce modèle trop simple, basé sur la seule adéquation demande-réponse. En effet, une situation trop routinière, par définition ni complexe ni inconnue, peut être stressante lorsqu'elle est vécue comme inintéressante. Bien des situations stressantes sont habituelles et relèvent avant tout de situations que l'on a du mal à accepter. Des situations simples et/ou habituelles, comme un embouteillage aux heures de pointe, peuvent ainsi générer du stress. Qu'il soit dans un embouteillage ou confronté au deuil d'un proche, un individu vit un stress moins intense s'il tend à accepter la réalité plutôt que s'il la refuse.

Le stress peut aussi être analysé comme la résultante d'une exigence interne trop importante au regard des moyens que l'on met ou peut mettre en place (Lazarus & Folkman, 1984), que la situation soit sous contrôle ou non (Ben Sabat, 1980 ; Abramson et *al.*, 1989 ; Laborit, 1986).

Ainsi, le stress pourrait aussi être vu comme un système d'alerte « endogène », détectant des incohérences comme une difficulté à accepter et gérer la réalité « telle qu'elle est ». Si le stress est largement d'origine endogène et pas seulement induit par le dépassement réel des ressources cognitives, alors on comprend mieux pourquoi il existe tant d'hétérogénéité quant à la nature et la gravité des événements potentiellement stressants d'un individu à l'autre.

1.2. Fixité fonctionnelle, conduites d'évitement

L'individu apprend à redouter certaines situations plus que d'autres. Il construit des schémas de représentations (Beck, 1984 ; Kelly, 1963). Parmi ceux-ci, certains schémas se rigidifient davantage en raison d'événements négatifs, mais aussi d'un simple manque d'expérience prolongé, voire d'un excès de confort et de routine. Ce comportement d'évitement, adapté au contexte primitif, se révèle souvent inadapté en situation humaine sociale (Derryberrry &

Rothbart, 1997 ; Posner & Rothbart, 2000). Ainsi, le stress ne proviendrait pas tant de la situation évitée que de l'évitement lui-même. Ce dernier serait assimilable à un « refus de réalité », une irrationalité, une incohérence, source d'un stress endogène.

Ces comportements rigidifiés gagneraient donc à perdre de leur rigidité au profit de mécanismes d'enrichissement et de réajustement au fur et à mesure des événements, à l'image des modèles mentaux décrits par Johnson-Laird (1980)[1] (voir également Erlich et *al.*, 1993) ou des processus d'adaptation à l'environnement assimilation-accommodation de Piaget (1974)[2]. Nombre de ces schémas pourraient être enrichis lorsqu'ils ne peuvent être entièrement appliqués à la situation, tandis qu'ils seraient pris en charge par des processus automatiques lorsqu'ils peuvent être précisément calqués avec bénéfice sur la situation. Les processus automatiques sont utiles dans ce dernier type de situation ou du moins lorsque l'approximation ne semble pas significativement préjudiciable, à court mais aussi à moyen terme. Cependant, un tel type de schéma automatique permettrait au mieux d'éviter la situation redoutée sans la résoudre, laissant la place à une stressabilité[3] face à toute menace d'affrontement. Car l'évitement accentue à terme l'inadaptation de la réponse à la situation, le décalage par rapport à une attitude adaptée. Il « congèle » en quelque sorte le comportement (Skinner, 1971). Ainsi, lorsque l'individu anticipe ou se trouve confronté à une telle situation de façon inéchappable, il adopte de fait une attitude « intolérante » et un « refus » actif de la situation. Le caractère inadapté et même incohérent de cette attitude serait accentué par sa rigidité, faisant ainsi courir un risque cumulé majeur à moyen/long terme.

---

1. Modèle mental : représentations mentales assemblées, enrichies et manipulées en mémoire de travail pour la résolution ou la compréhension d'un problème.
2. Piaget (1974) : l'adaptation est l'utilisation de ce qui a été acquis pour faire face à des situations nouvelles. L'assimilation est l'application des connaissances ou des structures cognitives (réseaux de représentations) de l'individu à l'environnement ; l'accommodation est un processus permettant de changer les structures cognitives préexistantes afin de s'adapter à l'environnement ou de l'intégrer. L'accommodation s'opère grâce à la manipulation et à la coordination de schèmes, qui aboutit à l'enrichissement de ces derniers. Les schèmes sont, selon Piaget, des structures d'action qui s'appliquent à des situations nouvelles, parce qu'ils ont une capacité de généralisation et s'adaptent en même temps aux particularités de ces situations. On peut identifier le schème à une fonction au sens mathématique qui traite l'information plus qu'elle ne la catégorise.
3. Stressabilité : potentialité de l'individu à se stresser par rapport à un objet précis (Fradin et *al.,* 2006).

L'inadaptation face au problème ou danger immédiats, ajoutée à l'anticipation du risque cumulé à plus long terme, déclencherait l'alarme du stress, dans un contexte où le comportement considéré constitue souvent plus le problème que le stimulus auquel il est censé répondre…

Les comportements de persévération ou de fixité fonctionnelle ont été particulièrement bien étudiés par la psychologie cognitive sous l'influence de la Gestalt Theory. C'est un des paradigmes de base qui ont soutenu les efforts des Gestaltistes pour apprendre à être productif, plutôt que simplement reproductif, et ce afin de mieux s'adapter aux situations nouvelles (Wertheimer, 1955). Les comportements de persévération se traduisent notamment par une difficulté à se détacher du but global pour pouvoir considérer, dissocier et hiérarchiser les sous-buts ou objectifs intermédiaires, c'est-à-dire planifier l'action (Richard & Zamani, 2003). Richard (2005) indique que la centration sur le but ou la persévération réduit le champ attentionnel. La persévération empêche également de percevoir les informations qui signalent l'inadéquation de la procédure, voire du but poursuivi, et permettent d'inférer les buts ou objectifs intermédiaires qui conviennent. Selon lui, « *la re-catégorisation du but présente les mêmes caractéristiques que l'insight des gestaltistes : c'est-à-dire qu'elle requiert une décentration par rapport à l'action et au but poursuivi et une attitude de réceptivité à l'information disponible sur la situation* ». La persévération serait donc due à une trop grande focalisation attentionnelle : « Pour prendre l'information utile, il faut basculer vers une attitude intermédiaire d'attention à l'environnement. » À l'inverse, les sujets sous stress manifestent : une diminution de l'exploration dans l'environnement (Chrousos & Gold, 1992), une orientation de leur activité cognitive vers des stimuli internes ou vers des indices non pertinents, et négligent les stimuli externes permettant une résolution de problème (Abramson et *al.*, 1989 ; Bar-Tal et *al.*, 1999). Une décentration par rapport à ce comportement inapproprié nécessite une capacité de planification globale de l'action afin d'élaborer, appliquer et hiérarchiser différents sous-buts, permettant de mener au but final ou même de le renégocier. En effet, la planification de l'action peut être définie comme un mécanisme d'adaptation qui permet l'atteinte différée d'un but à travers une série d'étapes intermédiaires et indirectes.

II. Apports des neurosciences et des modèles pathologiques dans la compréhension du rôle du préfrontal dans la régulation des émotions et de l'adaptation

2.1. Mise en évidence du cortex préfrontal comme générateur de stratégies permettant d'échapper à l'inadéquation de la persévérance

Luria (Luria et *al.*, 1964) a été parmi les premiers à noter qu'une lésion des lobes frontaux impliquait une incapacité du patient à formuler un plan d'action et à l'exécuter. Plus tardivement, certains travaux ont suggéré l'implication du cortex préfrontal dans l'évaluation et la planification de l'action, dans le système de représentation des problèmes intermédiaires (Baker et *al.*, 1996), dans la réalisation de tâches impliquant *a priori* le facteur d'intelligence générale (facteur g de Spearman) (Duncan et *al.*, 2000)[1]. Les auteurs en ont déduit que le cortex latéral préfrontal est le siège de l'intelligence générale chez l'homme, et que ces résultats demeurent cohérents avec ce que l'on a toujours pensé du préfrontal, à savoir qu'il est le siège de l'abstraction, du contrôle exécutif et du raisonnement.

Houdé et *al.* (2000) ont illustré en IRMf[2], dans une tâche de raisonnement logique, la dynamique postéro-antérieure cérébrale déclenchée par la mise en place du contrôle inhibiteur d'un biais perceptif inapproprié. Selon eux, dans le cerveau en action, différentes stratégies peuvent se télescoper et entrer en compétition, et l'inhibition cognitive est ici une des clés de la flexibilité intellectuelle. La zone impliquée dans l'inhibition du biais perceptif est notamment la partie ventro-médiane droite du préfrontal, région connue pour être impliquée dans les relations étroites entre émotion et raisonnement (Damasio, 1999). Par ailleurs, Houdé et *al.* (2000) constatent que certains sujets montrent une forme de persévérance à utiliser une mauvaise stratégie de résolution de la tâche, malgré une répétition de la tâche et son échec. Tant que les sujets « persévèrent », ce sont les régions postérieures du cerveau qui sont activées. Lorsqu'on apprend aux sujets à inhiber le biais perceptif, c'est-à-dire à utiliser une stratégie adaptée permettant d'extraire les indices pertinents, notamment par l'apprentissage de ce qu'est une réponse logique, les sujets exécutent correctement la tâche, leurs régions préfrontales sont activées et non plus les régions postérieures. Les travaux de Raichle et *al.* (1994) avaient

---

1. Tâches impliquant le facteur g : nécessitent entre autres une analyse, une hiérarchisation, une catégorisation et une sélection de l'information pertinente dans un environnement complexe et nouveau.
2. IRMf : technique d'imagerie par résonance magnétique fonctionnelle.

déjà mis en évidence une observation comparable : il existe deux voies de génération de mots, une voie générant des réponses apprises, automatiques, et une autre voie générant des réponses non apprises, nouvelles. Selon les auteurs, les aires cérébrales utilisées pour réaliser une tâche changent suite à un apprentissage. Le cerveau s'adapte à mesure que des activités nouvelles deviennent automatiques par apprentissage. Générer un nouvel usage pour un nom entraîne une activation au niveau des aires frontales et réduit l'activation des voies plus automatiques (et postérieures) utilisées dans la lecture basique des mots. Au fur et à mesure que la liste est répétée, l'activation des aires frontales diminue et le cerveau produit une réponse qui ressemble à celle obtenue lorsque les sujets réalisent la tâche très automatique de lecture à voix haute. Fernandez-Duque et Posner (2001), quant à eux, considèrent deux modes de régulation de l'émotion : les systèmes attentionnels « postérieur » et « antérieur » (les qualificatifs de postérieur et d'antérieur sont relatifs aux zones cérébrales activées par ces systèmes). Le système postérieur traiterait notamment les stimuli subjectivement menaçants de façon automatique, focalisée (avec un rétrécissement du foyer attentionnel) et réactive (non ajustée à la situation réelle immédiate). À l'inverse, le système antérieur permettrait une régulation et un contrôle de l'émotion et de l'action plus efficaces. De plus, le système attentionnel antérieur permettrait de réguler en retour le système attentionnel postérieur et ainsi le caractère réactif inapproprié de la réponse émotionnelle. Le système attentionnel antérieur régulerait donc les biais attentionnels focalisés sur l'information menaçante.

L'ensemble des tâches soumises aux sujets lors de ces différentes études (Baker et *al.*, 1996 ; Duncan et *al.*, 2000 ; Raichle et *al.*, 1994 ; Houdé et *al.*, 2000 ; Fernandez-Duque et Posner, 2001) nécessite une remise en cause des procédures cognitives acquises antérieurement par les sujets pour parvenir à une solution. Mais, avant d'y parvenir, les performances cognitives sont réduites et figées (persévération). Les phénomènes de persévération semblent par ailleurs liés à des mécanismes de perturbation de la planification de l'action (*op. cit.* Richard, 2005). Ainsi, ces travaux tendent à montrer que le préfrontal permet « d'échapper » à la persévération inadaptée en sélectionnant l'information ou la stratégie pertinente et adaptée à la situation (ce qui suggère aussi l'inhibition d'autres stratégies qui seraient inadaptées et surtout celle plus globale des territoires postérieurs qui sous-tendent leur activité). Les processus automatiques trouvent leur utilité dans les situations simples, routinières et tolérées par l'individu.

2.2. Le cortex préfrontal permet la diminution de la réaction stressante

Paradoxalement, de nombreux travaux ont montré une tendance du cortex préfrontal, et notamment dans l'hémisphère droit, à être associé au stress, aux affects négatifs (Davidson et Fox, 1989 ; Rilling et *al.*, 2001 ; Jones et Fox, 1992) et à certains troubles de l'humeur (troubles obsessionnels-compulsifs, phobies, stress post-traumatique, symptômes dépressifs, voir Charney, 2003 ; Rauch et *al.*, 1997 ; Matthew et *al.*, 2004). Ces différents résultats montrent que le cortex préfrontal droit pourrait être impliqué dans l'apparition du stress, chez des sujets sains ou des patients atteints de troubles anxieux ou dépressifs, alors que le préfrontal gauche aurait l'effet inverse. Cependant, d'autres études portent à croire que le cortex préfrontal, grâce à ses fonctions d'adaptation et de régulation des émotions, aurait en fait un rôle dans l'apparition du signal d'inadaptation et dans la diminution de la réaction stressante.

L'étude *princeps* de Drevets et *al.* (1992) sur l'activation des zones cérébrales de sujets dépressifs suscite en effet quelques questions. Les auteurs ont comparé en imagerie TEP[1] des populations de patients dépressifs unipolaires, bipolaires durant leur phase de dépression et des sujets sains. Les résultats ont montré que, par rapport aux sujets sains, les deux populations de patients dépressifs présentaient une activation plus faible d'une zone sous-calleuse et médiane du cortex préfrontal, diminution qui peut être mise en regard du fait que cette zone soit plus petite par rapport aux sujets sains. Les auteurs concluent que cette région cérébrale, significativement plus petite et présentant une modulation de son métabolisme chez les patients dépressifs, est impliquée dans les désordres émotionnels. Cependant, les auteurs n'expliquent pas clairement pourquoi, lors d'une deuxième expérience, ils ont pu constater que des patients dépressifs en phase de rémission (ou d'humeur revenue à la normale) voient l'activation de leur cortex préfrontal diminuer encore. En effet, si une diminution de l'activation ou une atrophie du cortex préfrontal chez des patients dépressifs, en comparaison à des sujets sains, est associée aux phases de dépression, il semble paradoxal que les phases de rémission chez des patients dépressifs puissent être associées à un niveau encore plus faible d'activation du préfrontal en comparaison aux phases de dépression. Ces résultats s'expliqueraient au contraire si l'on considère que le cortex préfrontal n'est pas responsable de la genèse de la réaction stressante, mais de sa tentative de régulation. En effet, si le cortex préfrontal montre, lors des phases de dépression, une activation, puis une diminution de cette activation lors des phases de

---

1. TEP : imagerie fonctionnelle par tomographie par émission de positrons.

rémission, ce pourrait être parce que le préfrontal tente de signaler l'inadaptation du sujet et de réguler, de façon inefficace, les affects négatifs lors des phases critiques de dépression, tandis que la nécessité de son activation s'amoindrirait au fur et à mesure de la rémission du patient.

Cependant, cette dernière hypothèse n'explique pas le fait que les dépressifs ont une zone préfrontale atrophiée ou faiblement active comparativement aux sujets sains, lors de situations stressantes. Pour cela, différentes études menées auprès d'animaux proposent une explication : Radley et *al.* (2004) suggèrent que l'hippocampe et le cortex préfrontal médian ont un rôle dans le feed-back négatif de la régulation du système hypothalamo-adrénergique (anti-stress), durant un accès de stress physiologique et comportemental. Les auteurs ont soumis des rats à des stresseurs intenses sur une longue durée : ils ont constaté que le stress répété provoquait de façon significative une atrophie dendritique et une diminution de l'excitabilité synaptique dans l'hippocampe et dans le cortex préfrontal médian (réduction de 20 % de la longueur totale et de 17 % du nombre de branches des dendrites apicaux). En revanche, ils ont observé une croissance significative des dendrites dans l'amygdale. Les auteurs concluent qu'un stress suffisamment intense et long provoque des changements anormaux dans la plasticité du cerveau : ce phénomène altère la capacité du cerveau à réguler la réaction stressante et à répondre de façon appropriée. Plus précisément, ces changements cellulaires semblent perturber la capacité du cortex préfrontal médian à inhiber la réponse de l'axe hypothalamo-adrénergique au stress. Ces résultats pourraient expliquer le caractère atrophié, dysfonctionnel mais encore actif de la zone sous-calleuse préfrontale et constaté par Drevets et *al.* (1992) chez les patients dépressifs. Arnsten & Goldman-Rakic (1998) ont également déclaré que le stress altère les fonctions du cortex préfrontal à travers un mécanisme hyper-dopaminergique : selon eux, le stress perturbe la capacité du cortex préfrontal à réguler des réponses devenues habituelles et automatiques, et générées par des régions plus postérieures. Par ailleurs Tassin (1998) observe, en psychopharmacologie, une libération brutale de noradrénaline dans le préfrontal lors d'une situation anxiogène. La libération de cette hormone dans des conditions de stress favorise l'activation dopaminergique sous-corticale (régions basses du cerveau) tandis qu'elle bloque paradoxalement l'activation dopaminergique corticale (notamment dans le préfrontal), créant ainsi un « *nouvel équilibre fonctionnel en faveur des structures sous-corticales* ». Selon l'auteur, de tels changements hormonaux bloquent la mémoire de travail et font passer le mode de traitement de l'information de lent, analytique et aux caractéristiques adaptatives, à un mode rapide, analogique et relativement automatique. On peut donc à nouveau constater la primauté d'un fonctionnement automatique sur un fonctionnement adaptatif lors de situation de stress. Cette primauté serait sous-tendue par la stimulation du fonctionnement de régions sous-corticales au détriment de régions corticales et notamment du préfrontal.

Plusieurs études ont montré qu'un état favorable à l'activation du cortex préfrontal a un effet thérapeutique sur certains troubles de l'humeur. Ces études ont notamment montré les effets de sa stimulation[1] (stimulation rTMS) sur des troubles de l'humeur : en fonction de sa fréquence, une stimulation du cortex préfrontal, notamment droit, produirait une amélioration significative de l'état de patients dépressifs, même quand leur dépression s'avère résistante à la médication (Kauffman et *al.*, 2004 ; Cohen et *al.*, 2005). En revanche, certains auteurs (Shin et *al.*, 2004 ; Anand et *al.*, 2003) ont par exemple constaté, en imagerie, une hyperactivité de l'amygdale et des régions limbiques et une diminution de l'activation des zones préfrontales chez des individus présentant un stress post-traumatique et des troubles anxieux, en comparaison à des sujets sains. Les auteurs ont alors émis l'hypothèse que les régions préfrontales sont dysfonctionnelles chez ce type de patients, et qu'elles ne remplissent pas leur fonction d'inhibition de l'activation des régions limbiques durant les états anxieux.

2.3. Signal d'alarme, régulation de l'émotion, et changement des circuits neuronaux

Tableau récapitulatif d'études portant sur les circuits neuronaux sous-jacents à la régulation et au contrôle de l'émotion

Études	Technique d'imagerie	Objectif	Conclusions de l'étude
Hariri et *al.* (1999)	IRMf	Identification des réseaux neuronaux permettant le contrôle et la régulation des émotions	Les régions cérébrales supérieures (type préfrontal) atténuent, *via* des réseaux neuronaux, la réponse émotionnelle émanant de niveaux cérébraux phylogénétiquement plus anciens (régions limbiques). Les régions préfrontales constituent une base neuronale pour la régulation de l'émotion. •••

---

1. Stimulation rTMS : *repetitive Transcranial Magnetic Stimulation.*

•••

Paquette et *al.* (2003)	TEP	Étude de l'effet des thérapies cognitives et comportementales sur le comportement et sur les circuits neuronaux de patients phobiques	L'activation du cortex préfrontal dorso-latéral droit chez les phobiques correspond à l'application de stratégies méta-cognitives ayant pour but de réguler la peur. À l'inverse, la région para-hippocampique serait liée à la réactivation automatique d'un souvenir contextuel de peur qui aurait mené au développement d'un comportement d'évitement et au maintien de la phobie.
Lieberman et *al.* (2004) voir aussi : Petrovic et *al.* (2002), Wager et *al.* (2004)	TEP	Étude des mécanismes neuronaux sous-jacents à un effet placebo (étude effectuée sur une population de patients souffrant de troubles digestifs chroniques (*Irritable Bowel Syndrome*, en anglais)	Après un traitement placebo, les individus rapportant une amélioration de leur état présentent : une augmentation de l'activation de leur préfrontal ventro-latéral droit et cortex cingulaire antérieur dorsal (dACC)[a]; et une diminution de l'activation du préfrontal ventro-latéral gauche, de l'amygdale, de l'insula et de la région thalamique. Les auteurs en ont déduit que le cortex préfrontal, notamment droit, était fortement impliqué dans la régulation cognitive de l'affect.
Ochsner et *al.* (2004 ; 2005)	IRMf	Étude des localisations cérébrales des systèmes assurant la régulation et le contrôle de la réponse émotionnelle	• Le cortex préfrontal dorso-latéral droit semble permettre le contrôle d'une réponse émotionnelle en influant sur l'activité de l'amygdale (région phylogénétiquement ancienne) et sur la représentation des informations. • Les auteurs observent que la peine ou la douleur des individus tend à diminuer (grâce à des exercices comportementaux), alors que l'activation des régions préfrontales augmente et que celle des régions relatives à la sensation de douleur diminue.

a.   dACC : cortex cingulaire antérieur, région cingulaire liée à la sensation de douleur.

Certaines études récentes (*cf.* tableau ci-dessus) indiquent que le cortex préfrontal intervient dans la régulation et le contrôle de la réponse émotionnelle. Le cortex préfrontal influe sur des régions cérébrales phylogénétiquement anciennes (amygdale, etc., *cf.* tableau ci-dessus) et responsables de l'affect négatif relatif à la sensation de douleur, de peur ou plus globalement à la réaction de stress. Lieberman (2003) évoque, à ce propos, la théorie de rupture (*disruption theory*, en anglais). Cette théorie suppose que l'affect négatif déclenche une alarme manifestant un danger. Cette alarme est le stress. Elle permettrait la mise en route d'un processus de réflexion dans le but de répondre à la situation en cours. À ce stade, on observerait deux grands types de situations : soit le signal d'alarme s'arrête ou diminue ; soit le signal d'alarme persiste avec la même intensité, entraînant la probabilité qu'une partie des ressources soit attribuée au traitement de l'alarme et de l'affect négatif, au détriment du traitement permettant de mettre en place des stratégies adaptées et de répondre à ce qui a causé l'affect négatif. Lieberman (2003) a supposé que le cortex préfrontal ventro-latéral droit permet de diminuer ou d'arrêter l'activation de régions cérébrales qui génèrent l'alarme du stress et le traitement de l'affect négatif (amygdale et cingulaire antérieur). Beaucoup d'études ont mis en évidence cette faculté du préfrontal, notamment au travers de la capacité générale d'inhibition de processus automatiques (Aron et *al.*, 2003 ; Garavan et *al.*, 1999) et plus spécifiquement dans le fait de surmonter un affect négatif (Eisenberg et *al.*, 2005 ; Hariri et *al.*, 1999). En effet, le cortex préfrontal ventro-latéral droit présente les connexions neuro-anatomiques nécessaires pour inhiber le traitement d'affects négatifs : chez l'animal, il a été constaté que le cortex orbito-frontal a des projections sur l'amygdale et le dACC (cortex cingulaire antérieur dorsal), et qu'une stimulation de ce même cortex orbito-frontal entraîne une diminution du comportement relatif à la sensation de douleur. Lieberman (2003) suggère que le cortex préfrontal, en influant sur les régions cérébrales responsables de l'affect négatif, permettrait de maintenir le signal d'alarme du stress à une intensité minimale et ainsi d'élaborer une réponse plus efficace car davantage centrée sur la résolution de l'événement. Lieberman (2003) précise également que le signal d'alarme ou la réponse de stress est déclenché lorsque l'individu met en place des stratégies cognitives automatiques et routinières, mais inadaptées à la situation en cours, au détriment de la mise en place de stratégies cognitives nécessitant davantage d'élaboration et plus coûteuses cognitivement mais mieux adaptées. Le signal d'alarme du stress correspondrait donc au signalement d'une erreur de stratégie.

Il semble donc que le cortex préfrontal soit impliqué dans le signalement de l'inadaptation de notre stratégie par rapport à la situation. En raison des interconnexions multiples et directes du préfrontal avec l'ensemble de l'encéphale, notamment *via* le faisceau moyen du cerveau antérieur (MFB ou

Medial Forebain Bundle[1]), ce signalement cheminerait vers des structures sous-commissurales impliquées dans la genèse de l'affect négatif (*cf.* par exemple l'amygdale, Laborit, 1986), faisant apparaître le stress. Une fois ce signal déclenché, le cortex préfrontal tendrait à réguler le traitement de l'affect négatif et à diminuer le signal du stress de façon à ce que le traitement cognitif puisse être dévolu à la résolution de la situation en cours. La résolution de ce type de situation nécessiterait alors la mise en place de stratégies cognitives adaptatives ayant manifestement recours au cortex préfrontal (*cf.* figure ci-dessous).

Schématisation des zones cérébrales activées lors de l'apparition d'une réponse stressante

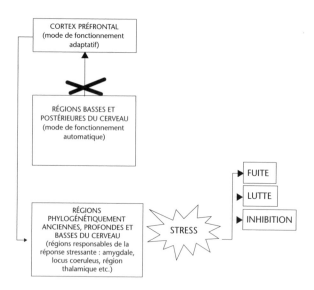

III. De la notion de conscience à celle de modes mentaux

3.1. Remise en question du caractère conscient et coûteux des mécanismes préfrontaux

La plupart des psychologues s'accordent à opposer processus automatiques, peu coûteux, rapides et inconscients à des processus contrôlés plus coûteux et

---

1. *Medial Forebrain Bundle* : circuit de la récompense, traversant entre autres l'aire tegmentale ventrale et l'hypothalamus latéral (*cf.* : http://www.lecerveau.mcgill.ca).

conscients (Schneider et Shiffrin, 1977 ; Evans, 2003 ; Inzana et *al.*, 1996). Dans cette optique, la plupart des théories de la psychologie cognitive évoquent les lobes frontaux comme étant le siège de la conscience (Cannon, 1935), point de vue que partagent aujourd'hui la plupart des neuroscientifiques (Changeux, 1983, 2002).

Cependant, comme nous le rappelle Damasio (1999), les neurologues ne l'entendent pas ainsi et ce depuis longtemps. En effet, la conscience semble plutôt impliquer des territoires comme le gyrus cingulaire ou les cortex sensorimoteurs, au centre des territoires dits automatiques. Le préfrontal (comme l'ensemble des aires dites quaternaires), est par contre considéré par ces auteurs comme essentiellement inconscient, même si certaines de ses stratégies peuvent éventuellement accéder à la conscience. Les continuums « conscience/inconscience », « contrôlé/automatique » et « adaptatif/non adaptatif » ne peuvent donc faire l'objet d'une superposition, d'un amalgame (Hassin et *al.*, 2005 ; Cohen et *al.*, 1990 ; O'Reilly et *al.*, 1999 ; Glaser & Banaji, 1999 ; Moskowitz et *al.*, 1999 ; Aarts et *al.*, 2004). Bien au contraire, nous pouvons en déduire que les processus adaptatifs permis par le préfrontal sont essentiellement inconscients et non contrôlés (ou au mieux d'une conscience étendue, selon Damasio, 1999), à l'inverse des processus automatisés, des schémas sur-appris et figés, issus de territoires situés au cœur de la conscience. La persistance de l'application d'une stratégie automatique inadaptée à la situation ne serait donc pas causée par une évaluation essentiellement automatique inconsciente du caractère trop coûteux des processus adaptatifs conscients, *versus* celui peu coûteux et inconscient des processus automatiques.

3.2. Processus adaptatifs et accès à la conscience

D'après les études de psychophysiopathologie précédemment évoquées (Damasio, 1999 ; Hassin, et *al.*, 2005), le cortex préfrontal constituerait donc une sorte d'inconscient « supraconscient », capable de censurer les processus cognitifs conscients et automatiques de manière directe (par accès à la conscience des mécanismes adaptatifs émanant du préfrontal) ou indirecte. Dans ce dernier cas, nous faisons l'hypothèse que le préfrontal serait en mesure d'émettre une alarme signalant l'inadaptation du processus automatique et conscient en cours, mais ne serait pas en mesure de contrecarrer ces schémas sur-appris, appliqués de façon automatique, « accaparant » les mécanismes attentionnels conscients. Sur ce point il est nécessaire, pour mieux comprendre les fondements de cette hypothèse, de décrire les substrats neuro-fonctionnels impliqués dans la conscience.

Damasio (1999) parle des cas de perte importante et pathologique de la conscience[1] comme d'une perte profonde de la « conscience-noyau », qu'il définit comme un état « d'esprit vide » au centre des mécanismes de conscience, sur lesquels tous les autres processus générateurs de la conscience s'appuient et sans lesquels celle-ci ne peut exister. Ces troubles de la conscience-noyau sont généralement dus à un dysfonctionnement du thalamus ou du cortex cingulaire, éventuellement de l'hypothalamus, du télencéphale basal, du cortex péricingulaire médian ou encore du tronc cérébral supérieur. D'après Damasio (1999), les sites des lésions associés à la perte de cette conscience-moyau se trouvent tous près de la ligne médiane du cerveau.

Par ailleurs, les patients ayant une lésion préfrontale montrent des comportements erronés de persévération même lorsqu'ils ont conscience de leur erreur et de la bonne réponse[2] (Van Der Linden et al., 1999 ; Van Der Linden, 2004 ; Damasio, 1999 ; Hassin et al., 2005). De la même façon, Munakata et Yerys (2001) ont soumis un type de tâche équivalent au test de Wisconsin à des enfants de 3 ans, âge auquel le cortex préfrontal est encore immature. Ces enfants ont fait la même erreur plusieurs fois (classification d'objets erronée) tandis qu'on leur aura réexpliqué les règles à chaque fois. Les enfants donnaient une réponse correcte dès lors qu'on leur demandait d'exprimer oralement leur réponse. Selon les auteurs, il apparaît que les enfants sont conscients de la règle verbalement, tout en demeurant incapables de l'appliquer. Rappelons que le territoire de Broca est frontal, contigu au préfrontal gauche, ce qui pourrait expliquer son rôle dans la conscientisation de pensées préfrontales.

Le cortex préfrontal ne serait donc pas le siège de la conscience, comme peuvent l'évoquer de nombreux auteurs. En revanche le préfrontal, au travers de ses connexions neuronales, semble participer des mécanismes « inconscients » qui participent à la régulation de la conscience. En effet, la conscience requiert, par le biais de mécanismes non conscients, une coordination de centres situés un peu partout dans le cerveau (Edelman & Tononi, 2000 ; Damasio, 1999). Damasio remarque alors que les sites de lésions associés à la perte de conscience sont des structures relevant d'une époque ancienne de l'évolution, c'est-à-dire qu'elles existent chez de nombreuses espèces non humaines

---

1. Les cas de perte importante et pathologique de la conscience sont des cas de mutisme akinétique, d'automatisme épileptique, de crise d'absence, d'état végétatif et de coma.
2. Comportements constatés lors d'un test des cartes de Wisconsin, test connu pour montrer la persévération de patients présentant une lésion préfrontale.

et arrivent tôt à maturité dans le développement humain individuel, contrairement au cortex préfrontal. D'un point de vue darwiniste, phylogénétique et évolutionniste, on peut supposer que le cortex préfrontal, région la plus récente de notre cerveau, ne soit pas encore suffisamment « mature »[1]. En effet il est admis, en neurosciences cognitives, que le cerveau humain est la résultante de l'évolution des espèces et donc de la superposition plus ou moins intégrée de strates successives venues enrichir les capacités adaptatives des espèces. Certains auteurs ont tenté de résumer grossièrement cette sédimentation à travers la description de trois niveaux anatomofonctionnels, du moins évolué au plus évolué phylogénétiquement (*cf.* Damasio, 1999 ; Laborit, 1994 ; MacLean et Guillot, 1990 ; Pandia & Yeterian, 1990 ; MacLean, 1985) : le reptilien, le limbique et le néo-cortical. Les émotions relatives au préfrontal ventro-médian sont réduites, voire annihilées lors d'une lésion préfrontale massive, tandis que les émotions d'origines reptilienne ou limbique demeurent. De même, toute capacité de rationaliser des pensées automatiques « irrationnelles » ou de mettre en place des processus adaptatifs est perdue.

Nous formulons donc l'hypothèse qu'il existe en fait deux grands types de mécanismes inconscients : l'un à l'origine de processus réflexes, relatif aux instincts basiques de la vie ou à certains mécanismes d'apprentissage automatiques[2] (Pavlov, 1928 ; Skinner, 1971 ; Hebb, 1949[3]) ; l'autre à l'origine de processus adaptatifs, lesquels seraient relatifs à l'adaptation sociale, au raison-

---

1. Le préfrontal ne dispose pas encore de tous les leviers d'action nécessaires à la pleine expression de son potentiel. Notamment, il est privé d'une participation directe à l'activité consciente. Plus encore, les mécanismes inhibiteurs dont il dispose pour réguler les territoires automatiques, conscients, comme le gyrus cingulaire, ou inconscients, comme l'amygdale limbique, se révèlent souvent peu efficaces. Damasio pense pourtant que le préfrontal *« remplit les conditions générales »* pour parvenir un jour, chez des espèces à venir, à la conscience et à la commande décisionnelle qui lui est associée. Au même titre que l'ensemble des centres impliqués dans la conscience-noyau, il dispose en effet d'informations directes provenant aussi bien des voies internes (par le MFB notamment) qu'externes (par ses connexions corticales).
2. Mécanismes qui, éventuellement, peuvent évoquer les réflexes conditionnés décrits par Pavlov (1928) et Skinner (1971), sous-tendus par le mécanisme de la potentialisation synaptique décrit par Hebb (1949) et relatif à des structures anciennes et profondes de notre cerveau.
3. Potentialisation des synapses de Hebb (1949) : théorie de l'apprentissage construite sur la notion de potentialisation des synapses. Lorsque deux neurones sont activés simultanément, la force de leur liaison, appelée « poids synaptique », augmente. Au contraire, le découplage de leurs stimulations diminue le poids synaptique.

nement logique et à la rationalité (Cohen et al., 1990 ; Damasio, 1996, 1999 ; Glaser & Banaji, 1999 ; Moskowitz et al., 1999 ; O'Reilly et al., 1999 ; Houdé et al., 2000 ; Duncan et al., 2000 ; Davidson et al., 2000* ; Aarts et al., 2004 ; Hassin et al., 2005). Les émotions émanant de structures plus profondes de notre cerveau (notamment zones limbiques et reptiliennes du cerveau, cf. Damasio, 1996 ; Laborit, 1994 ; MacLean et Guillot, 1990 ; Pandia & Yeterian, 1990 ; MacLean, 1985) pourraient engendrer de nombreux processus d'inadaptation dans le contexte de notre société moderne. Le cortex préfrontal, pourtant acteur de cette évolution, serait souvent réduit au rang de spectateur, disposant alors pour tout recours de sa capacité à déclencher l'alarme du stress, faute de processus directs et fiables d'accès à la conscience.

3.3. Inhibition de processus sous-corticaux par le cortex préfrontal

Certaines données psycho-pharmacologiques tendent à conforter cette vision : Tassin (1998) indique que les neurones dopaminergiques, entre autres, agissent sur les états de conscience. Ces neurones créent « une hiérarchie fonctionnelle entre les structures corticales et sous-corticales qu'ils innervent. Selon la nature des entrées sensorielles, ils peuvent favoriser le cortex préfrontal – et, par conséquent, maintenir l'information entrante activée assez longtemps pour qu'elle ait accès à la conscience – ou favoriser les structures sous-corticales et le traitement rapide de l'information ». Or nous avons vu précédemment que l'état du circuit dopaminergique, lors de situations de stress, favorisait le fonctionnement des régions sous-corticales au détriment des régions corticales (op. cit. Tassin, 1998). Tassin (1998) parle ainsi d'un rapport de force entre les structures sous-corticales et corticales (et plus particulièrement le préfrontal) : leurs modes de fonctionnement (respectivement mode automatique et analogique versus adaptatif et analytique) et l'accès à la conscience des informations qu'elles produisent sont en « compétition ». Selon l'auteur, on observe que le cortex préfrontal est en mesure d'intervenir et son traitement de l'information d'avoir accès à la conscience seulement quand ce dernier est ralenti, laissant supposer qu'il nécessite d'être prolongé pour permettre cet accès. Il semble à l'inverse que les traitements de l'information émanant de structures sous-corticales, plus rapides et automatiques, ne nécessitent pas de telles prolongations pour permettre un accès à la conscience, ce qui expliquerait la prépondérance de leur traitement.

Certains travaux récents appuient également notre hypothèse (Fradin, 2003 ; Fradin et al., 2006**, 2006***). Des études récentes sur le fonctionnement de lamas tibétains montrent que l'exercice de certaines méditations active tout particulièrement le cortex préfrontal, notamment gauche (Lutz et *al.*, 2004). Un lama pratiquant ce type de méditation peut quasiment annihiler un réflexe de sursaut qui normalement échappe totalement au contrôle de la volonté et ne peut être réprimé (Goleman, 2003 ; Ekman et *al.*, 1997, 2005). Or le réflexe du sursaut correspond à l'activité du tronc cérébral, partie la plus primitive, reptilienne, du cerveau. Le stimulus utilisé pour les expériences d'Ekman a été un bruit équivalent à un coup de feu proche de l'oreille. Le réflexe de sursaut correspondant est si rapide qu'il ne peut être simulé et qu'il ne peut être réprimé, même chez des tireurs d'élite avertis. Ces travaux laissent donc supposer que l'exercice de la méditation tendrait à développer et faciliter l'activité du cortex préfrontal et sa capacité de contrôle direct de structures primitives, et ainsi contrecarrer des mécanismes plus profonds et plus ancrés dans notre système cérébral. Cette hypothèse semble d'autant plus plausible que les lamas prônent l'exercice de ce qu'ils appellent « la pensée discursive », ce qui est une tentative d'exercice de la raison, de la capacité à considérer les conséquences à long terme, à adopter des processus d'analyse au niveau conceptuel et non seulement au niveau sensoriel. Or il se trouve que ce type d'exercice relève particulièrement des fonctionnalités du cortex préfrontal (Richard, 2005 ; Duncan et *al.*, 2000 ; Van Der Linden et *al.*, 1999 ; Damasio, 1999). Par ailleurs, Davidson et *al.* (2003) ont demandé à des employés d'entreprise de suivre un stage d'initiation à la méditation au rythme de 2 ou 3 heures par semaine pendant 8 semaines. Ce groupe d'employés a été comparé à un autre groupe présentant les mêmes caractéristiques et issus de la même entreprise, mais ne participant pas au stage. Les auteurs ont effectué un EEG sur les deux groupes de sujets, juste après le stage puis 4 mois plus tard. Le groupe de sujets « méditants » montrait alors une meilleure réaction immunitaire à un vaccin qui leur avait été administré juste après le stage, une augmentation sensible de l'activité du cortex préfrontal gauche, une baisse de l'anxiété et une augmentation des émotions positives par rapport au groupe qui n'avait pas assisté au stage. Les auteurs ont supposé que l'activité du cortex préfrontal gauche provoquait une inhibition de l'activité amygdalienne, siège du traitement d'émotions à connotation négative, comme la colère ou la peur.

À l'inverse, il a été constaté que des meurtriers ayant commis un crime par impulsivité montrent une réduction de l'activité du cortex préfrontal latéral, en comparaison à des sujets sains et à des meurtriers ayant effectué leur crime de façon préméditée (Davidson et *al.*, 2000[***]). En fait, une diminution, voire une extinction (pathologie ou lobotomie), de l'activité du cortex préfrontal atténue le stress anticipateur, mais augmente le stress survenant en situation aiguë, sans doute par incapacité à gérer la nouveauté menaçante. Cela rejoint l'idée de Damasio (1999) selon laquelle le préfrontal permet la « raisonnabilité », c'est-à-dire la rationalité et la prise de recul. Ainsi une lésion du préfrontal impliquerait : que les sentiments aidant la décision et naissant au niveau du préfrontal ne soient plus « activables » ; que la capacité à accéder à la logique, à mettre en place des processus adaptatifs (relevant de zones préfrontales) au lieu d'automatiques (relevant de zones postérieures et de niveaux inférieurs du cerveau) soit diminuée (cf. Houdé 2000 ; Evans, 2003) ; mais également que la fonction de rationalisation ou d'inhibition des émotions ou pensées émanant de structures limbiques et reptiliennes soit amoindrie. Au vu de ces dernières données, on peut faire l'hypothèse que le préfrontal représente actuellement une forme d'intelligence « supérieure » d'un point de vue phylogénétique, largement inconsciente mais susceptible d'identifier les irrationalités et les inadaptations liées au contexte social ou aux situations complexes et rapidement évolutives (Fradin et al., 2006*, 2006**). Ses relations physiologiques avec l'ensemble des structures encéphaliques lui rendraient cette tâche conceptuelle plus aisée et efficace. Ses difficultés d'accès aux processus décisionnels conscients lui compliquent sa mise en œuvre.

IV. De nouvelles hypothèses ou l'émergence d'un nouveau modèle du stress

4.1. Un modèle neurocognitif du stress[1]

Au terme de cette revue interdisciplinaire large[2], le stress peut être envisagé comme le résultat d'une activation du préfrontal percevant une situation d'inadéquation et poussant à une ouverture vers des modes alternatifs. Plus difficile serait cette ouverture, plus fort serait le stress résultant de ce conflit interne inconscient. La cause de la réticence à basculer vers un mode alternatif pourrait être une « non-acceptation » consciente de la réalité perçue comme désagréable et/ou inquiétante. Ce « refus » constituerait la partie émergée de schémas cognitifs rigides préexistants à la situation. Il en résulterait une « stressabilité », c'est-à-dire une potentialité à réagir par le stress face à une situation associée à une rigidité dysfonctionnelle. Cela expliquerait pour-

---

1. Cf. tableau « Modèle neurocognitif du stress » (Fradin & Lefrançois).
2. La très importante littérature accumulée depuis des décennies sur le stress contraste avec la relative dispersion de ces connaissances, issues de branches des sciences et neurosciences cognitives qui n'ont pas forcément beaucoup communiqué entre elles.

quoi le stress peut se manifester dès lors que l'individu est confronté, de façon réelle mais également imaginaire, à ladite situation.

Il apparaît probable que le cortex préfrontal (notamment dans l'hémisphère droit) « repère » et interprète l'inadaptation de la stratégie automatique en cours (grâce à la capacité d'anticipation reconnue du cortex préfrontal), et permette ainsi la formation d'un signal d'alarme. Si l'adaptation avait finalement lieu, le cortex préfrontal serait impliqué dans la régulation du signal d'alarme et de l'affect négatif par un phénomène de feed-back en connexion avec les structures cérébrales responsables de la genèse des affects négatifs (notamment l'amygdale) ; il inhiberait en parallèle les stratégies automatiques, mal adaptées, et permettrait l'application de processus relatifs à la sélection et au traitement des informations pertinentes dans l'environnement, et ainsi la mise en place de stratégies cognitives adaptées.

Ainsi, les émotions, les processus d'inhibition des stratégies automatiques et les stratégies adaptatives émanant du cortex préfrontal permettraient l'adaptation et la prise de décision d'un point de vue général et notamment social (Damasio et *al.*, 2000 ; Christoff, et *al.*, 2003 ; Oya et *al.*, 2005). Cependant, la nature inconsciente inhérente aux processus préfrontaux représente un frein certain dans la mise en œuvre des stratégies adaptatives qui lui incombent (Reber et *al.*, 1980), face à des stratégies rigides, sur-apprises ou devenues automatiques et relevant de structures anatomiques plus anciennes (Tassin, 1998). En accord avec Damasio (1999), nous formulons l'hypothèse que le cortex préfrontal souffre d'une « immaturité fonctionnelle » (considérant son apparition récente dans la phylogenèse), notamment à travers sa faible participation au cadre de la conscience.

Modèle neurocognitif du stress (Fradin & Lefrançois)

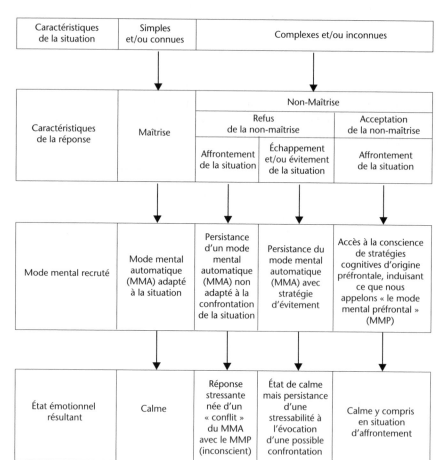

Caractéristiques de la situation	Simples et/ou connues	Complexes et/ou inconnues		

Caractéristiques de la réponse	Maîtrise	Non-Maîtrise		
		Refus de la non-maîtrise		Acceptation de la non-maîtrise
		Affrontement de la situation	Échappement et/ou évitement de la situation	Affrontement de la situation

| Mode mental recruté | Mode mental automatique (MMA) adapté à la situation | Persistance d'un mode mental automatique (MMA) non adapté à la confrontation de la situation | Persistance du mode mental automatique (MMA) avec stratégie d'évitement | Accès à la conscience de stratégies cognitives d'origine préfrontale, induisant ce que nous appelons « le mode mental préfrontal » (MMP) |

| État émotionnel résultant | Calme | Réponse stressante née d'un « conflit » du MMA avec le MMP (inconscient) | État de calme mais persistance d'une stressabilité à l'évocation d'une possible confrontation | Calme y compris en situation d'affrontement |

4.2. Stimuler l'adaptabilité/diminuer la stressabilité

Grâce aux travaux de Davidson et *al.* (2003) et Lutz et *al.* (2004), nous avons vu que la pratique de la méditation engendre une diminution de l'anxiété et une activation du cortex préfrontal plus importante que chez les sujets témoins. De même, les travaux d'Ekman (1997, 2005) montrent que les lamas parviennent à inhiber un réflexe phylogénétiquement ancien (réflexe de sursaut lors d'une détonation), ce qui semblait impossible jusqu'alors. On peut donc supposer que cette capacité à inhiber des automatismes ou des réflexes provenant de régions anciennes du cerveau tient à la pratique d'exercices permettant et facilitant le développement de l'activité préfrontale, notamment son accès à la conscience (conscience-étendue, selon Damasio, 1999) et/ou sa capacité à inhiber des processus automatiques. Rappelons également les travaux montrant l'atrophie des cellules du cortex préfrontal lorsque les rats sont soumis à un stress intense (Radley et *al.*, 2004). Sans sollicitation adaptée, le cortex préfrontal n'est pas toujours en mesure de développer ses stratégies adaptatives de traitement de l'information, mais on peut tout au moins interpréter son désaccord persistant avec la procédure consciente en cours par la survenue de stress que nous nommons atypique ou endogène (c'est-à-dire non induit par une menace réelle et immédiate).

D'autres études telles celles de Davidson et *al.* (2003) ou Paquette et *al.* (2003) montrent que des exercices succincts de méditation ou une thérapie cognitive et comportementale permettent de développer l'activité du préfrontal et de changer un circuit neuronal dysfonctionnel. Nous avons mis en place des exercices développant des capacités cognitives issues des connaissances acquises sur le fonctionnement préfrontal et en particulier des tests de psychométrie utilisés dans l'évaluation des lésions frontales (exercices dits de Gestion des Modes Mentaux, *Mental Mode Management exercises*, en anglais) (Fradin, 2003). Suite à cela, nous avons réalisé une pré-étude (Fradin et *al.*, 2006[***]) mettant en évidence un lien étroit (coefficient de corrélation de 0,9) entre un mode de fonctionnement automatique et rigide et une réponse de stress lors de l'évocation de situations non tolérées (stressabilité). Par ailleurs, lors de cette étude, nous avons soumis les sujets à des exercices cognitifs de Gestion des Modes Mentaux facilitant le recrutement d'un mode adaptatif lors de situations initialement stressantes. Nos premiers résultats mettent en évidence une réduction très significative du stress des individus au fur et à mesure qu'ils fonctionnent selon un mode plus adaptatif[1], après les exercices de Gestion des Modes Mentaux. Ces différents travaux (Houdé et *al.*, 2000 ; Davidson et *al.*, 2003 ; Paquette et *al.*, 2003 ; Fradin et *al.*, 2006[***]) mettent en évidence l'information importante qu'il est possible de développer les capacités générales d'adaptation, faciliter l'accès à la conscience des mécanismes adaptatifs et diminuer corollairement la stressabilité en modifiant l'activité neuronale par le biais d'exercices cognitifs et comportementaux.

---

1. Mode adaptatif dont les caractéristiques sont les fonctionnalités cognitives que permet le préfrontal, d'après des études réalisées en neuropsychologie et en imagerie.

Conclusion

On peut ainsi envisager que la lenteur et la grande hétérogénéité du développement de la culture humaine puissent être liées à la lente émergence du néocortex préfrontal dans la genèse des cognitions conscientes. Les travaux de Houdé et *al.* (2000), Davidson et *al.* (2003), Paquette et *al.* (2003) et Fradin et *al.* (2006[***]) mettent en évidence que l'accès à la pensée préfrontale s'apprend, ou du moins la facilitation de son expression consciente. Cela fait considérer les stades évolutifs de Piaget, notamment l'accès à la pensée logique, comme un acquis culturel transmissible par l'éducation, accessible mais non obligatoire (Cole & Scribner, 1974). Cela est encore à rapprocher de l'évolution rapide et inexplicable en termes génétiques du QI dans les pays occidentaux (1/2 point par an en moyenne depuis quelques décennies), sachant que le QI est lié au facteur g et aux capacités du cortex préfrontal (Duncan et *al.*, 2000). On peut donc supposer que l'évolution actuelle de la culture, associée à la mondialisation et au mélange des cultures, à l'accélération des moyens de communication, notamment grâce à Internet, au partage des avancées technologiques, à l'augmentation de la pression de compétition économique, constitue autant de facteurs de « préfrontalisation » de notre mode de pensée (Fradin et *al.*, 2003), forçant en quelque sorte notre conscient individuel et collectif à s'adapter. La résistance au changement pourrait constituer la cause première du stress et des difficultés d'adaptation et non l'inverse. Nous voyons donc que, dans le cadre de notre hypothèse, ce ne serait pas tant la ressource adaptative qui manquerait que notre perception/acceptation consciente du changement. On pourrait donc concevoir le stress comme le révélateur d'un véritable conflit de génération intracérébral, entre un territoire proactif, générateur de l'évolution moderne du monde, et un territoire plus seulement programmé et réactif, accroché à ses automatismes… et à ses erreurs.

Bibliographie

Aarts, H., Gollwitzer, P. & Hassin, R. (2004). "Goal contagion : Perceiving is for pursuing", *Journal of Personality and Social Psychology*, 87, p. 23-37.

Abramson, L., Metalsky, G. & Alloy, L. (1989). "Hopelessness depression : a theory-based subtype of depression", *Psychological Review*, 96, p. 358-372.

Anand, A. & Schekhar, A. (2003). "Brain imaging studies in mood and anxiety disorders", *Annales of the New York Academy of Science*, 985, p. 370-388.

Aron, A., Fletcher, P., Bullmore, E., Sahakian, B. & Robbins, T. (2003). "Stop-signal inhibition disrupted by damage to right inferior frontal gyrus in humans", *Nature Neuroscience*, 6, p. 115-116.

Arsten, A. & Goldman-Rakic, P. (1998). "Noise stress impairs prefrontal cortical cognitive function in monkeys : evidence for a hyperdopaminergic mechanism", *Archives of General Psychiatry*, 55 (4), p. 362-368.

Bagozzi, R., Baugartner, H. & Pieters, R. (1998). "Goal-directed emotions", *Cognition and Emotion*, 12, 1, p. 1-26.

Baker, S., Rogers, R., Owen, A., Frith, C., Dolan, R., Frackowiack, R. & Robbins, T. (1996). "Neural systems engaged by planning : a PET study of the Tower of London task", *Neuropsychologia*, vol. 34, n° 6, p. 515-526.

Bar-Tal, Y., Raviv, A. & Spitzer, A. (1999). "The need and ability to achieve cognitive structuring : individual differences that moderate the effect of stress on information processing", *Journal of Personality and Social Psychology*, vol. 77, n° 1, p. 35-51.

Beck, A. (1984). "Cognitive approach to stress", in C. Lehrer & R. Woolfolk (Eds.), *Clinical guide to stress management*, New York, Guilford Press.

Ben Sabat, S. (1980). *Le stress*, Paris, Hachette.

Cannon, W. (1935). "Stresses and strains of homeostasis", *American Journal of Medical Sciences*, 189, p. 1-14.

Changeux, J.-P. (1983). *L'homme neuronal*, Paris, Fayard.

Changeux, J.-P. (2002). *L'homme de vérité*, Paris, Odile Jacob.

Charney, D. (2003). "Neuroanatomical circuits modulating fear and anxiety behaviours", *Acta Psychiatrica Scandinavica*, (suppl. 417), p. 38-50.

Christoff, K., Ream, J., Geddes, L. & Gabrieli, J. (2003). "Evaluationg self-generated information : anterior prefrontal contributions to human cognition", *Behavioral Neuroscience*, vol. 117, n° 6, p. 1161-1168.

Chrousos, G. & Gold, P. (1992). "The conceps of stress and stress system disorders : overview of physical and behavioral homeostasis", *The journal of the american medical association*, 4, 267 (9), p. 1244-1254.

Cohen, J., Dunbar, K. & McClelland, J. (1990). "On the control of automatic processes : A parallel distributed processing model of the Stroop effect", *Psychological Review*, 97, p. 332-361.

Cohen, H., Kaplan, Z., Kotler, M., Kouperman, I., Moisa, R. & Grisaru, N. (2005). "Repetitive transcranial magnetic stimulation of the right dorsolateral prefrontal cortex in posttraumatic stress disorder : a double-blind, placebo-controlled study", *American journal of psychiatry*, 162 (2), p. 398-400.

Cole, M. & Scribner, S. (1974). *Culture and thought : A psychological introduction*, New York, John Wiley.

Damasio, A. (1996). "The somatic marker hypothesis and the possible functions of the prefrontal cortex", *Philosophical transactions of the Royal Society of London. Biological Sciences*, 351 (1346), p. 1413-1420.

Damasio, A. (1999). *The feeling of what happens : Body and emotion in the making of consciousness*, New York, Harcourt Brace.

Damasio, A., Grabowski, T., Bechara, A., Damasio, H., Ponto, L., Parvizi, J. & Hichwa, R. (2000). "Subcortical brain activity during the feeling of self-generated emotions", *Nature Neuroscience*, vol. 3, n° 10, p. 1049-1056.

Davidson, R. & Fox, N. (1989). "Frontal brain asymmetry predicts infant's responses to maternal separation", *Journal of Abnormal Psychology*, 98, p. 127-131.

Davidson, R., Jackson, D. & Kalin, N. (2000[*]). "Emotion, plasticity, context, and regulation : perspectives from affective neuroscience", *Psychological Bulletin*, 126 (n° 6), p. 890-909.

Davidson, R., Putnam, K. & Larson, C. (2000[**]). "Dysfunction in the neural circuitry of emotion regulation. A possible prelude to violence", *Science*, vol. 289, p. 591-594.

Davidson, R., Kabat-Zin, J., Schumacher, J., Rosenkranz, M., Muller, D., Santorelli, S., Urbanovski, F., Harrington, A., Bonus, A. & Sheridan, J. (2003). "Alterations in brain and immune function produced by mindfulness meditation", *Psychosomatic Medicine* (65), p. 564-570.

Derryberry, D. & Reed, M. A. (2002). "Anxiety-related attentional biases and their regulation by attentional control", *Journal of Abnormal Psychology*, 111, n° 2, p. 225-236.

Drevets, W., Videen, T., Price, J., Preskom, S., Carmichael, T. & Raichle, M. (1992). "A functional anatomy of unipolar depression", *Journal of Neuroscience*, 12 : 3628-3642.

Duncan, J., Seitz, R. J., Kolodny, J., Bor, D., Herzog, H., Ahmed, A., Newell, F. & Emslie, H. (2000). "A neural basis of general intelligence", *Science*, vol. 289, p. 457-460.

Duncker, K. (1945). "On problem-solving", *Psychological Monographs*, 58, n° 270.

Edelman, G. & Tononi, G. (2000). *A universe of consciousness. How matter becomes imagination*, New Yor, Basic Books.

Eisenberg, N. & Lieberman, M. (2005). "Why its hurts to be left out : the neurocognitive overlap between physical and social pain", in K. Williams, J. Forgas, W. von Hippel (Eds.), *The social outcast : ostracism, social exclusion, rejection, and bullying*, New York, Cambridge University Press.

Ekman, P., Davidson, R., Ricard, M. & Wallace, B. (2005). "Buddhist and psychological perspectives on emotions and well-being", *Current directions in psychological science*, 14 (n° 2), p. 59-63.

Ekman, P., Friesen, W. & Simons, R. (1997). "Is the startle reaction and emotion ?" in Ekman, P. & Rosenberg, E. (Eds), *What face reveals*, Oxford, Oxford University Press, p. 21-35.

Erlich, M.-F., Tardieu, H. & Cavazza, M. (1993). *Les modèles mentaux : approche cognitive des représentations*, Paris, Masson.

Evans, J. (2003). "In two minds : dual-process accounts of reasoning", *Trends in Cognitive Sciences*, 7 (10), p. 454-458.

Fernandez-Duque, D. & Posner, M. (2001). "Brain imaging of attentional networks in normal and pathological states", *Journal of Clinical and Experimental Neuropsychology*, 23, n° 1, p. 74-93.

Fradin, J. (2003). "Gestion du stress et suivi nutritionnel", *Médecine et Nutrition*, 39 (1), p. 29-33.

Fradin, J. & Fradin, F. (2006[*]). *Personnalités et psychophysiopathologie : nouvelles hypothèses en thérapie cognitive et comportementale*, Paris, Publibook.

Fradin, J. & Lemoullec, F. (2006[**]). *Manager selon les personnalités*, Paris, Éditions d'Organisation.

Fradin, J., Lefrançois, C. & El Massioui, F. (2006[***]). « Des neurosciences à la gestion du stress devant l'assiette ! » *Médecine et Nutrition*, vol. 42, n° 2.

Garavan, H., Ross, T. & Stein, E. (1999). "Right hemispheric dominance of inhibitory control : an event-related functional MRI study", *Proceedings of the national academy of sciences* (USA), 96, p. 8301-8306.

Glaser, J. & Banaji, M. (1999). "When fair is foul and foul is fair : Reverse priming in automatic evaluation", *Journal of Personality and Social Psychology*, 77, p. 669-687.

Goleman, D. (2003). *Surmonter les émotions destructrices : un dialogue avec le Dalaï Lama*, Paris, Robert Laffont.

Hariri, A., Bookheimer, S. & Mazziotta, J. (1999). "Modulating emotional responses : effects of a neocortical network on the limbic system", *NeuroReport*, vol. 11, n° 1, p. 43-48.

Hassin, R., Uleman, J. & Bargh, J. (2005). *The new unconscious*, New York, Oxford.

Hebb, D. (1949). *The organization of behavior*, New York, Wiley.

Houdé, O., Zago, L., Mellet, E., Moutier, S., Pineau, A., Mazoyer, B. & Tzourio-Mazoyer, N. (2000). "Shifting from the perceptual brain to the logical brain : the neural impact of cognitive inhibition training", *Journal of Cognitive Neurosciences*, 12, p. 721-728.

Inzana, C., Driskell, J., Salas, E. & Johnson, J. (1996). "Effects of preparatory information on enhancing performance under stress", *Journal of Applied Psychology*, 81, p. 429-435.

Johnson-Laird, P. (1980). "Mental models in cognitive science", *Cognitive Science*, 11, p. 445-480.

Jones, N. & Fox, N. (1992). "Electroencephalogram asymmetry during emotionally evocative films and its relation to positive and negative affectivity", *Brain and Cognition*, 20, p. 2280-2299.

Kauffmann, C., Cheema, M. & Miller, B. (2004). "Slow right prefrontal transcranial magnetic stimulation as a treatment for medication-resistant depression : a double-blind, placebo-controlled study", *Depress Anxiety*, 19 (1), p. 59-62.

Kelly, G. (1963). *A theory of personality : the psychology of personal constructs*, New York, Norton.

Kruglanski, A. & Webster, D. (1996). "Motivated closing of the mind : Seizing and freezing", *Psychological Review*, 103, p. 263-283.

Laborit, H. (1986). *L'inhibition de l'action*, Montréal, Masson.

Laborit, H. (1994). *La légende des comportements*, Paris, Flammarion.

Lazarus, R. & Folkman, S. (1984). *Stress appraisal and coping*, New York, McGraw-Hill.

Lieberman, M., Jarcho, J., Berman, S., Nabiloff, B., Suyenobu, B., Mandelkern, M. & Mayer, E. (2004). "The neural correlates of placebo effects : A disruption account", *NeuroImage*, 22, p. 447-455.

Lieberman, M. (2003). "Reflective and reflexive judgement processes : A social neuroscience approach", in J. Forgas, K. Williams & W. Hippel (Eds), *Social judgements : Implicit and explicit processes*, New York, Cambridge University Press, p. 44-67.

Luria, A. & Tsvetkovka, L. (1964). "The programming of constructive activity in local brain injuries", *Neuropsychologia*, 2, p. 95-107.

Lutz, A., Greischar, L. Rawlings, N., Ricard, M. & Davidson, R. (2004). "Long-term meditators self-induce high-amplitude gamma synchrony during mental practice", *The Proceedings of the National Academy of Sciences USA*, 101 (46), p. 16369-16373.

MacLean, P. (1985). "Brain evolution relating to family, play, and the separation call", *Archives of General Psychiatry*, 42 (4), p. 405-417.

MacLean, P. & Guillot, R. (1990). *Les trois cerveaux de l'homme*, Paris, Robert Laffont.

Matthew, S., Mao, X., Coplan, J., Smith, E., Sackeim, H., Gorman, J., & Shungu, D. (2004). "Dorsolateral prefrontal cortical pathology in generalized anxiety disorder : A proton magnetic resonance spectroscopic imaging study", *American Journal Psychiatry*, 161, p. 1119-1121.

Moskowitz, G., Gollwitzer, P., Wasel, W. & Scaal, B. (1999). "Preconscious control of stereotype activation through chronic egalitarian goals", *Journal of Personality and Social Psychology*, 77, p. 167-184.

Munakata, Y. & Yerys, B. (2001). "All together now : When dissociations between knowledge and action disappear", *Psychological Science*, 12 (4), p. 335-337.

Neuberg, S. & Newsom, J. (1993). "Personal need for structure : individual differences in chronic motivation to simplify", *Journal of Personality and Social Psychology*, 65, p. 113-131.

Ochsner, K., Ray, R., Cooper, J., Robertson, E., Chopra, S., Gabrieli, J. & Gross, J. (2004). "For better or for worse : Neural systems supporting the cognitive down- and up-regulation", *Neuroimage*, 23, p. 483-499.

Ochsner, K. & Gross, J. (2005). "The cognitive control of emotion", *Trends in Cognitive Sciences*, vol. 9, n° 5, p. 242- 249.

O'Reilly, R., Braver, T. & Cohen, J. (1999). "A biological based computational model of working memory", in A. Miyake & P. Shah (Eds.), *Models of working memory : Mechanisms of active maintenance and executive control*, New York, Cambridge University Press, p. 375-411.

Oya, H., Adolphs, R., Kawasaki, H., Bechara, A., Damasio, A. & Howard III., M. (2005). "Electrophysiological correlates of reward prediction error recorded in the human prefrontal cortex", *Proceedings of the National Academy of Sciences*, vol. 102, n° 23, p. 8351-8356.

Pandya, D. & Yeterian, E. (1990). "Prefrontal cortex in relation to other cortical areas in rhesus monkey : architecture and connections", *Progress in Brain Research*, 85, p. 63-91.

Paquette, V., Lévesque, J., Mensour, B., Leroux, J., Beaudouin, G., Bourgoin, P. & Beauregard, M. (2003). "Change the mind and you change the brain : Effects of cognitive-behavioral therapy on the neural correlates of spider phobia", *NeuroImage*, 18, p. 401-409.

Pavlov, I. (1928). *Lectures on conditioned reflexes* (vol. 1), London, Lawrence and Wishart.

Petrovic, P., Kalso, E., Petersson, K. & Ingvar, M. (2002). "Placebo and opioid analgesia – imaging a shared neural network", *Science*, 295, p. 1737-1740.

Piaget, J. (1974). *La prise de conscience*, Paris, PUF.

Posner, M. & Rothbart, M. (2000). "Developping mechanisms of self-regulation", *Development and Psychopathology*, 12, p. 195-204.

Radley, J., Sisti, H., Hao, J., Rocher, A., McCall, T., Hof, P., McEwen, B. & Morrison, J. (2004). "Chronic behavioral stress induces apical dendritic reorganization in pyramidal neurons of the medial prefrontal cortex", *Neuroscience*, 125, p. 1-6.

Raichle, M., Fiez, J., Videen, T., MacLeod, A., Pardo, J., Fox, P. & Petersen, S. (1994). "Practice, related changes in human brain functional anatomy during nonmotor learning", *Cerebral Cortex*, 4, p. 8-26.

Rauch, S. (1997). "The functional neuranatomy of anxiety : A study of three disorders using positron emission tomography and symptom provocation", *Biological Psychiatry*, 42, p. 446-452.

Reber, A., Kassin, S., Lewis, S. & Cantor, G. (1980). "On the relationship between implicit and explicit modes in the learning of a complex rule structure", *Journal of Experimental Psychology : Human Learning and Memory*, 6, p. 492-502.

Richard, J.-F. (2005). « L'intelligence comme plasticité à l'environnement », in J. Lautrey & J.-F. Richard (Éds), *L'intelligence*, p. 75-89.

Richard, J.-F. & Zamani, M. (2003). "A problem-solving model as a tool for analyzing adaptative", in R. Sternberg, J. Lautrey & T. Lubart (Eds.), *Models of Intelligence : International Perspective*, Washington DC, American Psychological Association, p. 213-226.

Rilling, J., Winslow, J., O'Brien, D., Gutman, D., Hoffman, J. & Kilts, C. (2001). "Neural correlates of maternal separation in rhesus monkeys", *Biological Psychiatry*, 49 (2), p. 146-157.

Schneider, W. & Shiffrin, R. (1977). "Controlled and automatic human information processing : I. Detection, search and attention", *Psychological Review*, 84, p. 1-66.

Selye, H. (1936). "A syndrome produced by diverse noxious agent", *Nature*, 138 (2).

Shin, L., Orr, S., Carson, M., Rauch, S., Macklin, M., Lasko, N., Peters, P., Metzger, L., Dougherty, D., Cannistraro, P., Alpert, N., Fischman, A. & Pitman, R. (2004). "Regional cerebral blood flow in the amygdala and medial prefrontal cortex during traumatic imagery in male and female Vietnam veterans with PTSD", *Archives of General Psychiatry*, 61, p. 168-176.

Skinner, B. (1971). *L'analyse expérimentale du comportement*, Bruxelles, Dessart.

Tassin, J.-P. (1998). "Norepinephrine-dopamine interactions in the prefrontal cortex and ventral tegmental area : Relevance to mental diseases", *Advances in Pharmacology*, p. 712-716.

Van Der Linden, M. (2004). « Fonctions exécutives et régulation émotionnelle », in T. Meulemenas, F. Colette & M. Van Der Linden (Éds), *Neuropsychologie des fonctions exécutives*, Marseille, Solal, p. 137-153.

Van Der Linden, M., Seron, X., Le Gall, D. & Andrès, P. (1999). *Neuropsychologie des lobes frontaux*, Marseille, Solal.

Wager, T., Rilling, J., Smith, E., Sololik, A., Casey, K., Davidson, R., Kosslyn, S., Rose, R. & Cohen, J. (2004). "Placebo-induced changes in fMRI in the anticipation and experience of pain", *Science*, 303, p. 1162-1167.

Wertheimer, M. (1959). *Productive thinking : a gestalt view of problem solving and how to teach it*, New York, Harper et Row.

Composé par Istria

Dépôt légal : janvier 2010
N° d'éditeur : 3643
IMPRIMÉ EN FRANCE

Achevé d'imprimer le 27 janvier 2010
sur les presses de l'imprimerie « La Source d'Or »
63039 Clermont-Ferrand
Imprimeur n° 12535

Dans le cadre de sa politique de développement durable,
La Source d'Or a été référencée IMPRIM'VERT®
par son organisme consulaire de tutelle.
Cet ouvrage est imprimé - pour l'intérieur - sur papier offset « Amber Graphic » 90 g
provenant de la gestion durable des forêts, des papeteries Arctic Paper,
dont les usines ont obtenu les certifications environnementales ISO 14001 et E.M.A.S.